"十四五"职业教育国家规划教材

建设法规与案例分析

第五版

主编 刘 镇 王照雯 董 青

大连理工大学出版社

图书在版编目(CIP)数据

建设法规与案例分析 / 刘镇，王照雯，董青主编． 5 版． -- 大连：大连理工大学出版社，2024.12.(2025.7 重印)
ISBN 978-7-5685-5133-5

Ⅰ．D922.297.5

中国国家版本馆 CIP 数据核字第 2024ZS3697 号

大连理工大学出版社出版

地址：大连市软件园路 80 号　邮政编码：116023
营销中心：0411-84707410　84708842　邮购及零售：0411-84706041
E-mail：dutp@dutp.cn　URL：https://www.dutp.cn
辽宁虎驰科技传媒有限公司印刷　　大连理工大学出版社发行

幅面尺寸：185mm×260mm　　印张：14.5　　字数：366 千字
2011 年 6 月第 1 版　　　　　　　　　2024 年 12 月第 5 版
2025 年 7 月第 2 次印刷

责任编辑：康云霞　　　　　　　　　　责任校对：唐爽
封面设计：张　莹

ISBN 978-7-5685-5133-5　　　　　　　定　价：49.80 元

本书如有印装质量问题，请与我社营销中心联系更换。

前　言

《建设法规与案例分析》(第五版)是"十四五"职业教育国家规划教材,也是辽宁省职业教育"十四五"规划教材。

根据国家和地方出台的有关法律、法规,编写团队对本教材进行了修订工作。本次修订总体框架上继续沿用上版的写作思路和风格,在内容上进行了重新调整。在教材修订过程中,编写团队深入学习了党的二十大报告,积极推进党的二十大精神进教材、进课堂、进头脑。

本教材在编写过程中力求突出以下特色:

1. 以立德树人为根本任务,"德＋技"并修育人

党的二十大报告提出,实施科教兴国战略,强化现代化建设人才支撑。本教材全面贯彻党的教育方针,落实立德树人根本任务,让学生在掌握知识、实践技能的过程中践行社会主义核心价值观,实现"德＋技"并修双育人。

2. 以工学结合为主要路径,重构教材内容

党的二十大报告指出,坚持全面依法治国,推进法治中国建设。本教材以《宪法》为核心,以规范建设活动的建设法规为基础,以基本建设为主线,融入《民法典》《安全生产法》《环保法》等法律、法规,阐述建设工程的勘察、设计、施工、监理、监督和管理等工程建设领域涉及的相关法律、法规,结合国家职业资格考试要求,精心设计了多种形式的思考与训练题,为学生和有关工作人员继续学习提供参考。

3. 以产教融合为主要方式,搭建"双元"团队

党的二十大报告指出,加快构建新发展格局,着力推动高质量发展。本教材由院校和企业专家、法律人士合作编写。编写团队充分调研不同企业、不同岗位对建设法规知识的需求,对建设法律体系重新进行构建,以基本法规、核心法规及拓展法规三个维度构建教材体系。教

材突出"知行合一，工学结合"的职业教育特色，坚持产教融合，强化建设行业指导。教材结合多个职业岗位需求和建筑业产业升级要求，联系工程实际，满足建设行业全领域、全部门、全岗位、全过程的法律知识需求，同时各专业可以选取不同内容进行分方向拓展。教材同时满足高职院校教学与职业培训的需求。

4.以数字技术为主要支撑，搭建新形态教材

党的二十大报告指出，推进教育数字化，建设全民终身学习的学习型社会、学习型大国。本教材以"互联网＋信息技术"为支撑，创新"纸质教材＋数字化资源"的新形态一体化教材体系，以满足"互联网＋职业教育"的新需求。教材配有微课、课程标准、课件等资源，有效实现线上、线下混合式教学。

本教材由大连职业技术学院刘镇、大连海洋大学应用技术学院王照雯、山东商务职业学院董青任主编；河南建筑职业技术学院李伟、广西水利电力职业技术学院李颖任副主编；福建林业职业技术学院高昕、滨州职业学院栾成洁、中交一公局第八工程有限公司刘彬、中北大学张建隽任参编。具体编写分工如下：模块1～2由王照雯编写；模块3由李颖编写；模块4由刘彬和张建隽编写；模块5由高昕编写；模块6、7由刘镇编写；模块8、9由董青编写；模块10由栾成洁编写；模块11由李伟编写。

在编写本教材的过程中，我们参考、引用和改编了国内外出版物中的相关资料以及网络资源，在此对这些资源的作者表示诚挚的谢意！请相关著作权人看到本教材后与出版社联系，出版社将按照相关法律的规定支付稿酬。在此特别感谢中交一公局第八工程有限公司在本教材编写过程中所提供的支持！

尽管我们在探索《建设法规与案例分析》教材特色的建设方面做出了许多努力，但由于编者水平有限，教材中仍可能存在一些疏漏和不妥之处，恳请读者批评指正，并将建议及时反馈给我们，以便修订完善。

编　者

2024年12月

所有意见和建议请发往：dutpgz@163.com

欢迎访问职教数字化服务平台：https://www.dutp.cn/sve/

联系电话：0411-84708979　84707424

目 录

模块 1　建设法规基本知识 ... 1
1.1　概　述 ... 2
1.2　建设法律关系 ... 7
1.3　学习建设法规的目的 ... 10
思考与训练 ... 12

模块 2　建筑市场主体制度 ... 14
2.1　从业单位资质管理 ... 15
2.2　从业人员资质管理 ... 18
2.3　建筑市场主体信用体系建设 ... 24
思考与训练 ... 27

模块 3　建筑许可法规 ... 28
3.1　建筑工程规划许可制度 ... 29
3.2　建筑工程施工许可制度 ... 32
思考与训练 ... 35

模块 4　工程招标投标法规 ... 38
4.1　建筑工程承发包的一般规定 ... 39
4.2　建筑工程招标投标制度 ... 43
4.3　非招标采购制度 ... 63
思考与训练 ... 69

模块 5　建设工程合同法规 ································· 72

5.1　概　述 ··· 73
5.2　建设工程合同的订立和履行 ······································· 74
5.3　建设工程合同的变更和解除 ······································· 88
5.4　FIDIC《土木工程施工合同条件》简介 ························ 92
思考与训练 ··· 94

模块 6　建设工程监理法规 ································· 97

6.1　概　述 ··· 98
6.2　建设工程监理实施的主要内容 ···································· 102
6.3　建筑工程监理合同及相关规定 ···································· 104
思考与训练 ··· 111

模块 7　工程安全生产管理法规 ························· 113

7.1　概　述 ··· 114
7.2　工程安全责任和义务 ·· 117
7.3　建设工程重大安全事故的处理 ···································· 126
思考与训练 ··· 130

模块 8　工程建设环境保护法规 ························· 133

8.1　概　述 ··· 134
8.2　建设工程环境保护规定 ··· 137
8.3　建设项目环境保护的专项规定 ···································· 141
思考与训练 ··· 148

模块 9　建设工程质量法规 ································ 150

9.1　概　述 ··· 151
9.2　建设工程质量管理法规 ··· 154
9.3　建设工程质量管理的责任和义务 ································· 156
9.4　建筑企业质量体系认证制度 ······································· 163
9.5　建设工程质量奖励制度 ··· 166
思考与训练 ··· 168

模块 10　工程验收与保修法规 ······ 171

10.1　工程质量验收 ······ 172
10.2　工程竣工验收 ······ 176
10.3　工程质量保修 ······ 179
思考与训练 ······ 181

模块 11　工程建设其他法律、法规 ······ 183

11.1　土地管理法规 ······ 183
11.2　房地产管理法规 ······ 190
11.3　建筑装饰装修法规 ······ 193
11.4　劳动法 ······ 200
11.5　消防法 ······ 206
11.6　建设工程纠纷的处理 ······ 208
思考与训练 ······ 214

参考文献 ······ 221

微课展示

课后习题、案例讲解微课展示(更多微课分析讲解请见内文)

模块 11 选择题 3　　模块 11 技能训练题案例 1、2

招标投标知识拓展微课展示

确定招标方式　　招标资格审查　　发布招标公告　　发放资格预审文件

组织资格审查　　发放招标文件　　现场踏勘答疑　　编制投标文件　　开标会议

评标与定标　　发放中标通知

模块 1 建设法规基本知识

学习导向

推荐学习方法 本部分以法、法律、建设法规等概念为出发点展开,了解我国法制建设的现状及建设法规的基本情况,根据工程案例,深刻体会建设法规知识在工作中的重要性,掌握关于建设法规的基本知识与原理。

理论知识要求
1. 了解建设法规的概念。
2. 重点掌握我国建设法规体系。
3. 理解建设法律关系的要素及其产生、变更和消灭。

能力素质要求
1. 具有准确把握建设法律体系的划分及表现形式的能力。
2. 能准确把握建设法律关系的三要素并能够对建设法律关系的产生、变更和消灭法律事实进行分析。

引例

江西某发电厂三期扩建工程建设规模为 2×1 000 MW 发电机组,总投资额为 76.7 亿元,属江西省电力建设重点工程。其中,建筑和安装部分主要包括 7 号、8 号机组建筑安装工程,电厂成套设备以外的辅助设施建筑安装工程,7 号、8 号冷却塔和烟囱工程等,共分为 A、B、C、D 标段。

事发 7 号冷却塔是三期扩建工程中两座逆流式双曲线自然通风冷却塔其中一座,采用钢筋混凝土结构。事故发生时,该塔已浇筑完成第 52 节筒壁混凝土,高度为 76.7 m。

经调查,在 7 号冷却塔施工过程中,为完成工期目标,施工进度不断加快,导致拆模前混凝土养护时间减少,混凝土强度发展不足;在气温骤降的情况下,没有采取相应的技术措施加快混凝土强度发展速度;筒壁工程施工方案存在严重缺陷,未采取针对性的拆模作业管理控制措施;对试块送检、拆模的管理失控,在实际施工过程中,劳务作业队伍自行决定拆模,造成筒壁混凝土和模板体系连续倾塌坠落,坠落物冲击与筒壁内侧连接的平桥附着拉索,导致平桥也整体倒塌,造成重大人员伤亡和财产损失。

法院经审理查明,丰电三期质量监督项目站、电力工程质量监督总站、国家能源局华中监管局和丰城市工业和信息化委员会等相关部门部分工作人员存在玩忽职守、滥用职权等行为,国电丰城鼎力新型建材有限公司违反合同约定,擅自改变混凝土配合比,未严格按照混凝土配合比添加外加剂,最终造成 73 人死亡、2 人受伤,直接经济损失 10 197.2 万元。

本案例涉及建设法规的若干问题,同时涉及若干法律关系,这也是在具体工程实际中经常会涉及的。必须正确处理各种法律关系,否则会造成项目实施过程中的争端,而这些争端的解决同样要求在合法的前提下进行。由此可见遵循基本建设法规的重要性,那么,我国的建设法规相关的具体内容有哪些呢?

1.1 概 述

法是由一定物质生活条件所决定的统治阶级意志的反映,它是由国家制定或认可的并由国家强制力保证实施的行为规范体系。法规定了人们在社会中的权利与义务,保证有利于统治阶级的社会关系和社会秩序。

广义上的法律泛指《中华人民共和国立法法》调整的各类法的规范性文件。狭义上的法律仅指全国人民代表大会及其常务委员会制定的规范性文件。本书中我们仅指狭义上的法律。法律的效力低于宪法,但高于其他法。依照法律制定机关及调整对象、范围的不同,法律可分为基本法律和一般法律。

基本法律是指由全国人民代表大会制定和修改的、规定和调整国家和社会生活中某一方面带有基本性和全面性的社会关系的法律,如《中华人民共和国民法典》《中华人民共和国刑法》和《中华人民共和国民事诉讼法》等。

一般法律是指由全国人民代表大会常务委员会制定或修改的、规定和调整除由基本法律调整以外的、涉及国家和社会生活某一方面的关系的法律,如《中华人民共和国建筑法》《中华人民共和国招标投标法》《中华人民共和国安全生产法》《中华人民共和国仲裁法》等。

此外,全国人民代表大会及其常务委员会做出的具有规范性的决议、决定、规定、办法等也都属于此处的狭义法律。

法和法律从严格意义上讲是有区别的。法律强调的是具体的、明确的规范,法则是这些具体规范的总和。因此,法是抽象的、理论性的;法律是具体的、应用性的。从应用角度来说,我们更应该了解法律。

1.1.1 建设法规的概念和作用

建设法规是指有立法权的国家或其授权的行政机关制定的,旨在调整政府部门、企事业单位、社会团体、其他经济组织以及公民个人在建设活动中相互之间所发生的各种社会关系的法律规范的总称。

建设法规的作用主要有:规范指导建设行为;保护合法建设行为;处罚违法建设行为。

1. 规范指导建设行为

人们所进行的各种具体行为只有在法律规定的范围内进行才能得到国家的承认与保护,也才能实现行为人预期的目的。建设法规对建设行为的规范性表现为:

(1)有些建筑行为必须做

例如,《中华人民共和国建筑法》第五十八条规定,建筑施工企业必须按照工程设计图纸和施工技术标准施工,不得偷工减料;《中华人民共和国安全生产法》第三十一条规定,生产经营单位新建、改建、扩建工程项目(以下简称建设项目)的安全设施,必须与主体工程同时设计、同时施工、同时投入生产和使用。安全设施投资应当纳入建设项目概算。这些均为义务性的建设行为规定。

(2)有些建设行为禁止做

例如,《中华人民共和国招标投标法》第三十二条规定的"投标人不得相互串通投标报价,不得排挤其他投标人的公平竞争,损害招标人或者其他投标人的合法权益。投标人不得与招标人串通投标,损害国家利益、社会公共利益或者他人的合法权益。禁止投标人以向招标人或者评标委员会成员行贿的手段谋取中标"等,即禁止性的建设行为。

(3)授权某些建设行为

授权某些建设行为是指赋予当事人一种权利,它既不禁止人们做出某种建设行为,也不要求人们必须做出这种建设行为,而是人们有权选择某种建设行为。例如,《中华人民共和国建筑法》第二十四条规定,建筑工程的发包单位可以将建筑工程的勘察、设计、施工、设备采购一并发包给一个工程总承包单位,也可以将建筑工程勘察、设计、施工、设备采购的一项或者多项发包给一个工程总承包单位,即属于授权性的建设行为。

2.保护合法建设行为

建设法规的作用还包括对一切符合法规的建设行为给予确认和保护,例如《中华人民共和国建筑法》第五条规定,任何单位和个人都不得妨碍和阻挠依法进行的建筑活动。《中华人民共和国安全生产法》第五十五条规定,从业人员发现直接危及人身安全的紧急情况时,有权停止作业或者采取可能的应急措施后撤离作业场所。生产经营单位不得因从业人员在前款紧急情况下停止作业或者采取紧急撤离措施而降低其工资、福利等待遇或者解除与其订立的劳动合同。

3.处罚违法建设行为

建设法规对违法建设行为给予应有的处罚,确保建设法规确定的法律制度得到实施,否则,失去强制手段的法律保障就会成为无意义的法律规范。因此,建设法规对违法建设行为都有处罚性的规定。例如,《中华人民共和国劳动法》第九十三条规定,用人单位强令劳动者违章冒险作业,发生重大伤亡事故,造成严重后果的,对责任人员依法追究刑事责任。《中华人民共和国安全生产法》的第六章对工程建设有关单位和个人的法律责任进行了详细规定,如第九十四条规定,生产经营单位的主要负责人未履行本法规定的安全生产管理职责的,责令限期改正,处二万元以上五万元以下的罚款;逾期未改正的,处五万元以上十万元以下的罚款,责令生产经营单位停产停业整顿。生产经营单位的主要负责人有前款违法行为,导致发生生产安全事故的,给予撤职处分;构成犯罪的,依照刑法有关规定追究刑事责任。生产经营单位的主要负责人依照前款规定受刑事处罚或者撤职处分的,自刑罚执行完毕或者受处分之日起,五年内不得担任任何生产经营单位的主要负责人;对重大、特别重大生产安全事故负有责任的,终身不得担任本行业生产经营单位的主要负责人。以上均属于处罚违法建设行为的规定。

1.1.2 建设法规体系

与工程建设相关的法律有很多,这些法律尽管有着各自的主要调整范围,但是也经常互相发生作用。广义上的法律不局限于全国人民代表大会及其常务委员会制定的规范性文件,还包括行政法规、地方性法规、行政规章等。不同法律的效力是不同的,掌握其相对效力高低将有助于正确选择适用的法律。

1.我国现行法律体系

法律体系在法学中有时也称为"法的体系",是指由一国现行的全部法律规范,按照不同的法律部门分类组合而形成的一个呈体系化的、有机联系的统一整体。简单地说,法律体系就是部门

法体系。部门法又称法律部门,是根据一定标准、原则所制定的同类规范的总称。我国的法律体系通常包括下列法律部门:

(1)宪法

宪法是整个法律体系的基础,其主要表现形式是《中华人民共和国宪法》。此外,主要还包括国家机关组织法、选举法、民族区域自治法、特别行政区基本法、授权法、立法法、国籍法等附属的法律。

(2)民法

民法是调整平等主体的公民之间、法人之间、公民和法人之间的财产关系和人身关系的法律,如《中华人民共和国专利法》《中华人民共和国商标法》《中华人民共和国著作权法》等。

(3)商法

商法是调整平等主体之间的商事关系和商事行为的法律,主要包括《中华人民共和国公司法》《中华人民共和国保险法》《中华人民共和国票据法》等。我国实行"民商合一"原则,商法虽然是一个相对独立的法律部门,但民法的许多规定也通用于商法。

(4)经济法

经济法是调整国家在经济管理中发生的经济关系的法律,包括《中华人民共和国建筑法》《中华人民共和国招标投标法》《中华人民共和国反不正当竞争法》《中华人民共和国税法》等。

(5)行政法

行政法是调整国家行政管理活动中各种社会关系的法律规范的总和,主要包括《中华人民共和国行政处罚法》《中华人民共和国行政复议法》《中华人民共和国行政监察法》《中华人民共和国治安管理处罚法》等。

(6)劳动法与社会保障法

劳动法是调整劳动关系的法律,主要是《中华人民共和国劳动法》;社会保障法是调整有关社会保障、社会福利的法律,包括《中华人民共和国安全生产法》《中华人民共和国消防法》等。

(7)自然资源与环境保护法

自然资源与环境保护法是关于保护环境和自然资源,防治污染和其他公害的法律。自然资源法主要包括《中华人民共和国土地管理法》《中华人民共和国节约能源法》等;环境保护方面的法律主要包括《中华人民共和国环境保护法》《中华人民共和国环境影响评价法》《中华人民共和国噪声污染环境防治法》等。

(8)刑法

刑法是规定犯罪和刑罚的法律,我国主要是《中华人民共和国刑法》,一些单行法律、法规的有关条款也可能规定刑法规范。

(9)诉讼法

诉讼法又称诉讼程序法,是指有关各种诉讼活动的法律,其作用在于从程序上保证实体法的正确实施。诉讼法主要包括《中华人民共和国民事诉讼法》《中华人民共和国行政诉讼法》《中华人民共和国刑事诉讼法》。仲裁法、律师法、法官法、检察官法等法律的内容也可归属于该法律部门。

2.建设法规的表现形式

建设法规的表现形式有宪法、法律、行政法规、地方性法规、行政规章、最高人民法院司法解释规范性文件、技术法规及国际公约、国际惯例、国际标准等。

(1) 宪法

宪法是国家的根本大法,宪法是由我国的最高权力机关——全国人民代表大会——制定和修改的。宪法具有最高的法律地位和效力,任何其他法律、法规都必须符合宪法的规定,而不得与之相抵触。宪法是建筑业的立法依据,同时又明确规定国家基本建设的方针和原则。

(2) 法律

作为建设法规表现形式的法律,是指行使国家立法权的全国人民代表大会及其常务委员会制定的规范性文件。其法律地位和效力仅次于宪法,在全国范围内具有普遍的约束力。如《中华人民共和国民法典》《中华人民共和国建筑法》《中华人民共和国招标投标法》等。

(3) 行政法规

行政法规是指由作为国家最高行政机关的国务院制定、颁布的有关行政管理的规范性文件。行政法规的名称一般为"管理条例",例如《建设工程质量管理条例》《建设工程勘察设计管理条例》《建设工程安全生产管理条例》《物业管理条例》等。行政法规在我国立法体系中具有重要地位,其效力低于宪法和法律,在全国范围内有效。

(4) 地方性法规

地方性法规是省、自治区、直辖市以及省级人民政府所在地的市和国务院批准的设区的市的人民代表大会及其常务委员会,根据宪法、法律和行政法规,结合本地区的实际情况制定的并不得与宪法、法律、行政法规相抵触的规范性文件,并报全国人大常委会备案。地方性法规大部分称作条例,有的为法律在地方的实施细则,部分为具有法规属性的文件,如决议、决定等。地方性法规是除宪法、法律、国务院行政法规外在地方具有最高法律属性和国家约束力的行为规范。例如《北京市建设工程质量条例》《北京市安全生产条例》《辽宁省建设工程质量条例》等。

(5) 行政规章

行政规章是指由国家行政机关制定的法律规范性文件,包括部门规章和地方政府规章。

部门规章是由国务院各部委根据法律和国务院的行政法规、决定、命令在本部门的权限范围内按照规定的程序所制定的规定、办法、暂行办法、标准等规范性文件的总称。例如,由国家发展与改革委员会颁布的部门规章有《工程建设项目招标范围和规模标准规定》《工程建设项目自行招标试行办法》《招标公告发布暂行办法》等;建设部(现为"住房和城乡建设部")颁布的部门规章有《注册建造师管理规定》《注册造价工程师管理办法》《评标委员会和评标方法暂行规定》《建筑业企业资质管理规定》《建筑业企业资质等级标准》等。部门规章的法律地位和效力低于宪法、法律和行政法规。

地方政府规章是指由省、自治区、直辖市以及省、自治区人民政府所在地的市和国务院批准的较大的市的人民政府所制定的法律规范性文件,例如《北京市建筑工程施工许可办法》《山东省建设工程施工招标投标暂行规定》等。地方性法规与地方政府规章的法律地位和效力低于宪法、法律、行政法规并低于上级和本级的地方性法规,只在本行政区域内有效。

《中华人民共和国立法法》第一百零六条规定,地方性法规、规章之间不一致时,由有关机关依照下列规定的权限作出裁决:

①同一机关制定的新的一般规定与旧的特别规定不一致时,由制定机关裁决。

②地方性法规与部门规章之间对同一事项的规定不一致,不能确定如何适用时,由国务院提出意见。国务院认为应当适用地方性法规的,应当决定在该地方适用地方性法规的规定;认为应

当适用部门规章的,应当提请全国人民代表大会常务委员会裁决。

③部门规章之间、部门规章与地方政府规章之间对同一事项的规定不一致时,由国务院裁决。

(6)最高人民法院司法解释规范性文件

最高人民法院司法解释规范性文件是对法律适用的说明,对法院审判有约束力,具有法律规范的性质,在司法实践中具有重要的地位和作用。在民事领域,最高人民法院制定的司法解释文件有很多,例如《关于审理建设工程施工合同纠纷案件适用法律问题的解释》等。

(7)技术法规

技术法规是国家制定或认可的,在全国范围内有效的技术规程、规范、标准、定额、方法等技术文件。它们是建筑业工程技术人员从事经济技术作业及建筑管理监测的依据。例如施工规范、预算定额、设计规范、验收规范等。

(8)国际公约、国际惯例、国际标准

我国已经加入WTO,我国参加或与外国签订的调整经济关系的国际公约和双边条约、国际惯例以及国际通用的建筑技术规程都属于建设法规的范畴,都应当遵守与实施。例如《建筑业安全卫生公约》和FIDIC《土木工程施工合同条件》等。

此外,自治条例和单行条例、经济特区法规等,也属于我国法的形式。自治条例和单行条例依法对法律、行政法规做出变通规定的,在本自治地方适用自治条例和单行条例的规定。经济特区法规根据授权对法律、行政法规、地方性法规做出变通规定的,在本经济特区适用经济特区法规的规定。

3.我国现行建设法规简介

我国现行的部分建设法规主要有:

①《中华人民共和国建筑法》(1997年颁布,1998年实施,2011年、2019年修正)。

②《中华人民共和国招标投标法》(1999年颁布,2000年施行,2017年修正)。

③《中华人民共和国安全生产法》(2002年颁布并实施,2009年、2014年、2021年修正)。

④《中华人民共和国城乡规划法》(2007年颁布,2008年实施,2015年、2019年修正)。

⑤《中华人民共和国环境保护法》(1989年颁布并实施,2014年修正)。

此外,还包括所有调整建筑活动的法律规范,这些法律规范分布在我国的宪法、法律、行政法规、地方性法规、行政规章、最高人民法院司法解释规范性文件、技术法规及国际公约、国际惯例、国际标准之中。

⑥《建设工程质量管理条例》(2000年发布并实施,2017年、2019年修订)。

⑦《建设工程安全生产管理条例》(2003年颁布,2004年施行)。

⑧《安全生产许可证条例》(2004年颁布并实施,2013年、2014年修订)。

⑨《建设工程勘察设计管理条例》(2000年颁布并施行,2015年、2017年修订)。

⑩《建设项目环境保护管理条例》(1998年颁布并施行,2017年修订)。

⑪《招标投标法实施条例》(2011年颁布,2012年实施,2017年、2018年、2019年修订)。

1.2 建设法律关系

1.2.1 建设法律关系的三要素

建设法律关系则是由建设法规所确认和调整的、在建设管理和建设活动过程中所产生的具有相关权利、义务内容的社会关系。

建设法律关系由建设法律关系主体、建设法律关系客体和建设法律关系内容三要素构成。

1. 建设法律关系主体

建设法律关系主体是指参加建筑业活动,受建设法律规范调整,在法律上享有权利和承担义务的当事人。主要有自然人、法人和其他组织,它包括政府相关部门、业主方、承包方、中介组织以及中国建设银行、公民个人等。

(1)政府相关部门

政府相关部门主要有国家权力机关和国家行政机关。

①国家权力机关。国家权力机关是指全国人民代表大会及其常务委员会和地方各级人民代表大会及其常务委员会。

国家权力机关参加建筑法律关系的职能是审查、批准国家建设计划和国家预、决算,制定和颁布建筑法律,监督和检查国家各项建筑法律的执行。

②国家行政机关。国家行政机关是依照国家宪法和法律设立的依法行使国家行政职权,组织管理国家行政事务的机关。它包括国务院及其所属各部、各委、地方各级人民政府及其职能部门。国家行政机关主要有以下几种:

a.国家计划机关:主要是中央和省、自治区、直辖市两级的发展和改革委员会。其职权是负责编制长、中期和年度建设计划,组织计划的实施,督促各部门严格执行工程项目的建设程序等。

b.国家建设主管机关:主要指住房和城乡建设部。其职权是:研究拟定城市规划、村镇规划、工程建设、城市建设、村镇建设、建筑业、住宅房地产业、勘察设计咨询业、市政公用事业等建设法规的部门规章,进行行业管理;指导全国城市规划、村镇规划、城市勘察和市政工程测量工作;制定工程建设实施阶段的国家标准;指导全国建筑活动;指导全国城市和村镇建设等。

c.国家建设监督机关:主要包括国家财政机关、中国人民银行、国家审计机关、国家统计机关等。

d.国家建设各业务主管机关:例如交通运输部、水利部、工业和信息化部等,负责本部门、本行业的建设管理工作。

(2)业主方

业主方可以是房地产开发公司,也可以是工厂、学校、医院,还可以是个人或各级政府委托的资产管理部门。在我国建筑市场上,业主方一般被称为建设单位或甲方。国际上将建筑工程的发包主体称为业主方。

业主方作为建筑活动的权利主体,是从可行性研究报告被批准开始的,任何一个社会组织,当它的建设项目的可行性研究报告没有被批准之前,建设项目尚未被正式确认,它是不能以权利主体的资格参加工程建设的。当建设项目有独立的总体设计,单独列入建设计划,并获得国家批准时,这个社会组织方能成为建设单位,也才能以已经取得的法人资格及自己的名义对外进行经济活动和实施法律行为。

(3)承包方

承包方是指有一定生产能力、机械设备、流动资金,具有承包工程建设任务的营业资格,在建筑市场中能够按照业主方的要求提供不同形态的建筑产品,并最终得到相应工程价款的建筑企业。按照生产的主要形式,承包方主要有:勘察、设计单位,建筑安装施工企业,建筑装饰施工企业,混凝土构配件、非标准预制件等生产厂家,商品混凝土供应站,建筑机械租赁单位以及专门提供建筑劳务的企业等。在我国建筑市场上,承包方一般被称为建筑企业或乙方,在国际工程承包中习惯称其为承包商。

(4)中介组织

中介组织一般应为法人。中介组织是指具有相应的专业服务资质,在建筑市场中受发包方、承包方或政府管理机构的委托,对工程建设进行估算测量、咨询代理、建设监理等高智能服务并取得服务费用的咨询服务机构和其他建设专业中介服务组织。建筑市场中介组织可分为多种类型,例如建筑业协会及其下属的设备安装、机械施工、装饰装修、产品厂商等专业分会,建设监理协会,为工程建设服务的专业会计师事务所,律师事务所,资产与资信评估机构,公证机构,合同纠纷的仲裁调解机构,招标代理机构,工程技术咨询公司,监理公司,质量检查、监督、认证机构以及其他产品检测、鉴定机构等。

(5)中国建设银行

中国建设银行是我国专门办理工程建设贷款和拨款、管理国家固定资产投资的专业银行。其主要业务范围是:管理国家工程建设支出预、决算;制定工程建设财务管理制度;审批各地区、各部门的工程建设财务计划和清算;经办工业、交通、运输、农垦、畜牧、水产、商业、旅游等企业的工程建设贷款及行政事业单位和国家指定的基本建设项目的拨款;办理工程建设、地质勘探单位、建筑安装企业、工程建设物资代销企业的收支结算;经办有关固定资产的各项存款,发放技术改造贷款;管理和监督企业的挖潜、革新、改造资金的使用等。

(6)公民个人

公民个人在建筑活动中也可成为建设法律关系的主体。例如,建筑企业工作人员同企业签订劳动合同后,即成为建设法律关系主体。

2.建设法律关系客体

建设法律关系客体是指建设法律关系主体享有的权利和承担的义务所共同指向的事物。它既包括有形的产品——建筑物,也包括无形的产品——各种服务。它凝聚着承包方的劳动,业主方则以资金的方式来取得它的使用价值。

在不同的生产交易阶段,建筑产品又表现为不同的形态。它可以是中介服务组织提供的咨询报告、咨询意见或其他服务;可以是勘察单位、设计单位提供的设计方案、设计图纸和勘察报告;可以是生产厂家提供的混凝土构件、非标准预制件等产品;可以是由施工企业提供的,一般也是最终的产品,即各种建筑物或构筑物。

建设法律关系客体的表现形式可分为以下几类:

(1)表现为财的客体

表现为财的客体一般指资金及各种有价证券。

(2)表现为物的客体

表现为物的客体主要是建筑材料,例如钢材、木材、水泥以及由各种建筑材料构成的建筑物等。此外,还有各种机械设备。

(3)表现为行为的客体

例如,勘察、设计、施工、检查、验收等活动均属于表现为行为的客体。

(4)表现为非物质财富的客体

法律意义上的非物质财富是指人们脑力劳动的成果或智力方面的创作。例如设计单位提供的设计图纸。

3.建设法律关系内容

建设法律关系内容是指建设法律关系主体对他方享有的权利和承担的义务,这种内容要由相关的法律或合同来确定,它是连接主体的纽带。例如,开发权、所有权、经营权以及保证工程质量的经济义务和法律责任等都是建设法律关系的内容。

我国建设法规中大部分规定的都是建设法律关系的内容。

1.2.2 建设法律关系的产生、变更和终止

1.建设法律关系的产生

建设法律关系的产生是指建设法律关系的主体之间形成了一定的权利和义务关系。例如,某建设单位与施工单位签订了建筑工程承包合同,双方产生了相应的权利和义务。此时,受建设法规调整的建设法律关系即告产生。

2.建设法律关系的变更

一般建设法律关系三要素发生变化会导致建设法律关系的变更。

(1)主体变更

主体变更主要有以下两种情况:

①主体数目发生变化。表现为主体数目的增加或减少。例如,总承包方将所承揽的工程进行了分包,会导致主体数目的增加。

②主体的变化。例如,由另一个新的主体代替原主体享有权利,承担义务。

(2)客体变更

客体变更是指建设法律关系中权利、义务所指向的事物发生变化。客体变更可以是其范围变更,也可以是其性质变更。

①客体范围的变更。主要表现为客体的规模、数量发生了变化。例如,由于设计变更,增、减某些工程量引起的客体规模或数量发生变化。

②客体性质的变更。主要表现为原有的客体已经不复存在,而由新的客体代替了原来的客体。例如,由于设计变更,将原来合同中的桥梁变为涵洞。

(3)内容变更

建设法律关系主体与客体的变更,必然会导致相应的权利和义务的变更,即内容发生变更,内容变更主要表现为以下两种形式:

①权利增加。例如,建设单位与施工单位之间经过协商,修改了原合同,由施工单位提供工程师的办公场所。往往一方的权利增加,另一方的义务会随之增加。

②权利减少。往往一方的权利减少,另一方的义务会随之减少。

3.建设法律关系的终止

建设法律关系的终止是指某类建设法律关系主体之间的权利、义务不复存在,彼此丧失了约束力。建设法律关系的终止可分为自然终止、协议终止和违约终止三种。

(1)自然终止

建设法律关系的自然终止是指某类建设法律关系所规范的权利、义务顺利得到履行,取得了各自的利益,从而使该法律关系达到完结。例如,施工单位按时竣工,建设单位也依照合同约定支付了工程价款,则其法律关系自然终止。

(2)协议终止

建设法律关系的协议终止是指建设法律关系主体之间协商解除某类建设法律关系权利或义务,致使该法律关系归于消灭。协议终止有两种表现形式:

①即时协商。是指当事人双方就终止法律关系事宜即时协商,达成一致意见后终止其法律关系。

②约定终止条件。是指当事人在签订合同时就约定了终止条件,当具备该条件时,不需要与另一方当事人协商,一方当事人即可终止其法律关系。

(3)违约终止

建设法律关系的违约终止是指建设关系主体一方违约,或发生不可抗力,致使某类建设法律关系规定的权利不能实现。

1.3 学习建设法规的目的

建设工程法律制度是直接规范工程建设行为的法律制度,是从事建设工程活动的行为标准。建设工程法律制度是一个法律体系,包含众多的与工程建设密切相关的法律、法规、规章,涵盖工程建设的各主要建设阶段以及各主要建设阶段的主要环节。它是对工程建设活动过程中的建设行为的直接规定和对工程建设作业人员进行工程建设活动必须遵循的重要的行为准则的规定,并为工程建设活动在特定的领域的行为制定了其行动准则。作为未来的建设者,在今后的工作岗位上一定要严格按照建设法规办事,自觉用建设法规来指导设计工作、施工工作和其他建设活动。

学习建设法规的目的:

①掌握建设法规体系以及该体系所涉及的法律、法规基本概念;熟悉建设活动的基本建设程序。

②熟悉建筑活动中的勘察、设计、施工、监理所涉及的法规及分类,并能在实践中逐渐加深理解和应用。

③明确建设法规在我国建筑活动中的地位,及时掌握我国新颁布的相应法律、法规。

案例 1-1

依照建设法规从事建筑活动是国家财产与人民生命安全的重要保障。

【案情简介】

2019年12月21日,A住宅公司给非本单位职工冯某等人开具前往建设单位——B公司联系有关工程事宜的企业介绍信,并提供该单位有关资质证书(营业执照、建筑企业质量信誉等级证、建筑安全资格证等),由冯某等人持上述资料前往C大厦,联系洽谈有关锅炉房工程建设事宜。A住宅公司又于当年12月22日和29日分别给建设单位开出承诺书及C大厦锅炉房工程施工设计。经建设单位审查后,确定由A住宅公司承接锅炉房基坑开挖任务。

2020年1月4日,建设单位给施工单位发函,通知其中标并要求施工单位于2020年1月5日进入现场施工。协同承揽该工程并担任施工现场负责人的仲某未将通知报告A住宅公司,擅自在该通知上签名,并于1月4日以该单位的名义与建设单位草签了合同。1月6日,仲某再次以A住宅公司十二项目部的名义,向建设单位递交了开工报告和基坑土方开挖方案。1月6日,建设单位回复同意施工方案。1月7日正式开挖,10日机械挖土基本完成。13日,冯某、仲某从一非法劳务市场私自招募民工进行清槽作业,14日分配其中8人在基坑南侧修整边坡,西侧开始砌筑挡土墙。9时50分左右,基坑南侧边坡突然发生坍塌,将在该处作业的8人埋在土下,在场的其他民工立即进行抢救工作。10时20分,当救出2人时,土方再次坍塌,抢救工作受阻,在闻讯赶来的百余名公安干警的协助下,至12时50分抢救工作结束,被埋的6人全部死亡。

案例辨析

1. 事故原因分析

(1) 技术方面:在基坑工程施工前没有编制基坑支护方案,在施工过程中未采取有效的基坑支护措施,是此次事故的直接原因。未按规定对基坑施工进行监测,不能及时掌握边坡发生变化,从而导致事故发生,是此次事故的主要技术原因。

(2) 管理方面:现场生产指挥的技术负责人不具备相应资质,违法组织施工,缺少安全教育,对从业人员没有安全教育就从事生产活动,是此次事故的重要管理原因。

2. 事故分析与结论

这是一起严重的安全生产责任事故,无论是建设单位,还是施工企业或者是建筑监理单位,其中的任何一方如果能够严格履行管理职责,都可避免此次事故的发生。

建筑施工企业在经营中违反了《中华人民共和国建筑法》的规定,允许非本单位职工冯某等人以本单位名义承揽工程,同时,也未对其行使安全生产管理职能。如该公司能认真落实《中华人民共和国建筑法》,严格执行企业经营管理的规章制度,拒绝提供企业施工资质,就可能终止冯某等人的此次严重的违法施工行为。

建设单位未进行有效的监督。如果建设单位对施工单位进行严格审查,对施工过程严格监督管理,就可预防此次事故的发生。

在施工技术管理方面有明显漏洞,若在施工过程中按照技术规范在土方边坡设定观测点定期进行观测,就可预先发现坑壁变形,及早采取措施,避免事故发生。

结论:该工程现场负责人冯某等人对此次事故负有直接责任,应当依法追究其刑事责任,建设单位和施工单位也应负行政管理责任。

3.事故的预防对策

(1)加强和规范建筑市场的招标投标管理。

(2)依法建立健全企业生产经营管理制度,加强企业生产经营管理。

(3)加强对土方施工的技术管理。

4.点评

此次事故反映出在该项建设工程中存在多方面严重违反规范的行为和管理缺陷。

(1)在此项工程招标投标过程中,建设单位对施工单位的施工资质和相关的手续没有逐项认真审查,在缺少施工企业法人的委托书的情况下,即将工程发包,未对工程承包人的执业资格进行严格审查。

(2)A住宅公司违反《中华人民共和国建筑法》的规定,允许非本单位职工以本单位名义承揽工程,对招标投标的过程不闻不问,同时对其组织施工生产疏于管理,既没有在施工现场设立安全生产管理机构,也没有对承接的工程项目派出专职安全生产管理人员。

(3)由于该工程现场负责人冯某等人未取得建筑施工执业资格证书,不具备建筑施工专业技术资格,所以在组织施工生产过程中严重违反了《中华人民共和国建筑法》和建筑施工技术要求。

(4)建筑工程监理单位应当对施工单位的施工方案进行审查,并按照工程监理规范监督安全技术措施实施,发现生产安全事故隐患时果断行使监理职责,要求停工整改。在此次事故中,工程监理乏力,没有有效制止施工生产中的不规范、不安全的现象和行为。

思考与训练

一、选择题

1.法的形式主要为以宪法为核心的各种规范性文件,以下选项中不属于法的是( )。

A.某省人民代表大会制定的地方性法规　　B.我国参加的国际条约

C.某市高级人民法院发布的判例　　　　　D.某经济特区人民政府制定的规范性文件

2.法律效力等级是正确适用法律的关键,以下选项中法律效力排序正确的是( )。

A.国际条约＞宪法＞行政法规＞司法解释

B.法律＞行政法规＞地方政府规章＞地方性法规

C.行政法规＞部门规章＞地方性法规＞地方政府规章

D.宪法＞法律＞行政法规＞地方政府规章

3.以下选项中关于法律体系的说法正确的有( )。

A.《中华人民共和国建筑法》是一个独立的法律部门

B.法律体系是由法律部门构成的

C.《中华人民共和国建筑法》属于行政法律部门

D.《中华人民共和国安全生产法》属于社会保障法律部门

E.《中华人民共和国仲裁法》属于民法部门

4.与工程建设相关的法规的表现形式多种多样,以下选项中属于与工程建设相关的法规有( )。

A.某省人民代表大会常务委员会通过的建筑市场管理条例

B.建设部发布的注册建造师管理办法

C.某省人民政府制定的招标投标管理办法

D.某市人民政府办公室下发的关于外来工暂住规定的通知

E.某省建设行政主管部门下发的加强安全管理的通知

二、问答题

1.建设法规有哪些表现形式？它有什么作用？我国目前现行的建设法规主要由哪些法律规范组成？

2.什么是建设法律关系？简述建设法律关系的主体、客体和法律关系的内容。

三、技能训练题

试对下面案例发生的原因进行简要分析。

2010年7月1日,某排水管道施工过程中发生一起中毒事故:该处曾于1995年修建,当时因施工需要曾在该处检查井内用砖砌筑了堵墙,使雨水流入其他泵站,2007年底新泵站修建后,2010年为重新调整雨水排放路线,需将原砌筑的堵墙拆除。7月1日,该市某市政公司派某施工工长带领3位民工去拆除管道堵墙。该雨水管道井深1.8米,宽1.2米。第一位民工下井后用风镐拆堵墙,干了一会上到地面换第二位民工下井,当打通堵墙时,积存的污水和毒气突然冲出来,在其他职工拨打110、120求援期间,有一名保安人员也因下井救人中毒倒地。本次事故共造成4人死亡,1人重伤。

微课1　模块1选择题

微课2　模块1技能训练题

模块 2 建筑市场主体制度

学习导向

推荐学习方法　以建筑市场主体的基本概念为切入点，了解我国建筑市场主体的立法现状；深刻体会工程建设中建筑市场主体的重要性，理解我国建筑市场主体制度的内容。

理论知识要求
1. 了解专业技术人员动业资格制度。
2. 掌握工程建设从业单位的资质等级划分。
3. 重点掌握建筑业企业资质类别划分的相关规定。
4. 理解建筑市场主体信用体系信息分类和信息公开。

能力素质要求
1. 具有准确区分工程建设从业单位资质等级的能力。
2. 具有严格执行建筑市场主体信用体系制度的能力。

引例

2020年3月，福建省发生一起酒店坍塌事故，共有71人被困，死亡29人。经国务院事故调查组认定，此次酒店坍塌事故是一起主要因违法违规建设、改建和加固施工导致建筑物坍塌的重大生产安全责任事故，该项目未履行基本建设程序，无规划和施工许可，存在非法建设、违规改造等严重问题，特别是房屋业主发现房屋基础沉降和承重柱变形等重大事故前兆，仍然心存侥幸，继续违规冒险经营；地方相关职能部门监管不到位，"打非治违"流于形式，导致安全关卡层层失效，最终酿成惨烈事故。

事故中涉嫌违纪、职务违法、职务犯罪的49名公职人员被严肃追责问责。

2.1 从业单位资质管理

从业单位资质管理包括从业单位的条件和从业单位的资质。

1. 从业单位的条件

从事建筑活动的建筑施工企业、勘察单位、设计单位和工程监理单位,应当具备下列条件:

①有符合国家规定的注册资本。

②有与其从事的建筑活动相适应的具有法定执业资格的专业技术人员。

③有从事相关建筑活动所拥有的技术装备。

④法律、行政法规规定的其他条件。

2. 从业单位的资质

(1) 建设工程勘察设计单位从业资质

根据《建设工程勘察设计资质管理规定》,凡从事工程勘察、工程设计活动的单位,必须取得资质证书,方可在资质许可的范围内开展工程勘察或工程设计业务。

① 工程勘察资质:工程勘察资质可分为工程勘察综合资质、专业资质和劳务资质三种。

工程勘察综合资质只设甲级;工程勘察专业资质设甲级、乙级,部分专业可以设丙级;工程勘察劳务资质不分等级。

取得工程勘察综合资质的企业可以承接各专业(海洋工程勘察除外)、各等级的工程勘察任务;取得工程勘察专业资质的企业可以承接相应等级的工程勘察业务;取得工程勘察劳务资质的企业只能承接相应的劳务业务。

② 工程设计资质:工程设计资质可分为工程设计综合资质、工程设计行业资质、工程设计专业资质和工程设计专项资质四种。

工程设计综合资质只设甲级;工程设计行业资质、工程设计专业资质、工程设计专项资质设甲级和乙级。根据工程性质和技术特点,个别工程设计行业、专业、专项资质可以设丙级,建筑工程设计专业资质可以设丁级。

取得工程设计综合资质的企业可以承接各行业、各等级的建设工程设计业务;取得工程设计行业、专业或专项资质的各企业可以承接相应行业、专业、专项的相应等级的工程设计业务。

工程勘察甲级资质和工程设计甲级资质以及涉及铁路、交通、水利、信息产业、民航等方面的工程设计乙级资质的应向企业工商注册所在地的省、自治区、直辖市建设主管部门提出申请,报国务院建设主管部门审核。

工程勘察乙级及以下资质、工程设计乙级及以下资质许可由省、自治区、直辖市人民政府建设主管部门实施。

工程勘察、设计资质的资质证书有效期为5年。对在资质有效期内遵守有关法律、规章,信用档案中无不良记录,专业技术人员满足资质标准要求的企业,经资质许可机关同意,有效期延续5年。

国务院建设主管部门对工程勘察、设计资质实施统一的监督管理。对不符合相应资质条件的,或违反规定的有撤销资质或处分等措施。

案例 2-1

建设工程勘察、设计合同主体应具有相应资质。

【案情简介】

甲公司欲开发某项目,为做好前期工作,与乙公司签订了勘察、设计合同,约定由乙公司承担该项目的勘察、设计工作。乙公司完成后,双方在付款方面发生争执,遂向法院起诉。法院在审理中发现,乙公司没有相应的工程勘察、设计资质,于是宣布合同无效,乙公司承担主要责任,甲公司疏于管理,也承担部分责任。

案例辨析

《中华人民共和国建筑法》第十三条规定,从事建筑活动的建筑施工企业、勘察单位、设计单位和工程监理单位,按照其拥有的注册资本、专业技术人员、技术装备和已完成的建筑工程业绩等资质条件,划分为不同的资质等级,经资质审查合格,取得相应等级的资质证书后,方可在其资质等级许可的范围内从事建筑活动。由于乙公司没有相应的工程勘察、设计资质,作为合同主体不合格,所以双方签订的合同无效。由于乙公司主观上有过错,所以应承担主要责任;甲公司由于在签订合同前审核存在漏洞,所以需承担部分责任。

2. 工程监理企业从业资质

(1) 工程监理企业资质的划分

根据《工程监理企业资质管理规定》,工程监理企业资质分为综合资质、专业资质和事务所资质。

综合资质和事务所资质不分级别。综合资质可以承担所有专业工程类别建设工程项目的工程监理业务。

专业资质分为甲级和乙级,其中房屋建筑、水利水电、公路和市政公用专业资质可以设立丙级。

(2) 各级监理企业的业务范围

专业甲级资质可承担相应专业工程类别的各个级别建设工程项目的工程监理业务。专业乙级资质可承担相应专业工程类别二级以下(含二级)建设工程项目的工程监理业务。专业丙级资质可承担三级建设工程项目的监理业务,但是,国家规定必须实行强制监理的工程除外。

工程监理企业可以开展相应类别建设工程的项目管理、技术咨询等业务。

工程监理综合资质、专业类甲级资质应当向企业工商注册所在地的省、自治区、直辖市人民政府建设主管部门提出申请,由国务院建设主管部门审批。工程监理专业类乙级、丙级资质和事务所类资质由企业所在地的省、自治区、直辖市人民政府建设主管部门负责审批。

3. 建筑业企业资质

建筑业企业是指从事土木工程、建筑工程、线路、管道及设备安装工程、装修工程等新建、改建及扩建等活动的企业,也就是通常人们所说的建筑施工企业。

(1)建筑业企业资质等级及业务范围

根据《建筑业企业资质管理规定》(2015年3月1日起施行,2018年12月22日修正),建筑业企业资质分为施工总承包企业、专业承包企业和施工劳务企业三种。

①施工总承包企业。可以对所承接的施工总承包工程内各专业工程全部自行施工,也可将专业工程或劳务作业依法分包给具有相应资质的专业承包企业或劳务分包企业。施工总承包企业资质分为特级、一级、二级、三级,共有12个专业类别。

②专业承包企业。可以承接施工总承包企业分包的专业工程和建设单位依法发包的专业工程。专业承包企业可以对所承接的专业工程全部自行施工,也可以将劳务作业依法分包给具有相应资质的施工劳务企业。专业承包企业资质分为一级、二级、三级或无级别,共有36个专业类别。

③施工劳务企业。只能承接施工总承包企业或专业承包企业分包的劳务作业。施工劳务资质不分类别与等级。

(2)建筑企业资质许可

①国务院审批许可:

a.施工总承包资质序列特级资质、一级资质及铁路工程施工总承包二级资质。

b.专业承包资质序列公路、水运、水利、铁路、民航方面的专业承包一级资质及铁路、民航方面的专业承包二级资质;涉及多个专业的专业承包一级资质。

②企业工商注册所在地省、自治区、直辖市人民政府住房城乡建设主管部门许可:

a.施工总承包资质序列二级资质及铁路、通信工程施工总承包三级资质。

b.专业承包资质序列一级资质(不含公路、水运、水利、铁路、民航方面的专业承包一级资质及涉及多个专业的专业承包一级资质)。

c.专业承包资质序列二级资质(不含铁路、民航方面的专业承包二级资质);铁路方面专业承包三级资质;特种工程专业承包资质。

③由企业工商注册所在地设区的市人民政府住房城乡建设主管部门许可:

a.施工总承包资质序列三级资质(不含铁路、通信工程施工总承包三级资质)。

b.专业承包资质序列三级资质(不含铁路方面专业承包资质)及预拌混凝土、模板脚手架专业承包资质。

c.施工劳务资质。

d.燃气燃烧器具安装、维修企业资质。

建筑业企业资质证书分为正本和副本,由国务院住房城乡建设主管部门统一印制,正、副本具备同等法律效力。资质证书有效期为5年。

(3)建筑业企业资质的监督管理

县级以上人民政府建设主管部门对建筑企业的资质进行监督管理。上级建设主管部门对下级建设主管部门的资质管理工作进行监督管理。

2.2 从业人员资质管理

工程建设从业人员执业资格制度是指对具备一定专业学历、资历的从事建筑活动的专业技术人员,通过考试和注册确定其执业的技术资格,获得相应建筑工程文件签字权的一种制度。在技术要求较高的行业,实行专业技术人员执业资格制度已成为国际惯例。《中华人民共和国建筑法》第十四条规定,从事建筑活动的专业技术人员,应当依法取得相应的执业资格证书,并在职业资格证书许可的范围内从事建筑活动。

工程建设从业人员资格包括注册建筑师、注册建造师、注册工程师、注册造价工程师、注册结构工程师、注册土木工程师和工程施工现场人员岗位资格。

1. 注册建造师制度

注册建造师是指以专业技术为依托,以工程项目管理为主业的执业注册人员,是懂管理、懂技术、懂经济、懂法规、综合素质较高的复合型人才,既要有理论水平,也要有丰富的实践经验和较强的组织能力。注册建造师可以以建造师的名义担任建设工程项目施工的项目经理。

(1)注册建造师的级别

注册建造师分为一级注册建造师和二级注册建造师。

(2)注册建造师的专业

注册建造师的专业被划分为14个,房屋建筑工程、公路工程、铁路工程、民航机场工程、港口与航道工程、水利水电工程、电力工程、矿山工程、冶炼工程、石油化工工程、市政公用与城市轨道工程、通信与广电工程、机电安装工程、装饰装修工程。

(3)注册建造师的资格考试

注册建造师要通过考试获取执业资格。考试成绩实行2年为一个周期的滚动管理办法,且必须在连续2个考试年度内通过全部科目。

一级注册建造师执业资格考试实行全国统一大纲、统一命题、统一组织的考试制度,由人力资源和社保障部、住房和城乡建设部共同组织实施,原则上每年举行一次考试。一级注册建造师考试科目有"建设工程经济""建设工程项目管理""建设工程法规及相关知识""专业工程管理与实务"。

二级注册建造师执业资格考试实行全国统一大纲,各省、自治区、直辖市命题并组织的考试制度。二级注册建造师考试科目有"建设工程施工管理""建设工程法规及相关知识""专业工程管理与实务"。

(4)报考条件

凡遵守国家法律、法规,具备下列条件之一者,可以申请参加一级注册建造师执业资格考试:

①取得工程类或工程经济类大学专科学历,工作满6年,其中从事建设工程项目施工管理工作满4年。

②取得工程类或工程经济类大学本科学历,工作满4年,其中从事建设工程项目施工管理工作满3年。

③取得工程类或工程经济类双学士学位或研究生班毕业,工作满3年,其中从事建设工程项

目施工管理工作满2年。

④取得工程类或工程经济类硕士学位,工作满2年,其中从事建设工程项目施工管理工作满1年。

⑤取得工程类或工程经济类博士学位,从事建设工程项目施工管理工作满1年。

凡遵纪守法并具备工程类或工程经济类中等专科以上学历并从事建设工程项目施工管理工作满2年,可报名参加二级注册建造师执业资格考试。

(5)建造师的注册

取得建造师执业资格证书且符合注册条件的人员,必须经过注册登记后,方可以建造师名义执业。住房和城乡建设部或其授权机构为一级建造师执业资格的注册管理机构;各省、自治区、直辖市建设行政主管部门制定本行政区域内二级建造师执业资格的注册办法,报住房和城乡建设部或其授权机构备案。准予注册的申请人员,分别获得中华人民共和国一级建造师注册证书、中华人民共和国二级建造师注册证书。已经注册的建造师必须接受继续教育,更新知识,不断提高业务水平。建造师执业资格注册有效期一般为3年,期满前3个月,要办理再次注册手续。

(6)注册建造师的执业范围

注册建造师的执业范围包括:担任建设工程项目施工的项目经理,从事其他施工活动的管理工作;法律、行政法规或国务院建设行政主管部门规定的其他业务。

不同级别的建造师,其执业范围是不同的:在行使项目经理职责时,一级注册建造师可以担任《建筑业企业资质标准》中规定的特级、一级建筑业企业资质的建设工程项目施工的项目经理;二级注册建造师可以担任二级建筑业企业资质的建设工程项目施工的项目经理。大、中型工程项目的项目经理必须逐步由取得建造师执业资格的人员担任,但取得建造师执业资格的人员能否担任大、中型工程项目的项目经理,应由建筑业企业自主决定。

2.注册建筑师制度

注册建筑师是指经考试、特许、考核认定取得中华人民共和国注册建筑师执业资格证书,从事建筑设计及相关业务活动的专业技术人员。

(1)注册建筑师的级别

注册建筑师分为一级注册建筑师和二级注册建筑师两个级别。

(2)注册建筑师的专业

国家对从事人类生活与生产服务的各种民用与工业房屋及群体的综合设计、规划设计、室内外环境设计、建筑装饰装修设计,建筑修复、建筑雕塑、有特殊建筑要求的构筑物的设计,从事建筑设计技术咨询、建筑物调查与鉴定,对本人主持设计的项目进行施工指导和监督等专业技术工作的人员,实施注册建筑师执业资格制度。

(3)注册建筑师的考试和注册

注册建筑师考试分为一级注册建筑师考试和二级注册建筑师考试。注册建筑师考试实行全国统一考试,一般每年进行一次。注册建筑师考试由全国注册建筑师管理委员会统一部署,省、自治区、直辖市注册建筑师管理委员会组织实施。

一级注册建筑师考试内容包括建筑设计前期工作、场地设计、建筑设计与表达、建筑结构、环境控制、建筑设备、建筑材料与构造、建筑经济、施工与设计业务管理、建筑法规等。上述内容分成若干科目进行考试。各科目考试合格有效期为8年。在有效期内全部科目合格的,由全国注册建筑师管理委员会核发中华人民共和国一级注册建筑师执业资格证书。持有有效的注册建筑师执业资格证书者,具有申请注册的资格,但未经注册,不得称为注册建筑师,不得执行注册建筑师业务。一级注册建筑师的注册工作由全国注册建筑师管理委员会负责。

二级注册建筑师考试内容包括场地设计、建筑设计与表达、建筑结构与设备、建筑法规、建筑经济与施工等。上述内容分成若干科目进行考试,各科目考试合格有效期为4年。经二级注册建筑师考试,全部科目在有效期内考试合格,由省、自治区、直辖市注册建筑师管理委员会核发中华人民共和国二级注册建筑师执业资格考试合格证书。二级注册建筑师的注册工作由省、自治区、直辖市注册建筑师管理委员会负责。

(4)注册建筑师的执业范围

一级注册建筑师的执业范围不受工程项目规模和工程复杂程度的限制。二级注册建筑师的执业范围只限于承担工程设计资质标准中建设项目设计规模划分表中规定的小型规模的项目。

二级注册建筑师的建筑设计范围只限于承担国家规定的民用建筑工程等级分级标准三级(含三级)以下项目;五级以下项目,允许非注册建筑师进行设计。注册建筑师的执业范围不得超越其聘用单位的业务范围。注册建筑师的执业范围与其聘用单位的业务范围不符时,个人执业范围服从聘用单位的业务范围。

注册建筑师的执业范围为:

①建筑设计。

②建筑设计技术咨询。

③建筑物调查与鉴定。

④对本人主持设计的项目进行施工指导和监督。

⑤国务院建设主管部门规定的其他业务。

3.注册造价工程师制度

注册造价工程师是指由国家授予资格并准予注册后执业,专门接受某个部门或某个单位的指定、委托或聘请,负责并协助其进行工程造价的计价、定价及管理业务的工程经济专业人员。

(1)注册造价工程师的考试形式

全国造价工程师执业资格考试由住房和城乡建设部与人力资源和社会保障部共同组织,实行全国统一大纲、统一命题、统一组织的办法,原则上每年举行一次,一般只在省会城市设立考点。考试成绩管理以两年为一个周期,参加全部科目考试的人员须在连续两个考试年度内通过全部科目的考试。免试部分科目的人员须在一个考试年度内通过应试科目。

考试设四个科目,具体为:工程造价管理基础理论与相关法规、工程造价计价与控制、建设工程技术与计量(分土建和安装两个专业,考生可任选其一)、工程造价案例分析。

(2)造价工程师的报名条件

①凡中华人民共和国公民,遵纪守法并具备以下条件之一者,均可申请参加造价工程师执业资格考试:

a.工程造价专业大专毕业,从事工程造价业务工作满5年;工程或工程经济类大专毕业,从事工程造价业务工作满6年。

b.工程造价专业本科毕业,从事工程造价业务工作满4年;工程或工程经济类本科毕业,从事工程造价业务工作满5年。

c.获上述专业第二学士学位或研究生班毕业和获硕士学位,从事工程造价业务工作满3年。

d.获上述专业博士学位,从事工程造价业务工作满2年。

②上述报考条件中有关学历的要求是指经教育部承认的正规学历,从事相关工作经历年限要求是指取得规定学历前、后从事该相关工作时间的总和。

(3)造价工程师的注册

造价工程师执业资格实行注册登记制度。住房和城乡建设部及各省、自治区、直辖市和国务院有关部门的建设行政主管部门为造价工程师的注册管理机构,注册有效期为4年。

(4)造价工程师的执业范围

根据《注册造价工程师管理办法》规定,造价工程师只能在一个单位执业。造价工程师执业范围包括:

①建设项目建议书、可行性研究投资估算的编制和审核,项目经济评价,工程概算、预算、结算、竣工结(决)算的编制和审核。

②工程量清单、标底(或者控制价)、投标报价的编制和审核,工程合同价款的签订及变更、调整、工程款支付与工程索赔费用的计算。

③建设项目管理过程中设计方案的优化、限额设计等工程造价分析与控制,工程保险理赔的核查。

④工程经济纠纷的鉴定。

4.注册结构工程师制度

注册结构工程师是指经全国统一考试合格,依法登记注册,取得中华人民共和国注册结构工程师执业资格证书和注册证书,从事房屋结构、桥梁结构及塔架结构等工程设计及相关业务的专业技术人员。

注册结构工程师分为一级注册结构工程师和二级注册结构工程师。

(1)注册结构工程师考试

注册结构工程师考试实行全国统一大纲、统一命题、统一组织的办法,原则上每年举行一次。

一级注册结构工程师资格考试由基础考试和专业考试两部分组成。通过基础考试的人员,从事结构工程设计或相关业务满规定年限,方可申请参加专业考试。二级注册结构工程师资格考试只有专业考试。

基础考试科目包括高等数学、普通物理、普通化学、理论力学、材料力学、流体力学、计算机应用基础、电工电子技术、工程经济、土木工程材料、工程测量、职业法规、土木工程施工与管理、结构设计、结构力学、结构试验、土力学与地基基础。

专业考试科目包括钢筋混凝土结构、钢结构、砌体结构与木结构、地基与基础、高层建筑、高耸结构与横向作用、桥梁结构。

(2)注册与执业

取得注册结构工程师执业资格证书者,要从事结构工程设计业务的,必须申请注册。

注册结构工程师注册有效期为2年,有效期届满需要继续注册的,应当在期满前30日内办理注册手续。

注册结构工程师执行业务,应当加入一个勘察设计单位,由勘察设计单位统一接受并统一收费。

注册结构工程师的执业范围:结构工程设计;建筑物、构筑物、工程设施等调查和鉴定;对本人主持设计的项目进行施工指导和监督;住房和城乡建设部及国务院有关部门规定的其他业务。

一级注册结构工程师的执业范围不受工程规模及工程复杂程度的限制。二级注册工程师的勘察设计范围仅限于承担国家规定的民用建筑工程三级及以下或工业小型项目。

5.注册监理工程师制度

(1)注册监理工程师考试

注册监理工程师考试实行全国统一大纲、统一命题、统一组织的办法,原则上每年举行一次。

监理工程师职业资格考试成绩实行4年为一个周期的滚动管理办法,在连续的4个考试年度内通过全部考试科目,方可取得监理工程师职业资格证书。免考基础科目和增加专业类别的人员,专业科目成绩按照2年为一个周期滚动管理。考试成绩在全国专业技术人员资格考试服务平台发布。

监理工程师职业资格考试合格者,颁发人力资源社会保障部统一印制,住房城乡建设部、交通运输部、水利部按专业类别分别与人力资源社会保障部用印《中华人民共和国监理工程师职业资格证书(或电子证书)》,在全国范围内有效。已取得监理工程师一种专业职业资格证书的人员,报名参加其它专业科目考试的,考试合格后,核发人力资源社会保障部门统一印制的相应专业考试合格证明。

(2)报名条件

凡遵守中华人民共和国宪法、法律、法规,具有良好的业务素质和道德品行,具备下列条件之一者,可以申请参加监理工程师职业资格考试:

①具有各工程大类专业大学专科学历(或高等职业教育),从事工程施工、监理、设计等业务工作满4年。

②具有工学、管理科学与工程类专业大学本科学历或学位,从事工程施工、监理、设计等业务工作满3年。

③具有工学、管理科学与工程一级学科硕士学位或专业学位,从事工程施工、监理、设计等业务工作满2年。

④具有工学、管理科学与工程一级学科博士学位。

已取得监理工程师一种专业职业资格证书的人员,报名参加其它专业科目考试的,可免考基础科目。考试合格后,核发人力资源社会保障部门统一印制的相应专业考试合格证明。该证明作为注册时增加执业专业类别的依据。

具备以下条件之一的,参加监理工程师职业资格考试可免考基础科目:

①已取得公路水运工程监理工程师资格证书。

②已取得水利工程建设监理工程师资格证书。

(3)监理工程师的注册

注册监理工程师依据其所学专业、工作经历、工程业绩,按照《工程监理企业资质管理规定》划分的工程类别,按专业注册。每人最多可以申请两个专业注册。

取得资格证书的人员申请注册,由省、自治区、直辖市人民政府建设主管部门初审,国务院建设主管部门审批。

取得资格证书并受聘于一个建设工程勘察、设计、施工、监理、招标代理、造价咨询等单位的人员,应当通过聘用单位向单位工商注册所在地的省、自治区、直辖市人民政府建设主管部门提出注册申请;省、自治区、直辖市人民政府建设主管部门受理后提出初审意见,并将初审意见和全部申报材料报国务院建设主管部门审批;符合条件的,由国务院建设主管部门核发注册证书和执业印章。

省、自治区、直辖市人民政府建设主管部门在收到申请人的申请材料后,应当即时作出是否受理的决定,并向申请人出具书面凭证;申请材料不齐全或者不符合法定形式的,应当在5日内一次性告知申请人需要补正的全部内容。逾期不告知的,自收到申请材料之日起即为受理。

对申请初始注册的,省、自治区、直辖市人民政府建设主管部门应当自受理申请之日起20日内审查完毕,并将申请材料和初审意见报国务院建设主管部门。国务院建设主管部门自收到省、自治区、直辖市人民政府建设主管部门上报材料之日起,应当在20日内审批完毕并作出书面决定,并自作出决定之日起10日内,在公众媒体上公告审批结果。

对申请变更注册、延续注册的,省、自治区、直辖市人民政府建设主管部门应当自受理申请之日起5日内审查完毕,并将申请材料和初审意见报国务院建设主管部门。国务院建设主管部门自收到省、自治区、直辖市人民政府建设主管部门上报材料之日起,应当在10日内审批完毕并作出书面决定。

对不予批准的,应当说明理由,并告知申请人享有依法申请行政复议或者提起行政诉讼的权利。

(4)监理工程师的执业

取得资格证书的人员,应当受聘于一个具有建设工程勘察、设计、施工、监理、招标代理、造价咨询等一项或者多项资质的单位,经注册后方可从事相应的执业活动。从事工程监理执业活动的,应当受聘并注册于一个具有工程监理资质的单位。

注册监理工程师可以从事工程监理、工程经济与技术咨询、工程招标与采购咨询、工程项目管理服务以及国务院有关部门规定的其他业务。

工程监理活动中形成的监理文件由注册监理工程师按照规定签字盖章后方可生效。

修改经注册监理工程师签字盖章的工程监理文件,应当由该注册监理工程师进行;因特殊情况,该注册监理工程师不能进行修改的,应当由其他注册监理工程师修改,并签字、加盖执业印章,对修改部分承担责任。

注册监理工程师从事执业活动,由所在单位接受委托并统一收费。

因工程监理事故及相关业务造成的经济损失,聘用单位应当承担赔偿责任;聘用单位承担赔偿责任后,可依法向负有过错的注册监理工程师追偿。

案例2-2

现场施工人员违章操作造成火灾。

【案情简介】

2019年11月15日14时15分许,上海某民宅发生严重火灾,火灾发生后,上海市公安、消防、卫生、应急办等部门立即出动,赶赴现场处置,展开灭火救援工作。这场大火于18时30分被扑灭,火灾已导致58人死亡,经过初步分析,火灾起因是大楼在装修作业施工中,2名无特种作业人员资格证的电焊工违规实施作业,严重违反操作规程,在短时间内形成火灾,并且在引发大火后逃离现场。

> **案例辨析**
>
> 为了加强特种作业人员的安全技术培训、考核和管理,实现施工现场安全生产,提高经济效益,我国于1985年颁布了《特种作业人员安全技术考核管理规则》,将我国特种作业人员划分为十一个专业类别:电工作业、锅炉司炉、压力容器操作、起重机械操作、爆破操作、金属焊接(气割)作业、煤矿井下瓦斯检验、机动车辆驾驶、机动船舶驾驶和轮机操作、建筑登高架设作业、其他符合特种作业基本定义的作业。对于特种作业人员必须进行培训,考核合格后取得操作证者方允许其独立作业。

2.3 建筑市场主体信用体系建设

社会信用制度作为市场经济基础制度的重要组成部分,是建立全国统一大市场的基础制度,是优化营商环境的根本保障在公平交易、等价有偿、自由选择的条件下,良好的信用体系建设是市场经济平稳运行的根本保障。

1. 建筑市场各方主体信用信息分类

《建筑市场信用管理暂行办法》中对建筑市场信用管理和各方主体进行了定义,建筑市场信用管理是指在房屋建筑和市政基础设施工程建设活动中,对建筑市场各方主体信用信息的认定、采集、交换、公开、评价、使用及监督管理。建筑市场各方主体是指工程项目的建设单位和从事工程建设活动的勘察、设计、施工、监理等企业,以及注册建筑师、勘察设计注册工程师、注册建造师、注册监理工程师等注册执业人员。

建筑市场的信用信息在省级建筑市场平台或者全国市场建筑平台进行公开。建筑市场信用信息由基本信息、优良信用信息、不良信用信息构成。基本信息是指注册登记信息、资质信息、工程项目信息、注册执业人员信息等;优良信用信息是指建筑市场各方主体在工程建设活动中获得的县级以上行政机关或群团组织表彰奖励等信息;不良信用信息是指建筑市场各方主体在工程建设活动中违反有关法律、法规、规章或工程建设强制性标准等,受到县级以上住房城乡建设主管部门行政处罚的信息,以及经有关部门认定的其他不良信用信息。

2. 建筑市场各方主体信用信息公开

《建筑市场信用管理暂行办法》规定,各级住房城乡建设主管部门应当完善信用信息公开制度,通过省级建筑市场监管一体化工作平台和全国建筑市场监管公共服务平台,及时公开建筑市场各方主体的信用信息。

(1)公开期限

《建筑市场信用管理暂行办法》规定,建筑市场各方主体的信用信息公开期限为:

①基本信息长期公开。

②优良信用信息公开期限一般为3年。

③不良信用信息公开期限一般为6个月至3年,并不得低于相关行政处罚期限,具体公开期限由不良信用信息的认定部门确定。

《建筑市场诚信行为信息管理办法》规定,省、自治区和直辖市建设行政主管部门负责审查整改结果,对整改确有实效的,由企业提出申请,经批准,可缩短其不良行为记录信息公布期限,但公布期限最短不得少于3个月。同时将整改结果列于相应不良行为记录后供有关部门和社会公众查询对于拒不整改或整改不力的单位,信息发布部门可延长其不良行为记录信息公布期限。

《招标投标违法行为记录公告暂行办法》规定,国务院有关行政主管部门和省级人民政府有关行政主管部门应自招标投标违法行为行政处理决定作出之日起20个工作日内对外进行记录公告。

(2)内容和范围

《建筑市场信用管理暂行办法》规定,公开建筑市场各方主体信用信息不得危及国家安全、公共安全、经济安全和社会稳定,不得泄露国家秘密、商业秘密和个人隐私。

《建筑市场诚信行为信息管理办法》规定,属于《全国建筑市场各方主体不良行为记录认定标准》范围的不良行为记录除在当地发布外,还将由建设部统一在全国公布,公布期限与地方确定的公布期限相同,法律、法规另有规定的从其规定。各省、自治区、直辖市建设行政主管部门将确认的不良行为记录在当地发布之日起7日内报建设部。通过与工商、税务、纪检、监察、司法、银行等部门建立的信息共享机制,获取的有关建筑市场各方主体不良行为记录的信息,省、自治区、直辖市建设行政主管部门也应参照本规定在本地区统一公布。

《招标投标违法行为记录公告暂行办法》规定,对招标投标违法行为所作出的以下行政处理决定应给予公告:

①警告。

②罚款。

③没收违法所得。

④暂停或者取消招标代理资格。

⑤取消在一定时期内参加依法必须进行招标的项目的投标资格。

⑥取消担任评标委员会成员的资格。

⑦暂停项目执行或追回已拨付资金。

⑧暂停安排国家建设资金。

⑨暂停建设项目的审查批准。

⑩行政主管部门依法作出的其他行政处理决定。

违法行为记录公告的基本内容为:被处理的招标投标当事人名称(或姓名)、违法行为、处理依据、处理决定、处理时间和处理机关等。公告部门可将招标投标违法行为行政处理决定书直接进行公告。

(3)公告信息的变更

《建筑市场信用管理暂行办法》规定,地方各级住房城乡建设主管部门应当通过省级建筑市场监管一体化工作平台办理信用信息变更,并及时推送至全国建筑市场监管公共服务平台。

《建筑市场诚信行为信息管理办法》规定,对发布有误的信息,由发布该信息的省、自治区和直辖市建设行政主管部门进行修正,根据被曝光单位对不良行为的整改情况,调整其信息公布期限,保证信息的准确和有效。行政处罚决定经行政复议、行政诉讼以及行政执法监督被变更或被撤销,应及时变更或删除该不良记录,并在相应诚信信息平台上予以公布,同时应依法妥善处理相关事宜。

《招标投标违法行为记录公告暂行办法》规定,公告部门负责建立公告平台信息系统,对记录信息数据进行追加、修改、更新,并保证公告的违法行为记录与行政处理决定的相关内容一致。被公告的招标投标当事人认为公告记录与行政处理决定的相关内容不符的,可向公告部门提出书面更正申请,并提供相关证据 公告部门接到书面申请后,应在5个工作日内进行核对。公告的记录与行政处理决定的相关内容不一致的,应当给予更正并告知申请人;公告的记录与行政处理决定的相关内容一致的,应当告知申请人。公告部门在作出答复前不停止对违法行为记录的公告。

案例2-3

江苏省盐城市滨海县市场监管局将生产销售伪造质量证明文件产品的滨海县李五水泥制品厂列入严重违法失信名单。

【案情简介】

2023年3月15日,央视3·15晚会曝光盐城市滨海县李五水泥制品厂等企业在参与农田建设过程中存在问题。滨海县市场监管局联合公安等部门第一时间赶至现场,对涉事钢筋混凝土水泥管生产企业进行查封,对所有钢筋混凝土水泥管及辅材现场封存。在对当事人滨海县李五水泥制品厂进一步调查过程中,发现当事人涉嫌存在伪造钢筋混凝土排水管(水泥管)质量证明文件的违法行为。

经查,当事人于2022年9月起陆续接受7家滨海县高标准农田项目中标单位实际施工人委托,生产、销售用于高标准农田项目建设的钢筋混凝土排水管(水泥管)。2022年12月,当事人向7家施工单位分别提供标有CMA标识的4份《钢筋混凝土排水管检测报告》用于结算。经鉴定,上述检测报告非其标示的检测机构出具,系当事人伪造送样日期、检验日期的质量证明文件。当事人伪造上述质量证明文件的钢筋混凝土排水管(水泥管)共销售3919节,合计货值金额103.73万元。因当事人在产品生产过程中未保留原料购进及产品损耗等票据材料,涉案商品成本无法核算,故无法计算本案违法所得。当事人伪造质量证明文件的行为违反了《江苏省惩治生产销售假冒伪劣商品行为条例》第五条第一款规定,属于《江苏省惩治生产销售假冒伪劣商品行为条例》第六条第(六)项规定的情形。2023年8月28日,滨海县市场监管局依法对当事人作出罚款100.62万元和吊销营业执照的行政处罚,并依据《市场监督管理严重违法失信名单管理办法》第二条和第七条规定,将当事人列入严重违法失信名单,通过国家企业信用信息公示系统向社会公示,并实施相应管理措施。

案例辨析

工程项目中标单位低价中标后使用劣质材料,并伙同材料供应商伪造质量合格证明文件用于蒙蔽监理单位或发包单位的违法行为,不仅降低工程质量,同时还会带来安全隐患和风险。对此类行为,市场监管部门将依法查处,维护安全有序的市场环境。

思考与训练

一、填空题

1. 建筑业企业资质分为_____、_____、_____三个序列。
2. 施工总承包企业资质分为_____、_____、_____、_____。
3. 建造师执业资格注册有效期一般为_____年，期满前_____个月，要办理再次注册手续。
4. 一级注册建造师的考试科目有_____、_____、_____、_____。
5. 注册结构工程师执行业务，应当加入一个_____单位，由_____单位统一接受并统一收费。
6. 建立和完善建筑施工企业_____体系建设是健全社会信用体系的重要组成部分。
7. 国家一级建造师的主要执业范围是_____。
8. 《建筑业企业资质管理规定》属于_____规章。

二、问答题

1. 从事建筑活动的单位应当具备哪些条件？
2. 什么是注册建造师？注册建造师资质分为哪些级别？不同资质等级的注册建造师的执业范围有哪些区别？
3. 招标投标违法行为所作出的哪些行政处理决定应给予公告？
4. 建筑市场各方主体的信用信息公开期限是什么？

三、技能训练题

1. 甲建筑公司欲取得某市一大型工程施工项目，在资质不达标的情况下，与具有相应资质的乙建筑公司商定，挂靠在乙建筑公司名下，向乙建筑公司缴纳一定的管理费，借用乙建筑公司的资质证书参加竞标。由于甲建筑公司的出价最低，所以获得了该工程的施工权。建设方在招标投标活动中，已经知悉了甲建筑公司的挂靠行为，但并未表示异议。工程完工后，因质量问题造成事故，导致巨大损失，建设方赔偿损失后，将乙建筑公司起诉至法院。

请问：本案该如何处理？

2. 甲高校为了扩建校舍，欲建一学生宿舍公寓。在与本市乙建筑公司签订了建筑工程施工合同以后，甲高校对乙建筑公司的建筑施工水平不放心，又与王某签订了建筑工程监理合同，委托王某对该工程建筑的施工质量进行监理。王某刚刚通过了监理工程师资格考试，取得了监理工程师资格证书。该公寓大楼建成以后，存在着重大的质量问题，甲高校遂起诉乙建筑公司，同时也以王某未履行工程监理合同义务为由，要求王某承担违约责任。

请问：本案中王某与甲高校签订的监理合同是否有效？为什么？

微课3
模块2选择题

微课4
模块2技能训练题

模块 3

建筑许可法规

学习导向

推荐学习方法 以建筑许可的基本概念为切入点,了解我国建筑许可制度的立法现状;深刻体会工程建设中认真执行建筑工程许可制度的重要性,理解我国建筑许可制度的内容。

理论知识要求 1.了解建筑工程规划许可制度。
2.掌握建筑工程规划许可证的申领过程。
3.重点掌握建筑建筑规划和施工的相关规定。
4.理解施工许可制度的申领过程。

能力素质要求 1.具有严格执行建筑工程规划许可制度的能力。
2.具有严格执行建筑工程施工许可制度的能力。

引例

S建筑公司五处(乙方)中标后,承接了B研究所(甲方)4800m2的住宅工程。合同签订后,乙方按甲方提供的施工平面位置(规划部门批准位置)放线后,发现拟建工程北端应拆除的临时建筑(花房)因未拆除而影响正常施工。甲方代表察看现场后便作出将总平面位置进行修改的决定,通知乙方将平面位置向南平移2 m后开工。当乙方按平移后的工程位置挖完基槽时,规划监督工作人员进现场检查时发现了问题,要求立即停工,向甲方开具5万元人民币罚款单,并要求工程原批准的位置不得变动。乙方接到甲方仍按原平面位置施工的书面通知后提出索赔15万元。

3.1 建筑工程规划许可制度

在规划区内进行建设活动，必须遵守《城乡规划法》的规定，符合城乡规划的实施要求城乡规划，包括城镇体系规划、城市规划、镇规划、乡规划和村庄规划。城市规划、镇规划分为总体规划和详细规划。详细规划分为控制性详细规划和修建性详细规划。规划区，是指城市、镇和村庄的建成区以及因城乡建设和发展需要，必须实行规划控制的区域。规划区的具体范围由有关人民政府在组织编制的城市总体规划、镇总体规划、乡规划和村庄规划中，根据城乡经济社会发展水平和统筹城乡发展的需要划定。

实施城乡规划，应当遵循城乡统筹、合理布局、节约土地、集约发展和先规划后建设的原则，改善生态环境，促进资源、能源节约和综合利用，保护耕地等自然资源和历史文化遗产，保持地方特色、民族特色和传统风貌，防止污染和其他公害，并符合区域人口发展、国防建设、防灾减灾和公共卫生、公共安全的需要。县级以上地方人民政府应当根据当地经济社会发展的实际，在城市总体规划、镇总体规划中合理确定城市、镇的发展规模、步骤和建设标准。

在规划区内进行建设活动，应当遵守土地管理、自然资源和环境保护等法律、法规的规定。在城市、镇规划区内进行建筑物、构筑物、道路、管线和其他工程建设的建设单位或者个人应当向城市、县人民政府城乡规划主管部门或者省、自治区、直辖市人民政府确定的镇人民政府申请办理建设工程规划许可证。

为落实"多规合一"为基础，统筹规划、建设、管理三大环节，推动"多审合一""多证合一"，自然资源部《关于深化规划用地"多审合一、多证合一"改革"的通知》（自然资发[2023]69号）鼓励同步核发规划许可。以出让方式配置国有建设用地使用权的，国有建设用地使用权出让合同签订后，一并核发建设用地规划许可证、建设工程规划许可证；以划拨方式配置国有建设用地使用权的，一并核发国有建设用地划拨决定书、建设用地规划许可证与建设工程规划许可证。探索建立建设工程规划许可豁免清单和告知承诺制。在不影响周边利害关系人合法权益、不改变建筑主体结构、不破坏景观环境、保证公共安全和公共利益的前提下，对老旧小区微改造、城市公共空间服务功能提升等微更新项目，探索制定建设工程规划许可豁免清单并完善监管机制。各地还可区分项目类型、风险程度，按照最大限度利企便民的原则探索建设工程规划许可告知承诺制，明确提交材料的要求、承诺的具体内容以及违反承诺应承担的法律责任；申请人以书面形式作出承诺的，可由自然资源主管部门直接作出许可决定，并做好后续监管。

1. 规划许可证的申领

（1）申领所需材料

申请办理建设工程规划许可证，应当提交使用土地的有关证明文件、建设工程设计方案等材料。需要建设单位编制修建性详细规划的建设项目，还应当提交修建性详细规划。城市、县人民政府城乡规划主管部门或者省、自治区、直辖市人民政府确定的镇人民政府应当依法将经审定的修建性详细规划、建设工程设计方案的总平面图予以公布。

(2)核发建设工程规划许可证

城乡规划主管部门不得在城乡规划确定的建设用地范围以外作出规划许可

①城市规划区内

对符合控制性详细规划和规划条件的,由城市、县人民政府城乡规划主管部门或者省、自治区、直辖市人民政府确定的镇人民政府核发建设工程规划许可证。

②乡、村庄规划区内

在乡、村庄规划区内进行乡镇企业、乡村公共设施和公益事业建设的,建设单位或者个人应当向乡、镇人民政府提出申请,由乡、镇人民政府报城市、县人民政府城乡规划主管部门核发乡村建设规划许可证。

在乡、村庄规划区内使用原有宅基地进行农村村民住宅建设的规划管理办法,由省、自治区、直辖市制定。

在乡、村庄规划内进行乡镇企业、乡村公共设施和公益事业建设以及农村村民住宅建设,不得占用农用地;确需占用农用地的,应当依照《土地管理法》有关规定办理农用地转用审批手续后,由城市、县人民政府城乡规划主管部核发乡村建设规划许可证。

建设单位或者个人在取得乡村建设规划许可证后,方可办理用地审批手续。

③临时建设批准

在城市、镇规划区内进行临时建设的,应当经城市、县人民政府城乡规划主管部门批准。临时建设影响近期建设规划或者控制性详细规划的实施以及交通、市容、安全的,不得批准。临时建设应当在批准的使用期限内自行拆除。临时建设和临时用地规划管理的具体办法由省、自治区、直辖市人民政府制定。

2. 规划条件的变更

(1)规划变更

建设单位应当按照规划条件进行建设,确需变更的,必须向城市、县人民政府城乡规划主管部门提出申请。变更内容不符合控制性详细规划的,城乡规划主管部门不得批准。城市、县人民政府城乡规划主管部门应当及时将依法变更后的规划条件通报同级土地主管部门并公示。建设单位应当及时将依法变更后的规划条件报有关人民政府土地主管部门备案。

(2)规划验收

县级以上地方人民政府城乡规划主管部门按照国务院规定对建设工程是否符合规划条件予以核实。未经核实或者经核实不符合规划条件的,建设单位不得组织竣工验收。

建设单位应当在竣工验收后6月内向城乡规划主管部门报送有关竣工验收资料。

(3)补偿

在选址意见书、建设用地规划许可证、建设工程规划许可证或者乡村建设规划许可证发放后,因依法修改城乡规划给被许可人合法权益造成损失的,应当依法给予补偿。

经依法审定的修建性详细规划、建设工程设计方案的总平面图不得随意修改;确需修改的,城乡规划主管部门应当采取听证会等形式,听取利害关系人的意见;因修改给利害关系人合法权益造成损失的,应当依法给予补偿。

(4)监督检查

县级以上人民政府及其城乡规划主管部门应当加强对城乡规划编制、审批、实施、修改的监督检查。

地方各级人民政府应当向本级人民代表大会常务委员会或者乡、镇人民代表大会报告城乡规划的实施情况,并接受监督。

县级以上人民政府城乡规划主管部门对城乡规划的实施情况进行监督检查,有权采取以下措施:

①要求有关单位和人员提供与监督事项有关的文件、资料,并进行复制。

②要求有关单位和人员就监督事项涉及的问题作出解释和说明,并根据需要进入现场进行勘测。

③责令有关单位和人员停止违反有关城乡规划的法律、法规的行为。

城乡规划主管部门的工作人员履行上述规定的监督检查,并应当出示执法证件。被监督检查的单位和人员应当予以配合,不得妨碍和阻挠依法进行的监督检查活动。监督检查情况和处理结果应当依法公开,供公众查阅和监督。

城乡规划主管部门在查处违反《城乡规划法》规定的行为时,发现国家机关工作人员依法应当给予行政处分的,应当向其任免机关或者监察机关提出处分建议。

依照《城乡规划法》规定应当给予行政处罚,而有关城乡规划主管部门不给予行政处罚的,上级人民政府城乡规划主管部门有权责令其作出行政处罚决定或者建议有关人民政府责令其给予行政处罚。

城乡规划主管部门违反《城乡规划法》规定作出行政许可的,上级人民政府城乡规划主管部门有权责令其撤销或者直接撤销该行政许可。因撤销行政许可给当事人合法权益造成损失的,应当依法给予赔偿。

案例3-1

未取得建设工程规划手续就进行建设项目

【案情简介】

1995年,经某市某乡人民政府同意、某市某金属结构有限责任公司之法定代表人王某与某乡某村委会签订《房地产转让协议》,取得了厂房所有权以及约10 640平方米土地的使用权,后在该土地上扩建了约6 000平方米的建筑。作为某市某金属结构有限责任公司开展经营活动的场所。2019年6月14日,某市某区城市管理行政执法局向某市某金属结构有限责任公司作出《违法建设限期拆除决定书》(以下简称"限拆决定书"),称某市某金属结构有限责任公司未取得建设工程规划许可手续就进行了建设项目,违反法律规定,责令某市某金属结构有限责任公司自收到决定书之日起三日内自行拆除该处违法建筑物。逾期未拆除的,本机关将依法报请某区人民政府责成有关部门依法拆除。

案例辨析

《建设用地规划许可证》载明的具体内容明确表明了某市某金属结构有限责任公司的用地面积(10 640 平方米)和用地项目(厂房、办公楼)已被原某市规划管理局纳入了原《中华人民共和国城市规划法》调整范畴,此情形亦表明某市某金属结构有限责任公司在其用地范围内的用地项目建设行为已被相关城市规划管理规定所规制。因此,某市某金属结构有限责任公司就其已建和续建的用地项目应当继续按照原《中华人民共和国城市规划法》的相关规定向原某市规划管理局申请补领或申请办理后续相关的《建设工程规划许可证》,否则即属于不合法建(构)筑物。由此可见,某市某金属结构有限责任公司法定代表人王某前述其公司自1994年至2004年之间陆续建设且尚未取得相应《建设工程规划许可证》的8 443.81 平方米的建(构)筑物因违反了有关城市规划管理的法律规定而当属非法的建(构)筑物。

3.2 建设工程施工许可制度

建设工程施工活动的专业性、技术性极强。因此,对建设工程是否具备施工条件以及对从业单位、专业技术人员依法实施行政许可,进行严格的过程管控,对于规范建设市场秩序,保证工程质量和安全施工,保障公民生命财产安全和国家财产安全,提高投资效益,意义重大。

2019年4月经修改后公布的《中华人民共和国行政许可法》规定,设定和实施行政许可,应当依照法定的权限、范围、条件和程序。

2019年10月国务院公布的《优化营商环境条例》规定,国家严格控制新设行政许可。新设行政许可应当按照行政许可法和国务院的规定严格设定标准,并进行合法性、必要性和合理性审查论证。

国家大力精简已有行政许可。对已取消的行政许可,行政机关不得继续实施或者变相实施,不得转由行业协会商会或者其他组织实施。

市场主体认为地方性法规同行政法规相抵触,或者认为规章同法律、行政法规相抵触的,可以向国务院书面提出审查建议,由有关机关按照规定程序处理。

1. 施工许可证的申领

(1)施工许可证的申领时间

在建设工程开工前,建设单位必须向建设行政主管部门或其授权的部门申请领取建筑工程施工许可证,未领施工许可证的不得开工。

开工日期是指建设项目或单项工程设计文件中规定的永久性工程计划开始施工的时间,以永久性工程正式破土开槽开始施工的时间为准。

(2)施工许可证的申领范围

在中华人民共和国境内从事各类房屋建筑及其附属设施的建造、装修装饰和与其配套的线路、管道、设备的安装以及城镇市政基础设施工程的施工,建设单位在开工前应当向工程所在地的县级以上人民政府建设行政主管部门(以下简称发证机关)申请领取施工许可证。

但是,并不是所有的建筑工程都必须领取施工许可证,而只是对投资额较大、结构较复杂的工程,才领取施工许可证。根据《建筑工程施工许可管理办法》规定,工程投资额在30万元以下或者建筑面积在300平方米以下的建筑工程,可以不申请办理施工许可证。此外,按照国务院规定的权限和程序批准开工报告的建筑工程也不再领取施工许可证。

《优化营商环境条例》规定,设区的市级以上地方人民政府应当按照国家有关规定,优化工程建设项目(不包括特殊工程和交通、水利、能源等领域的重大工程)审批流程推行并联审批、多图联审、联合竣工验收等方式,简化审批手续,提高审批效能。《住房和城乡建设部办公厅关于全面推行建筑工程施工许可证电子证照的通知》(建办市〔2020〕25号)规定,全面推行施工许可电子证照。自2021年1月1日起,全国范围内的房屋建筑和市政基础设施工程项目全面实行施工许可电子证照。电子证照与纸质证照具有同等法律效力。

(3)施工许可证的申领条件

为了保证建筑工程开工后,组织施工能够顺利进行,《中华人民共和国建筑法》及《建筑工程施工许可管理办法》规定了申请领取施工许可证应具备的下列条件:

①依法应当办理用地批准手续的,已经办理该建筑工程用地批准手续。
②在城市规划区的建筑工程,已经取得规划许可证。
③施工现场已经具备基本施工条件,需要征收房屋的,其进度符合施工要求。
④已经确定建筑施工企业。
⑤已经具有满足施工需要的施工图纸及技术资料,施工图设计文件已经按照规定通过了审查。
⑥有保证工程质量和安全的具体措施。
⑦按照规定应该委托监理的工程已经委托监理。
⑧建设资金已经落实。
⑨法律、行政法规规定的其他条件。

2020年5月公布的《中华人民共和国民法典》规定,为了公共利益的需要,依照法律规定的权限和程序可以征收集体所有的土地和组织、个人的房屋以及其他不动产。但是,征收进度必须能满足建设工程开始施工和连续施工的要求。

2.办理施工许可证的程序

根据《建筑工程施工许可管理办法》第五条的规定,建设单位在提出申请办理施工许可证时,应当按照下列程序进行:

①建设单位向发证机关领取建筑工程施工许可证申请表。
②建设单位持加盖单位及法定代表人印鉴的建筑工程施工许可证申请表,并附该办法第四条规定的证明文件,向发证机关提出申请。
③发证机关在收到建设单位报送的建筑工程施工许可证申请表和所附证明文件后,对于符合条件的,应当自收到申请之日起七日内颁发施工许可证;对于证明文件不齐全或者失效的,应当当场或者五日内一次告知建设单位需要补正的全部内容,审批时间可以自证明文件补正齐全后相应顺延;对于不符合条件的,应当自收到申请之日起七日内书面通知建设单位,并说明理由。

建筑工程在施工过程中,建设单位或者施工单位发生变更的,应当重新申请领取施工许可证。

补充说明：2018年5月18日，国务院办公厅正式公布了《国务院办公厅关于开展工程建设项目审批制度改革试点的通知》（国办发〔2018〕33号）（以下简称《通知》），试点地区为：北京市、天津市、上海市、重庆市、沈阳市、大连市、南京市、厦门市、武汉市、广州市、深圳市、成都市、贵阳市、渭南市、延安市和浙江省。主要是房屋建筑和城市基础设施等工程，不包括特殊工程和交通、水利、能源等领域的重大工程。

《通知》中规定：落实取消下放行政审批事项有关要求，环境影响评价、节能评价、地震安全性评价等评价事项不作为项目审批或核准条件，地震安全性评价在工程设计前完成即可，其他评价事项在施工许可前完成即可。可以将用地预审意见作为使用土地证明文件申请办理建设工程规划许可证，用地批准手续在施工许可前完成即可。将供水、供电、燃气、热力、排水、通信等市政公用基础设施报装提前到施工许可证核发后办理，在工程施工阶段完成相关设施建设，竣工验收后直接办理接入事宜。

《通知》中还规定，将工程质量安全监督手续与施工许可证合并办理。

3.施工许可证的有效期与延期

对于施工许可证的有效期与延期，《中华人民共和国建筑法》和《建筑工程施工许可管理办法》有如下规定：

（1）施工许可证的有效期（3个月）

建设单位取得施工许可证后，应当自批准之日起3个月内组织开工。

（2）施工许可证的延期（以2次为限，每次不超过3个月）

因故不能按期开工的，建设单位应当在期满前向发证部门说明理由，申请延期。延期以2次为限，每次不超过3个月。由此可见，建设单位有理由不开工的最长期限可达到9个月。

（3）施工许可证的自行废止

以下两种情况下施工许可证自行废止：

①既不在3个月内开工，又不向发证机关申请延期。

②超过延期次数、时限，建设单位仍没有开工。

施工许可证自行废止后，建设单位如要组织开工，必须重新领取新的施工许可证。

4.中止施工与恢复施工

（1）中止施工

中止施工是指建筑施工开工后，在施工过程中，因特殊情况的发生而中途停止施工的行为。

在建的建筑工程因故中止施工的，建设单位应当自中止施工之日起1个月内向发证机关报告，报告内容包括中止施工的时间、原因、在施部位、维护管理措施等，并按照规定做好建筑工程的维护管理工作。

（2）恢复施工

恢复施工是指建筑工程中止施工后，造成中止施工的情况消除，而继续进行施工的一种行为。

建筑工程恢复施工时，中止施工不满1年的，建设单位应当向该工程的发证机关报告恢复施工的有关情况；中止施工满1年的工程恢复施工前，建设单位应当报发证机关核验施工许可证。

案例3-2

开工前要办理施工许可证。

【案情简介】

甲商场为了扩大经营范围,购得某毛纺厂地皮一块,准备兴建分店。甲商场通过招标的形式与乙建筑公司签订了建筑工程承包合同。之后,乙建筑公司将各种设备、材料运抵工地开始施工。施工过程中,城市规划管理局的工作人员来到施工现场,指出该工程不符合城市建设规划,未领取建设工程规划许可证,也未办理施工许可证,必须立即停止施工。随后,城市规划管理局对发包人做出了行政处罚,处以罚款并勒令停止施工,拆除已修建部分。乙建筑公司因此而蒙受损失,故向法院提起诉讼,要求甲给予赔偿。一审法院经过开庭审理,认为主要是发包人甲商场的过错导致承包合同无效,支持了原告的诉讼请求。

案例辨析

本案例中引起当事人争议并导致损失产生的原因是发包人甲商场在工程开工前未办理建设工程规划许可证和施工许可证,从而导致建设工程承包合同无效,乙建筑公司因此而蒙受损失。根据《中华人民共和国建筑法》相关规定,建筑工程开工前,建设单位应当按照国家有关规定向工程所在地县级以上人民政府建设行政主管部门申请领取施工许可证。由此可见,办理施工许可证应是建设单位的责任。《中华人民共和国建筑法》还规定,申请领取施工许可证,应当具备下列条件……在城市规划区的建筑工程,已经取得规划许可证……由此可见,发包人取得建设用地规划许可证和建设工程规划许可证是办理施工许可证的必备条件之一。因此本案中,发包人除承担相应的行政责任外,还应当赔偿因合同无效或被撤销后给承包人造成的损失。这种损失为信赖利益损失(直接损失),例如施工机械调迁费、材料运送费、施工人员工资等费用。

思考与训练

一、判断题

1.所有的建筑工程项目都必须申请领取施工许可证。( )

2.施工单位可以在建筑工程开工后申请领取施工许可证。( )

3.建设单位有理由不开工的最长期限可达6个月。如果超过6个月仍不开工,该施工许可证即失去效力。( )

4.发放贷款支持新开发项目,必须"四证"齐全,四证是指:国有土地使用证、建设工程规划许可证、建设用地规划许可证、房地产权证。( )

二、选择题

1.甲房地产开发公司将一住宅小区工程以施工总承包方式发包给乙建筑公司,乙建筑公司又将其中场地平整及土方工程分包给丙土方公司。在工程开工前,应当由( )按照有关规定申请领取施工许可证。

A.乙建筑公司　　　　　　　　　B.丙土方公司
C.甲房地产开发公司和乙建筑公司共同　　D.甲房地产开发公司

2.某工程项目,建设单位未取得施工许可证便擅自开工,经查建设资金未落实。依照《中华人民共和国建筑法》的规定,对此,正确的处理方式是( )。

A.责令改正,并处以罚款　　　　　B.责令改正,可以处以罚款
C.责令停止施工,并处以罚款　　　D.责令停止施工,可以处以罚款

3.某新建施工企业在向建设行政主管部门申请资质时,( )不是必备的条件。

A.有符合规定的注册资本　　　　　B.有符合规定的专业技术人员
C.有符合规定的工程质量保证体系　D.有符合规定的技术装备

4.大、中型建设工程项目立项批准后,建设单位应按( )顺序办理相应手续。

A.工程发包—报建登记—签订施工承包合同—申领施工许可证
B.报建登记—申领施工许可证—工程发包—签订施工承包合同
C.申领施工许可证—工程发包—签订施工承包合同—报建登记
D.报建登记—工程发包—签订施工承包合同—申领施工许可证

5.根据《建筑法》,关于施工许可证期限的说法,正确的是( )。

A.可以延期,但只能延期一次
B.延期以两次为限,每次不超过2个月
C.应当自领取施工许可证之日起2个月内开工
D.既不开工又不申请延期或者超过延期时限的,施工许可证自行废止

6.建设用地规划许可证、建设工程规划许可证的有效期为( )。

A.半年　　　　　B.一年　　　　　C.两年　　　　　D.三年

7.建设单位申请办理建设工程规划许可证时,不需要向城市、县人民政府城乡规划主管部门或者省、自治区、直辖市人民政府确定的镇人民政府城市规划管理部门提交( )等文件、材料。

A.使用土地的有关证明文件
B.建设工程设计方案
C.修建性详细规划
D.资金证明

8.下面列出的城市道路桥梁工程建设中,需要申请建设工程规划许可证的是( )。

A.城市道路和桥梁工程的大修和养护
B.城市规划区内公路和桥梁工程的大修和养护
C.城市道路需要设置的人行天桥和人行地道建设
D.为解决施工期间临时交通而设置的便道和便桥建设

9.建筑物、构筑物、道路、管线和其他工程设施的( )等活动须向城市规划行政主管部门申请核发建设工程规划许可证。

A.新建、翻建　　　　　　　　　　B.新建、扩建
C.新建、改建　　　　　　　　　　D.新建、扩建、改建

10.出租人就未取得建工程规划许可证或者未按照建设工程规划许可证的规定建设的房屋,

与承租人订立的房屋租赁合同,下列说法正确的是( )。

A.该合同有效

B.该合同一律认定为无效

C.在一审法庭辩论终结前取得建设工程规划许可证或者经主管部门批准建设的,人民法院应当认定有效

D.在一审判决前取得建设工程规划许可证或者经主管部门批准建设的,人民法院应当认定有效

三、问答题

1.施工许可证的申领条件有哪些?

2.在那种情况下需要重新办理建设工程规划许可证?

3.施工许可证的有效期与延期有哪些规定?

四、技能训练题

1.某房地产公司与某文化公司(以下合并简称建设方)合作在某市市区共同开发房地产项目该项目包括两部分,一部分是6.5万平方米的住宅工程,另一部分是与住宅相配套的3.6万平方米的综合楼。该项目的住宅工程各项手续和证件齐备,自2018年开工建设到2019年4月已经竣工验收。综合楼工程由于合作双方对于按照基建计划还是开发计划申报该工程没能统一意见,从而使综合楼建设工程的各项审批手续未能办理。由于住宅工程已竣工验收,配套工程急需跟上,在综合楼施工许可证未经审核批准的情况下就开始施工。

请问:本案该如何处理?

2.万方商场为了扩大营业范围,购得本市地皮一块,准备兴建万方商场分店。万方商场通过招标投标的形式与第十建筑工程公司签订了建筑工程承包合同。合同约定由第十建筑工程公司申请获得施工许可证后开工。

承包人第十建筑工程公司于2006年3月20日领取工程施工许可证。直到2006年8月20日将各种设备、材料运抵工地开始施工。

请问:建筑工程承包合同约定由第十建筑公司申请施工许可证是否符合法律规定?为什么?

微课5
模块3选择题

微课6
模块3技能训练题

模块 4 工程招标投标法规

学习导向

推荐学习方法 以工程招标投标制度的建立和发展为切入点,了解我国工程项目招标投标的现状;;深刻体会招标投标各个阶段相关法律要求的重要性,理解我国建设工程招标投标各个阶段的主要内容。

理论知识要求 1.了解招标投标的概念及基本原则。
2.熟悉招标投标的项目范围和规模标准。
3.掌握招标、投标、开标、评标活动中的法律规定。

能力素质要求 1.具有准确分析招标投标各个阶段注意要点的能力。
2.具有严格执行工程招标投标程序要求、保障建设项目招标投标顺利进行的意识和能力。

引例

市公办职业技术学院教学楼项目招标中,某施工单位通过资格预审后,对招标文件进行了仔细分析,编制了投标文件,并将技术标和商务标分别封装,在投标截止日前1天上午报送建设单位(招标单位),次日(投标截止日)上午,在规定的开标时间前2小时,该施工单位又递交了一份补充材料,其中声明将原报价降低5%。但是,招标单位的有关工作人员认为,一个承包商(投标单位)不得递交两份投标文件,因而拒收该施工单位的补充材料,开标会由该市主管教育副市长主持,市公证处有关人员到会,各投标单位代表均到场。开标前,有关人员对各投标单位进行资格审查,并对所有投标文件进行审查,确认所有投标文件有效后正式开标,宣读投标单位名称、投标价格、投标工期等有关投标文件的重要说明。

分析:招标投标活动是在市场经济条件下工程建设发包与承包时,所采用的最常见的一种交易方式,招标投标活动将竞争机制引入了工程交易过程,对减少或杜绝行贿受贿等腐败和不正当竞争行为,节省和合理使用资金,保证建设项目质量具有明显的优越性。在本案例中,招标投标活动中存在若干问题,如招标投标的程序、开标时间和地点、关于招标投标的补充规定、开标主持人、评标及确定中标人等。因此,要规范建筑招标投标活动,必须遵循招标投标法规的相关规定。

4.1 建筑工程承发包的一般规定

《中华人民共和国建筑法》是国家对建筑活动进行监督管理的基本法,其对建筑工程的发包与承包作了一般规定。从程序看,建筑工程发包可以分为招标发包和非招标方式发包两大类型。建筑工程依法实行招标发包,对不适于招标发包的可以直接发包;政府采购工程,按照《中华人民共和国招标投标法》及其实施条例,必须进行招标的工程建设项目以外的项目,应当采用法律法规规定的非招标采购方式。

4.1.1 建设工程总承包

《中华人民共和国民法典》规定,发包人可以与总承包人订立建设工程合同,也可以分别与勘察人、设计人、施工人订立勘察、设计、施工承包合同。前者是工程总承包模式,后者称为平行发包模式。《中华人民共和国建筑法》第二十四条规定,提倡对建筑工程实行总承包。建设内容明确、技术方案成熟的项目,适宜采用工程总承包方式。

1. 建设工程总承包模式

(1) 设计采购施工(EPC)/交钥匙工程总承包

设计采购施工工程总承包是指工程总承包企业按照合同约定,承担工程项目的设计、采购、施工、试运行服务等工作并对承包工程的质量、安全、工期、造价全面负责。交钥匙工程总承包是设计采购施工总承包业务和责任的延伸,最终是向业主提交一个满足使用功能、具备使用条件的工程项目。

(2) 设计—施工总承包(D—B)

设计—施工总承包指工程总承包企业按照合同约定,承担工程项目设计和施工,并对承包工程的质量、安全、工期、造价全面负责。根据工程项目的不同规模、类型和项目发包人要求,工程总承包还可采用设计—采购总承包(E—P)和采购—施工总承包(P—C)方式。

2. 违法发包

发包人不得将应当由一个承包人完成的建设工程支解成若干部分发包给数个承包人。按照合同约定建筑材料、建筑构配件和设备由工程承包单位采购的,发包单位不得指定承包单位购入用于工程的建筑材料、建筑构配件和设备或者指定生产厂、供应商。

《建筑工程施工发包与承包违法行为认定查处管理办法》明确,违法发包,是指建设单位将工程发包给个人或不具有相应资质的单位、支解发包、违反法定程序发包及其他违反法律法规规定发包的行为。

违法发包的具体情形包括:

(1) 建设单位将工程发包给个人的。

(2) 建设单位将工程发包给不具有相应资质的单位的。

(3) 依法应当招标未招标或未按照法定招标程序发包的。

(4) 建设单位设置不合理的招标投标条件,限制、排斥潜在投标人或者投标人的。

(5) 建设单位将一个单位工程的施工分解成若干部分发包给不同的施工总承包或专业承包

单位的。

3.建设工程总承包的法律责任

较之设计、施工单独发包模式,建设单位不再平行面对设计单位、施工等,建设单位与总承包单位缔结合同,对总承包单位进行履约管理,总承包单位就其分包单位的行为向建设单位负责。

(1)质量负责

建设单位不得迫使工程总承包单位以低于成本的价格竞标,不得明示或者暗示工程总承包单位违反工程建设强制性标准、降低建设工程质量,不得明示或者暗示工程总承包单位使用不合格的建筑材料、建筑构配件和设备。

工程总承包单位应当对其承包的全部建设工程质量负责,分包单位对其分包工程的质量负责,分包不免除工程总承包单位对其承包的全部建设工程所负的质量责任。

工程总承包单位、工程总承包项目经理依法承担质量终身责任。工程总承包项目强调设计施工深度融合,旨在优化管理、提高效率、节约成本,项目管理难度大,对项目经理要求高。《房屋建筑和市政基础设施项目工程总承包管理办法》规定,工程总承包项目经理应当具备下列条件:

①取得相应工程建设类注册执业资格,包括注册建筑师、勘察设计注册工程师、注册建造师或者注册监理工程师等;未实施注册执业资格的,取得高级专业技术职称。

②担任过与拟建项目相类似的工程总承包项目经理、设计项目负责人、施工项目负责人或者项目总监理工程师。

③熟悉工程技术和工程总承包项目管理知识以及相关法律法规、标准规范。

④具有较强的组织协调能力和良好的职业道德。工程总承包项目经理不得同时在两个或者两个以上工程项目担任工程总承包项目经理、施工项目负责人。

(2)安全责任

建设单位不得对工程总承包单位提出不符合建设工程安全生产法律、法规和强制性标准规定的要求,不得明示或者暗示工程总承包单位购买、租赁、使用不符合安全施工要求的安全防护用具 机械设备、施工机具及配件、消防设施和器材。

工程总承包单位对承包范围内工程的安全生产负总责。分包单位应当服从工程总承包单位的安全生产管理,分包单位不服从管理导致生产安全事故的,由分包单位承担主要责任,分包不免除工程总承包单位的安全责任。

4.1.2 建设工程分包

根据《中华人民共和国民法典》,总承包人或者勘察、设计、施工承包人经发包人同意,可以将自己承包的部分工作交由第三人完成。该条是对建设工程分包的基本规定。

1.总承包人,承包人进行分包的条件

(1)承包人不得将其承包的全部建设工程转包给第三人或者将其承包的全部建设工程支解以后以分包的名义分别转包给第三人。

(2)禁止承包人将工程分包给不具备相应资质条件的单位。分包单位应当符合建筑市场资质管理制度要求。

(3)建设工程主体结构的施工必须由承包人自行完成。

(4)禁止分包单位将其承包的工程再分包。

(5)经发包人同意。

《中华人民共和国建筑法》与《中华人民共和国民法典》前述规定保持一致。

2. 违法分包的情形

关于分包合同的缔结方式,《房屋建筑和市政基础设施项目工程总承包管理办法》规定,工程总承包单位可以采用直接发包的方式进行分包,但以暂估价形式包括在总承包范围内的工程、货物、服务分包时,属于依法必须进行招标的项目范围且达到国家规定规模标准的,应当依法招标。

《建筑工程施工发包与承包违法行为认定查处管理办法》第十二条列举了以下违法分包的情形:

(1)承包单位将其承包的工程分包给个人的。

(2)施工总承包单位或专业承包单位将工程分包给不具备相应资质单位的。

(3)施工总承包单位将施工总承包合同范围内工程主体结构的施工分包给其他单位的,钢结构工程除外。

(4)专业分包单位将其承包的专业工程中非劳务作业部分再分包的。

(5)承包人将其承包的业务再分包的。

(6)专业作业承包人除计取劳务作业费用外,还计取主要建筑材料款和大中型施工机械设备、主要周转材料费用的。

分包人就其完成的工作成果与总承包人或者勘察、设计、施工承包人向发包人承担连带责任。

案例4-1

公司违法分包工程

【案情简介】

2015年4月,被告建筑公司从某建设有限公司承包一集中居住区建筑工程后,将该工程承包给无施工资质的被告李某,李某及其父又将该工程混凝土浇注、砌筑、内外粉刷等项目分包给无施工资质的原告赵某,赵某按约进行了施工。2016年4月原告赵某因追要工程欠款以及工人工资等事宜与被告发生矛盾告上法庭。法院判决被告李某父子给付原告工程欠款33万元,被告建筑公司承担连带责任。

案例辨析

本案中没有证据证明李某父子系被告建筑公司的工作人员,故表明被告李某父子共同承接了该工程,其相对于建筑公司系实际施工人。李某父子又将部分工程分包给原告赵某,原告相对于李某父子系实际施工人,因原告及被告李某父子均无施工资质,且分包行为违反法律法规强制性规定,故原、被告之间的合同系无效合同,但原告已按合同约定完成了施工任务,并已确定了工程价款。实际施工人要求参照合同约定支付工程款的,法院应予支持。据此,法院判决被告李某父子给付原告工程欠款33万元,被告建筑公司承担连带责任。

实践中常有以分包之名行转包之实,或假借他人名义承揽工程的违法情形,转包、挂靠和违法分包,应依法予以行政处罚,也是建筑市场行政监管的重点。转包,是指承包单位承包工程后,不履行合同约定的责任和义务,将其承包的全部工程或者将其承包的全部工程支解后以分包的名义分别转给其他单位或个人施工的行为。挂靠,是指单位或个人以其他有资质的施工单位的名义承揽工程包括参与投标、订立合同、办理有关施工手续、从事施工等活动。

《建筑工程施工发包与承包违法行为认定查处管理办法》第八条列举了应当认定为转包的情形：

(1)承包单位将其承包的全部工程转给其他单位(包括母公司承接建筑工程后将所承接工程交由具有独立法人资格的子公司施工的情形)或个人施工的。

(2)承包单位将其承包的全部工程支解以后,以分包的名义分别转给其他单位或个人施工的。

(3)总承包单位或专业承包单位未派驻项目负责人、技术负责人、质量管理负责人、安全管理负责人等主要管理人员,或派驻的项目负责人、技术负责人、质量管理负责人、安全管理负责人中一人及以上与施工单位没有订立劳动合同且没有建立劳动工资和社会养老保险关系,或派驻的项目负责人未对该工程的施工活动进行组织管理,又不能进行合理解释并提供相应证明的。

(4)合同约定由承包单位负责采购的主要建筑材料、构配件及工程设备或租赁的施工机械设备,由其他单位或个人采购、租赁,或施工单位不能提供有关采购、租赁合同及发票等证明,又不能进行合理解释并提供相应证明的。

(5)专业作业承包人承包的范围是承包单位承包的全部工程,专业作业承包人计取的是除上缴给承包单位"管理费"之外的全部工程价款的。

(6)承包单位通过采取合作、联营、个人承包等形式或名义,直接或变相将其承包的全部工程转给其他单位或个人施工的。

(7)专业工程的发包单位不是该工程的施工总承包或专业承包单位的,但建设单位依约作为发包单位的除外。

(8)专业作业的发包单位不是该工程承包单位的。

(9)施工合同主体之间没有工程款收付关系,或者承包单位收到款项后又将款项转拨给其他单位和个人,又不能进行合理解释并提供材料证明的。

前述几种情形中有证据证明属于挂靠或者其他违法行为的则以挂靠或其他违法行为认定。

两个以上的单位组成联合体承包工程,联合体分工协议中约定或者在项目实施过程中,联合体一方不进行施工也未对施工活动进行组织管理的,并且向联合体其他方收取管理费或者其他类似费用的,视为联合体一方将承包的工程转包给联合体其他方。

《建筑工程施工发包与承包违法行为认定查处管理办法》第十条列举了应当认定为挂靠的情形：

(1)没有资质的单位或个人借用其他施工单位的资质承揽工程的。

(2)有资质的施工单位相互借用资质承揽工程的,包括资质等级低的借用资质等级高的,资质等级高的借用资质等级低的,相同资质等级相互借用的。

(3)前述第8条(3)至(9)项的违法情形中,如有证据证明构成挂靠的,则以挂靠论处;如不足以认定为挂靠的,则以转包认定。

4.2 建筑工程招标投标制度

4.2.1 概述

1.《中华人民共和国招标投标法》的概念、适用范围和调整对象

建设工程招标投标是在市场经济条件下进行工程建设项目的发包和承包时,所采用的一种交易方式。招标是指招标人依法提出招标项目及其相应的要求和条件,通过发布招标公告或发出投标邀请书吸引潜在投标人参加投标的行为。投标又称报价,是指作为承包方的投标人根据招标人的招标条件向招标人提交其依据招标文件的要求所编制的投标文件,即向招标人提出自己的报价,以期承包到该招标项目的行为。

(1)《中华人民共和国招标投标法》的概念

《中华人民共和国招标投标法》是国家用来规范招标投标活动、调整在招标投标过程中产生的各种关系的法律规范的总称。其立法宗旨是:规范招标投标活动,保护国家利益、社会公共利益和招标投标活动当事人的合法权益,提高经济效益,保证项目质量。招标投标活动应当遵循公开、公平、公正和诚实信用的原则。

(2)《中华人民共和国招标投标法》的适用范围

《中华人民共和国招标投标法》第二条对其适用范围做出了明确规定,即在中华人民共和国境内进行招标投标活动,适用本法。这里的"中华人民共和国境内"不包括香港、澳门两个特别行政区和台湾省。凡是在中华人民共和国境内进行的招标投标活动,不论是属于必须招标的项目,还是属于自愿进行招标的项目,其招标投标活动均适用《中华人民共和国招标投标法》。

(3)《中华人民共和国招标投标法》的调整对象

《中华人民共和国招标投标法》的调整对象既包括招标、投标、开标、评标、定标等各个环节的活动,也包括政府部门对招标投标活动的行政监督和规范。

2.立法概况

1980年10月,国务院发布了《关于开展和保护社会主义竞争的暂行规定》,第一次提出了对一些合适的工程建设项目可以试行招标投标。随后,吉林省和深圳市于1981年开始设置工程招标投标试点。1982年,鲁布革水电站引水系统工程成为我国第一个利用世界银行贷款并按世界银行规定进行项目管理的工程,采用国际竞争性招标方式选择总承包单位,较大幅度地降低了工程造价,同时也极大地推动了我国工程建设项目管理方式的改革和发展。

1999年8月30日,中华人民共和国第九届全国人民代表大会常务委员会第十一次会议通过了《中华人民共和国招标投标法》,自2000年1月1日起施行。2017年对《中华人民共和国招标投标法》进行修正。

随着我国招标投标制度的不断发展,国家陆续发布了一系列招标投标活动的部门规章,使得我国的招标投标活动更加规范化和法制化。这些规章主要包括:

①2000年4月4日国务院批准的《工程建设项目招标范围和规模标准规定》。2018年,中华

人民共和国国家发展和改革委员会对《工程建设项目招标投标办法》进行修订，经国务院批准，自2018年6月1日起施行。

②2001年7月5日起施行的《评标委员会和评标办法暂行规定》。

③2003年5月1日起施行的《工程建设项目施工招标投标办法》，它适用于在中华人民共和国境内进行工程施工的招标投标活动。

④2003年8月1日起施行的《工程建设项目勘察设计招标投标办法》。

⑤2005年3月1日起施行的《工程建设项目货物招标投标办法》，它适用于在中华人民共和国境内依法必须进行招标的工程建设项目货物招标投标活动。

⑥2012年2月1日起施行的国务院颁布的《招标投标法实施条例》（2017年、2019年修订），进一步规范了招标投标活动。

⑦2013年5月1日起施行的《关于废止和修改部分招标投标规章和规范性文件的决定》，对《中华人民共和国招标投标法》实施以来国家发展改革委牵头制定的规章和规范性文件进行了全面清理。

⑧2017年1月24日，住房和城乡建设部发布了《建设工程设计招标投标管理办法》，并于2017年5月1日实施。它对于规范建筑工程设计市场，提高建筑工程设计水平，促进公平竞争，繁荣建筑创作有重大意义。

⑨2018年1月1日起实施了《招标公告和公示信息发布管理办法》（中华人民共和国国家发展和改革委员会第10号令），进一步规范了招标公告和公示信息发布活动，增强了招标投标透明度，保障市场公平竞争。

⑩2018年3月8日，住房和城乡建设部决定废止《工程建设项目招标代理机构资格认定办法》。全面取消招标代理资格符合市场经济基本规律，在市场经济条件下，招标代理服务应当遵循市场规律，需要开放竞争。

⑪2019年10月公布的《优化营商环境条例》规定，招标投标和政府采购应公开透明、公平公正，依法平等对待各类所有制和不同地区的市场主体，不得以不合理条件或者产品产地来源等进行限制或者排斥。政府有关部门应当加大反垄断和反不正当竞争执法力度，有效预防和制止市场经济活动中的垄断行为、不正当竞争行为以及滥用行政权力排除、限制竞争行为，营造公平竞争的市场环境。

4.2.2 建设工程招标

1. 招标人

招标人是指依照《中华人民共和国招标投标法》的规定提出招标项目并进行招标的法人或者其他组织。

2. 招标项目

（1）强制招标制度

强制招标是指法律、法规规定某些特定类型的项目，凡达到规定的规模标准的，必须通过招标进行建设，否则项目单位要承担法律责任。经验表明，强制招标是发展国民经济的一项重要的制度保证。

(2)强制招标的工程建设项目范围

根据《中华人民共和国招标投标法》第三条规定,在中华人民共和国境内进行下列工程建设项目包括项目的勘察、设计、施工、监理以及与工程建设有关的重要设备、材料等的采购,必须进行招标:

①大型基础设施、公用事业等关系社会公共利益、公众安全的项目。

②全部或者部分使用国有资金投资或者国家融资的项目,具体指:

a.使用预算资金200万元人民币以上,并且该资金占投资额10%以上的项目。

b.使用国有企业事业单位资金,并且该资金占控股或者主导地位的项目。

③使用国际组织或者外国政府贷款、援助资金的项目,具体指:

a.使用世界银行、亚洲开发银行等国际组织贷款、援助资金的项目。

b.使用外国政府及其机构贷款、援助资金的项目。

前款所列项目的具体范围和规模标准,由国务院发展计划部门会同国务院有关部门制订,报国务院批准。法律或者国务院对必须进行招标的其他项目的范围有规定的,依照其规定。

《中华人民共和国招标投标法》还规定,任何单位和个人不得将依法必须进行招标的项目化整为零或者以其他任何方式规避招标。

(3)必须招标项目的规模标准

《必须招标的工程项目规定》规定范围内的项目(见上文"(2)强制招标的工程建设项目范围"),其勘察、设计、施工、监理以及与工程建设有关的重要设备、材料等的采购达到下列标准之一的,必须招标:

①施工单项合同估算价在400万元人民币以上。

②重要设备、材料等货物的采购,单项合同估算价在200万元人民币以上。

③勘察、设计、监理等服务的采购,单项合同估算价在100万元人民币以上。

同一项目中可以合并进行的勘察、设计、施工、监理以及与工程建设有关的重要设备、材料等的采购,合同估算价合计达到前款规定标准的,必须招标。

(4)可以不进行招标的工程建设项目

如果建设项目不属于必须招标项目,则业主可以选择是否招标。但是即使符合必须招标项目的条件但属于下列特殊情形的,依照国家有关规定,也可以不招标:

①涉及国家安全、国家秘密、抢险救灾或者属于利用扶贫资金实行以工代赈、需要使用农民工等特殊情况,不适宜进行招标。

②施工主要技术采用不可替代的专利或者专有技术。

③已通过招标方式选定的特许经营项目投资人依法能够自行建设。

④采购人依法能够自行建设。

⑤在建工程追加的附属小型工程或者主体加层工程,原中标人仍具备承包能力,并且其他人承担将影响施工或者功能配套要求。

⑥国家规定的其他情形。

3.招标条件和方式

(1)招标项目应当具备的条件

①招标项目按照国家有关规定需要履行项目审批手续的,应当先履行项目审批手续,取得批准。

②招标人应当有进行招标项目的相应资金或者资金来源已经落实,并应当在招标文件中如实载明。

(2)招标方式

按不同的标准,招标有多种方式:按性质不同可分为公开招标和邀请招标;按招标范围不同可分为国际竞争性招标和国内竞争性招标;按价格确定方式不同可分为固定总价项目招标、成本加酬金项目招标和单价不变项目招标等。

①公开招标

公开招标也称无限竞争招标,是指招标人按照法定程序,以招标公告的方式邀请不特定的法人或者其他组织投标的方式。一般是在公开的媒体上发布招标公告,公开提供招标文件,使所有符合条件的潜在投标人都可以平等参加投标竞争,从中择优选定中标人的招标方式。

公开招标的特点是招标人发出招标公告,其针对的对象是所有对招标项目感兴趣的法人或其他组织,对参加投标的投标人在数量上并没有限制,具有广泛性。这一方式可提高招标活动的透明度,对招标过程中的不正当交易行为起到较强的抑制作用。

②邀请招标

邀请招标也称有限竞争招标,是指招标人以投标邀请书的方式邀请特定的法人或者其他组织投标的发包方式。采用这种招标方式,由于被邀请参加竞争的潜在投标人数量有限,而且事先已经对投标人进行了调查了解,因此不仅可以节省招标人的招标成本,而且能提高投标人的中标概率,因此潜在投标人的投标积极性会较高。当然,由于邀请招标的对象被限定在特定范围内,所以也可能使其他优秀的潜在投标人被排斥在外。

邀请招标的招标人要以投标邀请书的方式向潜在投标人发出投标邀请,只有接受投标邀请书的法人或其他组织才可以参加投标竞争,其他法人或组织无权参加投标。

国务院发展计划部门确定的国家重点建设项目和各省、自治区、直辖市人民政府确定的地方重点建设项目,以及全部使用国有资金投资或者国有资金投资占控股或者主导地位的工程建设项目,应当公开招标;有下列情形之一的,经批准可以进行邀请招标:

a.项目技术复杂或有特殊要求,或者受自然地域环境限制,只有少量潜在投标人可供选择;

b.涉及国家安全、国家秘密或者抢险救灾,适宜招标但不宜公开招标;

c.采用公开招标方式的费用占项目合同金额的比例过大。

邀请招标的对象虽然被具体化了,但为了保证邀请招标的竞争性,我国法律对邀请招标的对象有最低数量的规定。《中华人民共和国招标投标法》第十七条规定,招标人采用邀请招标方式的,应当向三个以上具备承担招标项目的能力、资信良好的特定的法人或者其他组织发出投标邀请书。

(3)招标的组织形式

招标的组织形式包括自行招标和代理招标(委托招标)。

①自行招标

自行招标是指招标人自身具有编制招标文件和组织评标能力,依法可以自行办理招标的方式。

②代理招标(委托招标)

代理招标是指招标人不具备自行招标的能力，或者不愿自行招标而委托招标代理机构办理招标事宜的方式。

4. 招标程序

(1) 招标资格与备案

招标人自行办理招标事宜，应按规定向建设行政主管部门备案；委托代理招标事宜的应签订委托代理合同，并向建设行政主管部门备案。

(2) 确定招标方式

按照法律、法规和规章确定公开招标或邀请招标。

(3) 发布(送)招标公告或投标邀请书

实行公开招标的，应当在"中国招标投标服务平台"或者项目所在地省级电子招标投标公共服务平台等媒介发布公告。实施邀请招标的应向 3 个以上符合资质条件的投标人发送投标邀请书。

(4) 编制、发放资格预审文件和递交资格预审申请书

①采用资格预审的，招标人编制资格预审文件，向参加投标的申请人发放资格预审文件。

②投标人获取资格预审文件。

③投标人按资格预审文件要求填写资格预审申请书(如是联合体投标应分别填报每个成员的情况)，并递交。

④招标人接受资格预审申请书。

(5) 资格预审，确定合格的投标申请人

①审查、分析投标申请人报送的资格预审申请书的内容。

②确定合格的投标申请人。

③向合格的投标申请人发放资格预审合格通知书。

④合格的投标申请人获得资格预审合格通知书，并提交书面回执。

(6) 编制、发售招标文件

①编制招标文件。

②将招标文件发售给合格的投标申请人(含被邀请的投标申请人)，同时向建设行政主管部门备案。

(7) 召开投标预备会

组织投标人现场踏勘，召开投标预备会。

5. 招标文件

招标文件是指招标人向供应商或承包商发出的、为其提供编写投标文件的资料并向其通报招标投标将依据的规则和程序等内容的书面文件。

一般情况下，在发布招标公告或发出投标邀请书前，招标方就应根据招标项目的特点和要求编制招标文件，在发布招标公告或发出投标邀请书的基础上，按照招标公告中载明的时间和地点，向有意参加投标的供应商或承包商提供招标文件。

为规范招标人的行为，保证招标文件的公正合理，《中华人民共和国招标投标法》及其相关规定要求招标人在编制招标文件时，应当遵守如下规则：一是由《招标投标法》第十九条规定的原则，即招标人应当根据招标项目的特点和需要编制招标文件。招标文件应当包括招标项目的技术要求、对投标人资格审查的标准、投标报价要求和评标标准等所有实质性要求和条件以及拟签订合同的主要条款。国家对招标项目的技术、标准有规定的，招标人应当按照其规定在招标文件

中提出相应要求。招标项目需要划分标段、确定工期的,招标人应当合理划分标段、确定工期,并在招标文件中载明。二是由《中华人民共和国招标投标法》第二十条规定的原则,即招标文件不得要求或者标明特定的生产供应者以及含有倾向或者排斥潜在投标人的其他内容。

(1)招标文件在时间方面的相关规定

①关于澄清、修改文件的时间的规定

澄清或者修改的内容可能影响资格预审申请文件或者投标文件编制的,招标人应当在提交资格预审申请文件截止时间至少3日前,或者投标截止时间至少15日前,以书面形式通知所有获取资格预审文件或者招标文件的潜在投标人;不足3日或者15日的,招标人应当顺延提交资格预审申请文件或者投标文件的截止时间。该澄清或者修改的内容为招标文件的组成部分。

潜在投标人或者其他利害关系人对资格预审文件有异议的,应当在提交资格预审申请文件截止时间2日前提出;对招标文件有异议的,应当在投标截止时间10日前提出。招标人应当自收到异议之日起3日内做出答复;做出答复前,应当暂停招标投标活动。

②关于确定编制投标文件的时间的规定

《中华人民共和国招标投标法》第二十四条规定,招标人应当确定投标人编制投标文件所需要的合理时间;但是,依法必须进行招标的项目,自招标文件开始发出之日起至投标人提交投标文件截止之日止,最短不得少于二十日。

③关于确定投标有效期的规定

投标有效期是指招标文件中规定的投标文件有效期。

《工程建设项目施工招标投标办法》第二十九条规定,招标文件应当规定一个适当的投标有效期,以保证招标人有足够的时间完成评标和与中标人签订合同。投标有效期从投标人提交投标文件截止之日起计算。

在原投标有效期结束前,出现特殊情况的,招标人可以以书面形式要求所有投标人延长投标有效期。投标人同意延长的,不得要求或被允许修改其投标文件的实质性内容,但应当相应延长其投标保证金的有效期;投标人拒绝延长的,其投标失效,但投标人有权收回其投标保证金。因延长投标有效期造成投标人损失的,招标人应当给予补偿,但因不可抗力需要延长投标有效期的除外。

(2)招标文件的内容

招标人应当根据招标项目的特点和需要编制招标文件。招标文件应当包括招标项目的技术要求、对投标人资格审查标准、投标报价要求和评标标准等所有实质性要求和条件以及拟签订合同的主要条款。这是基本规定,不同的招标项目,其具体内容也因招标内容而不同。一般应包括如下内容:

①招标公告或投标邀请书。

②投标人须知。

③合同主要条款。

④投标文件格式。

⑤采用工程量清单招标的,应当提供工程量清单。

⑥技术条款。

⑦设计图纸。

⑧评标标准和方法。

⑨投标辅助材料。

资料链接4-1

设计和施工招标文件的主要内容。

1. 设计招标文件的主要内容

(1) 工程名称、地址、占地面积、建筑面积等。

(2) 已批准的项目建议书或者可行性研究报告。

(3) 工程经济技术要求。

(4) 城市规划管理部门确定的规划控制条件和用地红线图。

(5) 可供参考的工程地质、水文地质、工程测量等建设场地勘察成果报告。

(6) 供水、供电、供气、供热、环保、市政道路等方面的基础资料。

(7) 招标文件答疑、踏勘现场的时间和地点。

(8) 投标文件编制要求及评标原则。

(9) 投标文件送达的截止时间。

(10) 拟签订合同的主要条款。

(11) 未中标方案的补偿办法。

2. 施工招标文件的主要内容

(1) 投标邀请书。

(2) 投标人须知,包括工程概况、招标范围、资格审查条件、工程资金来源或落实情况(包括银行出具的资金证明)、标段划分、工期要求、质量标准、现场踏勘的答疑安排、投标文件编制、提交、修改、撤回的要求、投标报价要求、投标有效期、开标时间和地点、评标的方法和标准等。

(3) 拟签订合同的主要条款。

(4) 投标文件格式。

(5) 招标工程的技术条款和设计文件。

(6) 采用工程量清单招标的,应当提供工程量清单。

(7) 评标标准和方法。

(8) 要求投标人提交的其他辅助材料,如投标保证金或其他形式的担保。

(3) 对招标文件的相关要求

《工程建设项目施工招标投标办法》规定,对于潜在投标人在阅读招标文件和现场踏勘中提出的疑问,招标人可以以书面形式或召开投标预备会的方式解答,但需同时将解答以书面方式通知所有购买招标文件的潜在投标人。该解答的内容同样作为构成招标文件的组成部分。

招标人根据招标项目的具体情况,可以组织潜在投标人踏勘项目现场,向其介绍工程场地和相关环境的有关情况。但招标人不得单独或者分别组织任何一个投标人进行现场踏勘。潜在投标人依据招标人的情况介绍做出的判断和决策,由投标人自行负责。

案例4-2

招标文件不得标明特定的生产供应商。

【案情简介】

2018年3月,某市通信光缆项目招标在资格预审文件中规定:"本次招标不接受除××外其他品牌光缆的报价。"

案例辨析

指定品牌是招标投标中较为常见的一个问题。《中华人民共和国招标投标法》第二十条规定,招标文件不得要求或者标明特定的生产供应者以及含有倾向或者排斥潜在投标人的其他内容。所以本案例中招标人的做法是不合法的。

(4)关于标底的规定

根据《中华人民共和国招标投标法》及有关规定,编制标底并不是强制性的,招标人可以不设标底,进行无标底招标。招标人可以自行决定是否编制标底。一个招标项目只能有一个标底。标底必须保密。接受委托编制标底的中介机构不得参加受托编制标底项目的投标,也不得为该项目的投标人编制投标文件或者提供咨询。

招标人设有最高投标限价的,应当在招标文件中明确最高投标限价或者最高投标限价的计算方法。招标人不得规定最低投标限价。

随着计价模式的发展,标底的形式已经不适用于招标投标制度。为避免工程投标人串标、哄抬标价,我国多个省、市相继出台了控制最高投标限价的规定。但在名称上有所不同,有的命名为拦标价、最高报价,有的命名为预算控制价、最高限价等,并规定投标人的报价如超过公布的最高限价,其投标将作为废标处理。由此可见,在新的招标形势下,不再使用标底的称谓,寻求新的称谓已基本形成共识。因此,为避免与《中华人民共和国招标投标法》中标底必须保密的规定相违背,为淡化标底的作用,在2008版《建设工程工程量清单规范》中更是用"招标控制价"取代标底,将其在招标时公开,而在2013版《建设工程工程量清单规范》中规定了国有资金投资工程编制招标控制价的原则。

招标控制价是指在工程施工招标时,由招标人根据国家或省级、行业建设主管部门发布的有关计价规定,按施工设计图纸计算的工程造价,其作用是招标人用于对招标工程控制的最高限价。

(5)招标文件的出售

根据《工程建设项目施工招标投标办法》第十五条的规定,招标人应当按招标公告或者投标邀请书规定的时间、地点出售招标文件。自招标文件出售之日起至停止出售之日止,不得少于5日。

对招标文件的收费应仅限于补偿印刷、邮寄的成本支出,不得以营利为目的。对于所附的设计文件,招标人可以向投标人酌情收取押金;对于开标后投标人退还设计文件的,招标人应当向投标人退还押金。

招标人在发布招标公告、发出投标邀请书后或者售出招标文件或资格预审文件后,不得擅自终止招标。

6.招标公告

为规范招标公告和公示信息发布活动,进一步增强招标投标透明度,保障公平竞争市场秩序,国家发改委第10号令《招标公告和公示信息发布管理办法》自2018年1月1日起施行。

(1)公开招标应当发布招标公告

实行公开招标的,应当在"中国招标投标公共服务平台"或者项目所在地省级电子招标投标公共服务平台等媒介发布公告;采用邀请招标方式的,招标人应当向3家以上具备承担施工招标项目能力的、资信良好的特定的法人或者其他组织发出投标邀请书。其作用是让潜在投标人获得招标信息,确定自己是否参加竞争。

(2)招标公告或者投标邀请书的内容

《中华人民共和国招标投标法》第十六条规定,招标公告应当载明招标人的名称和地址、招标项目的性质、数量、实施地点和时间以及获取招标文件的办法等事项。虽然招标公告和投标邀请书形式上有区别,但具体内容基本一致。其基本内容一般包括:

①招标人的名称和地址。
②招标项目的内容、规模、资金来源。
③招标项目的实施地点和工期。
④获取招标文件或者资格预审文件的地点和时间。
⑤对招标文件或者资格预审文件收取的费用。
⑥对投标人的资质等级的要求。

7.资格审查

资格审查是招标人的一项重要权利,其主要内容是审查潜在投标人或者投标人的资质、业绩、经验以及信誉、财务状况、人员、设备、分包、诉讼等履约标准,其根本目的是审查潜在投标人或投标人是否具有承担招标项目的能力,以保证投标人中标后,能切实履行合同义务,完成招标项目。

(1)资格审查的种类

根据《工程建设项目施工招标投标办法》的有关规定,资格审查分为资格预审和资格后审。

①资格预审

资格预审是指在投标前对潜在投标人进行的资格审查。采取资格预审的,招标人可以发布资格预审公告,资格预审公告适用有关招标公告的规定。

经资格预审后,招标人应当向资格预审合格的潜在投标人发出资格预审合格通知书,告知获取招标文件的时间、地点和方法,并同时向资格预审不合格的潜在投标人告知资格预审结果。资格预审不合格或没有参加资格预审的潜在投标人不得参加投标。

②资格后审

资格后审是指在开标后对投标人进行的资格审查。进行资格预审的,一般不再进行资格后审,但招标文件另有规定的除外。进行资格后审的,招标人应当在招标文件中载明对投标人资格要求的条件、标准和方法,招标人不得改变载明的资格条件或者以没有载明的资格条件对潜在投标人或者投标人进行资格审查。资格后审不合格的投标人的投标应作为废标处理。

引例点评

引例中,已经进行了资格预审,开标后又进行资格后审。一般情况下,进行资格预审的不再进行资格后审,除非招标文件另有规定。如果引例中招标文件中没有特别规定,那就不需要再进行资格后审了。

(2)资格审查的主要内容和要求

《工程建设项目施工招标投标办法》第二十条规定,资格审查应主要审查潜在投标人或者投标人是否符合下列条件:

①具有独立订立合同的权利。

②具有履行合同的能力,包括专业、技术资格和能力,资金、设备和其他物质设施状况,管理能力,经验、信誉和相应的从业人员。

③没有处于被责令停业,投标资格被取消,财产被接管、冻结及破产等状态。

④在最近三年内没有骗取中标和严重违约及重大工程质量问题。

⑤国家规定的其他资格条件。

资格审查时,招标人不得以不合理的条件限制、排斥潜在投标人或者投标人,不得对潜在投标人或者投标人实行歧视待遇。任何单位和个人不得以行政手段或者其他不合理方法限制投标人的数量。

4.2.3 建设工程投标

1.投标人

(1)投标人的概念

《中华人民共和国招标投标法》第二十五条规定,投标人是响应招标、参加投标竞争的法人或者其他组织。

所有对招标公告或投标邀请书感兴趣的并有可能参加投标的人,称为潜在投标人。所谓响应招标,是指潜在投标人获得了招标的信息或者投标邀请书以后购买招标文件,接受资格审查,并编制投标文件,按照招标人的要求参加投标。参加投标竞争是指按照招标文件的要求并在规定的时间内提交投标文件的活动。

(2)投标人应具备的条件

参加投标活动必须具备一定的条件,不是所有感兴趣的法人或经济组织都可以投标。《中华人民共和国招标投标法》第二十六条规定,投标人应当具备承担招标项目的能力;国家有关规定对投标人资格条件或者招标文件对投标人资格条件有规定的,投标人应当具备规定的资格条件。建设工程投标人应具备的承担项目招标能力包括:

①与招标文件相适应的人、财、物。

②招标文件要求的资质证书和相适应的工作经验与业绩证明。

③法律、法规规定的其他条件。

从事建筑活动的建筑施工企业、勘察单位、设计单位和工程监理单位,按照其拥有的注册资本、专业技术人员、技术装备和已完成的建筑工程业绩等资质条件,划分不同的资质等级,经资质审查合格,取得相应等级的资质证书后,方可在其资质等级许可的范围内从事建筑活动。

根据《工程建设项目施工招标投标办法》第三十五条的规定,招标人的任何不具独立法人资格的附属机构(单位),或者为施工招标项目的前期准备或者监理工作提供设计、咨询服务的任何法人及其任何附属机构(单位),都无资格参加该招标项目的投标。

2.投标文件

(1)投标文件的编制

根据《中华人民共和国招标投标法》的规定,编制投标文件应当符合以下两项规定:

①投标人应当按照招标文件的要求编制投标文件。

②投标文件应当对招标文件的实质性要求做出响应。具体指:按照招标文件要求一一作答,不能修改,不能遗漏和回避。

(2)投标文件的内容

《工程建设项目施工招标投标办法》规定,投标文件应当包括下列内容:

①投标函。

②投标报价。

③施工组织设计。

④商务和技术偏差表。

招标项目属于建设施工的,投标文件的内容应当包括拟派出的项目负责人与主要技术人员的简历、业绩和拟用于完成招标项目的机械设备等。

投标人根据招标文件载明的项目实际情况,拟在中标后将中标项目的部分非主体、非关键性工作进行分包的,应当在投标文件中载明。

(3)投标文件的送达

①送达方式

投标文件的送达通常有三种方式:直接送达、邮寄送达和委托代理人送达。投递标书的方式最好是直接送达或委托代理人送达,以便获得招标机构已收到的投标文件的回执。

②送达要求

根据《中华人民共和国招标投标法》第二十八条的规定,投标人应当在招标文件要求提交投标文件的截止时间前,将投标文件送达投标地点。在截止时间后送达的投标文件,招标人应当拒收。如果以邮寄方式送达的,投标人必须留出邮寄的时间,保证投标文件能够在截止日之前送达招标人指定的地点,而不是以"邮戳为准"。投标人不能将投标文件送交招标文件规定以外的地方,如果投标人因为递交投标文件的地点发生错误而延误投标时间的,将被视为无效标而拒收。

③送达签收

招标人签收应有书面证明,包括时间、地点、具体的签收人、签收包数、密封情况等。送达人也应签字。签收检查时还应看是否按照招标文件要求密封和标志。任何人不得在开标前启封。投标人少于3个的,招标人应当依法重新招标。

④投标文件的补充、修改或撤回

《中华人民共和国招标投标法》第二十九条规定,投标人在招标文件要求提交投标文件的截止时间前,可以补充、修改或者撤回已提交的投标文件,并书面通知招标人。补充、修改的内容为投标文件的组成部分。补充是指对投标文件中遗漏或不足部分进行增补。修改是对投标文件内容进行修订。撤回是指收回全部投标文件,或者放弃或者重新投标。

投标文件在送达招标人之后并不是马上生效,而是自投标截止之日起生效,因此在投标文件送达招标人之后至投标截止之日到来之前,投标人仍然有权撤回投标文件。

引例点评

引例中,招标单位的有关工作人员认为,一个承包商(投标单位)不得递交两份投标文件,因而拒收该施工单位的补充材料,这是不正确的。因为《中华人民共和国招标投标法》规定,投标人在招标文件要求投标文件的截止时间前,可以补充、修改或者撤回已提交的投标文件。

《工程建设项目施工招标投标办法》第四十条规定,在提交投标文件截止时间后到招标文件规定的投标有效期终止之前,投标人不得撤销其投标文件,否则招标人可以不退还其投标保证金。

3.投标担保

《优化营商环境条例》规定,设立政府性基金、涉企行政事业性收费、涉企保证金应当有法律、行政法规依据或者经国务院批准。对政府性基金、涉企行政事业性收费、涉企保证金以及实行政府定价的经营服务性收费,实行目录清单管理并向社会公开,目录清单之外的前述收费和保证金一律不得执行。推广以金融机构保函替代现金缴纳涉企保证金。

(1)投标保证金的概念

所谓投标保证金,是指防止投标人不审慎投标而由招标人在招标文件中设定的一种担保形式。在发生下列情形时,招标人有权没收投标保证金:

①投标人在投标有效期内撤回其投标文件。

②中标未能在规定期限内提交履约保证金或签署合同协议。

(2)投标保证金的额度和有效期限

《工程建设项目施工招标投标办法》第三十七条规定,招标人可以在招标文件中要求投标人提交投标保证金。投标保证金除现金外,可以是银行出具的银行保函、保兑支票、银行汇票或现金支票。投标保证金不得超过项目估算价的百分之二,投标保证金有效期应当与投标有效期一致。投标人应当按照招标文件要求的方式和金额,将投标保证金随投标文件提交给招标人或其委托的招标代理机构。依法必须进行施工招标的项目的境内投标单位,以现金或者支票形式提交的投标保证金应当从其基本账户转出。

4.联合体投标

(1)联合体投标的概念

联合体投标是指某承包商为了承揽不适于自己单独承包的工程项目而与其他单位联合,以一个投标人的身份去投标的行为。《中华人民共和国招标投标法》第三十一条规定,两个以上法人或者其他组织可以组成一个联合体,以一个投标人的身份共同投标。

联合体投标具有以下特点:

①由两个或者两个以上的法人或其他组织组成。

②招标人与中标后的联合体只签订一个承包合同,而不是与各成员单位签订合同。

③招标人不得强制投标人组成联合体共同投标,不得限制投标人之间的竞争。

(2)联合体应具备的条件

《中华人民共和国招标投标法》第三十一条对于联合体各方资质要求如下:

①联合体各方均应当具备承担招标项目的相应能力。

②国家有关规定或者招标文件对投标人资格条件有规定的,联合体各方均应当具备规定的相应资格条件。

③由同一专业的单位组成的联合体,按照资质等级较低的单位确定资质等级。

(3)联合体各方的关系与责任

①联合体各方应当签订共同投标协议,明确约定各方拟承担的工作和责任,并将共同投标协议连同投标文件一并提交招标人。

②联合体各方签订共同投标协议后,不得再以自己名义单独投标,也不得组成新的联合体或参加其他联合体在同一项目中投标。

③招标人接受联合体投标并进行资格预审的,联合体应当在提交资格预审申请文件前组成。资格预审后联合体增减、更换成员的,其投标无效。

④联合体各方应当指定牵头人,授权其代表所有联合体成员负责投标和合同实施阶段的主办、协调工作,并应当向招标人提交由所有联合体成员法定代表人签署的授权书。

⑤联合体投标的,应当以联合体各方或者联合体中牵头人的名义提交投标保证金。以联合体中牵头人名义提交的投标保证金,对联合体各成员具有约束力。

5.禁止投标人实施不正当行为的规定

根据《中华人民共和国招标投标法》第三十二条、第三十三条的规定,投标人不得实施以下不正当竞争行为:

(1)投标人相互串通投标报价

投标人不得相互串通投标报价,不得排挤其他投标人的公平竞争,损害招标人或者其他投标人的合法权益。

《工程建设项目施工招标投标办法》第四十六条规定,下列行为均属于投标人串通投标报价:

①投标人之间相互约定抬高或降低投标报价。

②投标人之间相互约定,在招标项目中分别以高、中、低价位报价。

③投标人之间先进行内部竞价,内定中标人,然后再参加投标。

④投标人之间其他串通投标报价行为。

(2)投标人与招标人串通投标

①招标人在开标前开启投标文件并将有关信息泄露给其他投标人,或者授意投标人撤换、修改投标文件。

②招标人向投标人泄露标底、评标委员会成员等信息。

③招标人明示或者暗示投标人压低或抬高投标报价。

④招标人明示或者暗示投标人为特定投标人中标提供方便。

⑤招标人与投标人为谋求特定中标人中标而采取的其他串通行为。

(3)以向招标人或者评标委员会成员行贿的手段谋取中标

《中华人民共和国招标投标法》第三十二条第三款规定,禁止投标人以向招标人或者评标委员会成员行贿的手段谋取中标。

投标人以行贿的手段谋取中标是严重违背《中华人民共和国招标投标法》基本原则的违法行为,对其他投标人是不公平的。投标人以行贿手段谋取中标的法律后果是中标无效,有关责任人和单位应当承担相应的行政责任或刑事责任,给他人造成损失的,还应当承担民事赔偿责任。

(4)以低于成本的报价竞标

低于成本销售商品属于不正当竞争行为,会产生排挤竞争对手的效果,同时,低于成本竞标也易于导致承包单位的偷工减料。

(5)以他人名义投标或以其他方式弄虚作假,骗取中标

以他人名义投标是指投标人挂靠其他施工单位,或从其他施工单位通过转让或借租的方式获取资格或资质证书,或者由其他单位及其法定代表人在自己编制的投标文件上加盖印章或签字等行为。

4.2.4 建设工程开标、评标和中标

1. 开标

(1)开标的概念

建设工程项目的开标是指招标人在规定的时间、地点,当众开启所有投标人提交的投标文件,公开宣布投标人的姓名、报价和招标文件中其他主要内容的行为。

(2)开标的时间和地点

开标应当在招标文件确定的提交投标文件截止时间的同一时间公开进行。这样规定的目的是使每一个投标人都能事先知道开标的准确时间,确保开标过程的公开、透明,可防止有些投标人在投标截止后到开标前这段时间对已经提交的投标文件进行暗箱操作等违法、违纪行为。

开标地点应当为招标文件中预先确定的地点。这样可使所有投标人都能事先知道开标地点,做好充分准备。

如果招标人违反上述要求,投标人可以申诉或起诉。

(3)开标的主持人和参加人

开标由招标人(或委托招标代理机构)主持,邀请所有投标人参加。此外,为了保证开标的公正性,一般还邀请相关单位的代表参加,如招标项目主管部门的人员、评标委员会成员、监察部门代表等。有些招标项目,招标人还可以委托公证部门的公证人员对整个开标过程依法进行公证。

> **引例点评**
>
> 引例中，开标会由主管副市长主持，这是不正确的。应该由招标人（或委托招标代理机构）主持，行政机关不得越俎代庖，代替招标人主持。

（4）开标程序

开标时，由投标人或者其推选的代表检查投标文件的密封情况，也可以由招标人委托的公证机构检查并公证。经确认无误后，由工作人员当众拆封，宣读投标人名称、投标价格和投标的其他主要内容，并在事先准备好的唱标记录上登记。

开标过程中，一般不允许投标人提问或做任何解释，但允许记录或者录音。投标人或其代表应签到，证明其在场。开标全过程要记录，并存档备查。

（5）不予受理的投标文件

投标文件有下列情形之一的，招标人不予受理：

①逾期送达。

②未按招标文件要求密封的。

2.评标

（1）评标委员会

①评标委员会的组成

评标由招标人依法组建的评标委员会负责。为了保证评标委员会的公正性、权威性，法律规定，依法必须进行招标的项目，其评标委员会由招标人的代表和有关技术、经济等方面的专家组成，成员为5人以上的单数，其中技术、经济等方面的专家不得少于成员总数的2/3。评标委员会设负责人的，评标委员会负责人由评标委员会成员推举产生或者由招标人确定。评标委员会成员名单一般应于开标前确定。

②评标专家的选取

评标委员会的专家成员应当从依法组建的专家库内的相关专家名单中确定。评标专家，可以采取随机抽取或者直接确定的方式。一般项目，可以采取随机抽取的方式；技术复杂、专业性强或者国家有特殊要求的招标项目，采取随机抽取方式确定的专家难以保证胜任的，可以由招标人直接确定。

（2）评标的标准和方法

评标是对投标文件的评审和比较。根据什么样的标准和方法进行评审，是一个关键问题，也是评标的原则问题。招标文件中规定的评标标准和评标方法应当合理，不得含有倾向性或者排斥潜在投标人的内容，不得妨碍或者限制投标人之间的竞争。在招标文件中，招标人即列明了评标的标准和方法，目的就是让各潜在投标人知道这些标准和方法，以便考虑如何进行投标，最终获得成功。那么，这些事先列明的标准和方法在评标时能否真正得到采用，则是衡量评标是否公正、公平的标尺。为了保证评标的公正性和公平性,评标委员会应当严格按照招标文件规定的评标标准和方法,对投标文件进行系统评审和比较。不得采用招标文件中没有规定的标准和方法,也不得改变招标确定的评标标准和方法。这一点,也是世界各国的通常做法。

① 投标人不得以低于成本的报价、可能影响合同履行的异常低价竞标。发现投标人的报价为异常低价,有可能影响合同履行的,应当要求投标人在合理期限内作澄清或者说明,并提供必要的证明材料。不能说明其报价合理性,导致合同履行风险过高的,应当否决其投标。

② 招标人应当按照招标投标项目实际需求和技术特点,从以下方法中选择确定评标方法:

a. 综合评估法,即明确投标文件能够最大限度满足招标文件中规定的各项综合评价标准的投标人为中标候选人的方法。

b. 经评审的最低投标价法,即投标文件能够满足招标文件的实质性要求,并且经评审的投标价格最低的投标人为中标人候选人的评标办法;但是投标价格低于成本可能影响合同履行的异常低价的除外。

c. 法律、行政法规、部门规章规定的其他评标方法。

经评审的最低投标价法仅适用于具有通用的技术、性能标准或者招标人对其技术、性能没有特殊要求的项目。

国家鼓励招标人将全生命周期成本纳入价格评审因素,并在同等条件下优先选择全生命周期内能源资源消耗最低、环境影响最小的投标。

③ 在确定中标人前,招标人不得与投标人就投标价格、投标方案等实质性内容进行谈判。

(3) 评标程序

评标一般按照初步评审、详细评审、编写评标报告并推荐中标候选人这三个步骤进行。

① 初步评审

初步评审也称为响应性审查,是指以招标文件为依据,检查各投标文件是否响应招标文件的各项要求,确定各投标文件是否有效。初步评审检查的内容包括:

a. 投标人的资格。

b. 投标担保的有效性。

c. 投标文件是否响应招标文件的实质性要求。

d. 报价计算的正确性及资料的完整性。

有下列情形之一的,评标委员会应当否决其投标:

a. 投标文件未经投标单位盖章和单位负责人签字。

b. 投标联合体没有提交共同投标协议。

c. 投标人不符合国家或者招标文件规定的资格条件。

d. 同一投标人提交两个以上不同的投标文件或者投标报价,但招标文件要求提交备选投标的除外。

e. 投标报价低于成本或者高于招标文件设定的最高投标限价。

f. 投标文件没有对招标文件的实质性要求和条件做出响应。具体是指:

没有按照招标文件要求提供投标担保或者所提供的投标担保有瑕疵;投标文件没有投标人

授权代表签字和加盖公章;投标文件载明的招标项目完成期限超过招标文件规定的期限;明显不符合技术规格、技术标准的要求;投标文件载明的货物包装方式、检验标准和方法等不符合招标文件的要求;投标文件附有招标人不能接受的条件;不符合招标文件中规定的其他实质性要求。

g.投标人有串通投标、弄虚作假、行贿等违法行为。

②详细评审

评标委员会对各投标文件初步评审后,再对初步评审合格的投标文件进行详细评审。详细评审一般有两个步骤:一是对各投标文件进行技术和商务方面的审查,评定其合理性;二是对各投标文件分项进行量化比较,评出先后次序。具体地说,详细评审主要包括技术评审、价格分析、管理与技术能力的评价和投标的否决几个方面。

③编写评标报告

评标委员会完成评标后,应当向招标人提出书面评标报告,并抄送有关行政监督部门。评标报告是评标委员会经过对各投标文件评审后得出的结论性报告,报告阐明评标委员会对各投标文件的评审和比较意见,可作为招标人定标的依据。评标报告由评标委员会全体成员签字。

3.中标

(1)确定中标人

根据《中华人民共和国招标投标法》和《工程建设项目施工招标投标办法》的有关规定,确定中标人应当遵守如下程序:

①评标定标应当在投标有效期内完成。

②评标委员会应当按照招标文件确定的评标标准和方法,集体研究并分别独立对投标文件进行评审和比较;设有标底的,应当参考标底。评标委员会完成评标后,应当向招标人提出书面评标报告,推荐不超过三个合格的中标候选人,并对每个中标候选人的优势、风险等评审情况进行说明;除招标文件明确要求排序的外,推荐中标候选人不标明排序。

招标人根据评标委员会提出的书面评标报告和推荐的中标候选人,按照招标文件规定的定标方法,结合对中标候选人合同履行能力和风险进行复核的情况,自收到评标报告之日起二十日内自主确定中标人。定标方法应当科学、规范、透明。招标人也可以授权评标委员会直接确定中标人。国务院对特定招标项目的评标有特别规定的,从其规定。

③国有资金占控股或者主导地位的依法必须进行招标的项目,招标人应当确定排名第一的中标候选人为中标人。排名第一的中标候选人放弃中标、因不可抗力提出不能履行合同、不按照招标文件的要求提交履约保证金,或者被查实存在影响中标结果的违法行为等情形,不符合中标条件的,招标人可以按照评标委员会提出的中标候选人名单排序依次确定其他中标候选人为中标人。依次确定其他中标候选人与招标人预期差距较大,或者对招标人明显不利的,招标人可以重新招标。

④依法必须进行招标的项目,招标人应当自收到评标报告之日起三日内公示中标候选人,公示期不得少于三日。

⑤国务院对中标人的确定另有规定的,从其规定。

(2) 中标通知书

根据《中华人民共和国招标投标法》及《工程建设项目施工招标投标办法》的有关规定，招标人发出中标通知书应当遵守如下规定：

①中标人确定后，招标人应当向中标人发出中标通知书，并同时将中标结果通知所有未中标的投标人。

②招标人不得向中标人提出压低报价、增加工作量、缩短工期或其他违背中标人意愿的要求，以此作为发出中标通知书和签订合同的条件。

③中标通知书对招标人和投标人具有法律效力。中标通知书发出后，招标人改变中标结果的，或者中标人放弃中标项目的，应当依法承担法律责任。

(3) 签订合同

招标人和中标人应当在投标有效期内并在自中标通知书发出之日起三十日内，按照招标文件和中标人的投标文件订立书面合同。招标人和中标人不得再行订立背离合同实质性内容的其他协议。

中标人应当按照合同约定履行义务，完成中标项目。中标人不得向他人转让中标项目，也不得将中标项目肢解后分别向他人转让。

中标人按照合同约定或者经招标人同意，可以将中标项目的部分非主体、非关键性工作分包给他人完成。分包商应当具备相应的资格条件，并不得再次分包。中标人应当就分包项目向招标人负责，并就分包项目承担连带责任。

招标文件要求中标人提交履约保证金或者其他形式履约担保的，中标人应当提交违约保证金不得超过中标合同金额 1%；拒绝提交的，视为放弃中标项目。招标人要求中标人提供履约保证金或其他形式履约担保的，招标人应当同时向中标人提供工程款支付担保。招标人不得擅自提高履约保证金，不得强制要求中标人垫付中标项目建设资金。

招标人与中标人签订合同后五个工作日内，应当向中标人和未中标人退还投标保证金及银行同期存款利息。

(4) 招标投标情况书面报告

根据《中华人民共和国招标投标法》的有关规定，依法必须进行招标的项目，招标人应当自确定中标人之日起十五日内，向有关行政监督部门提交招标投标情况书面报告。书面报告应包括以下内容：

①招标范围。

②招标方式和发布招标公告的媒介。

③招标文件中投标人须知、技术条款、评标标准和方法、合同主要条款等内容。

④评标委员会的组成和评标报告。

⑤中标结果。

(5)《中华人民共和国招标投标法》规定的法律责任

①招标人违法行为应承担的法律责任

a.必须进行招标的项目而不招标的，将必须进行招标的项目化整为零或者以其他任何方式规避招标的，责令限期改正，可以处项目合同金额 5‰ 以上 10‰ 以下的罚款；对全部或者部分使用国有资金的项目,可以暂停项目执行或者暂停资金拨付;对单位直接负责的主管人员和其他直接责任人员依法给予处分。

b.招标人以不合理的条件限制或者排斥潜在投标人的、对潜在投标人实行歧视待遇的、强制要求投标人组成联合体共同投标的,或者限制投标人之间竞争的,责令改正,可以处1万元以上5万元以下的罚款。

c.依法必须进行招标的项目的招标人向他人透露已获取招标文件的潜在投标人的名称、数量或者可能影响公平竞争的有关招标投标的其他情况的,或者泄露标底的,给予警告,可以并处1万元以上10万元以下的罚款;对单位直接负责的主管人员和其他直接责任人员依法给予处分;构成犯罪的,依法追究刑事责任。若该行为影响中标结果,则中标无效。

d.招标人在评标委员会依法推荐的中标候选人以外确定中标人的、依法必须进行招标的项目在所有投标被评标委员会否决后自行确定中标人的,中标无效,责令改正,可以处中标项目金额5‰以上10‰以下的罚款;对单位直接负责的主管人员和其他直接责任人员依法给予处分。

②投标人违法行为应当承担的法律责任

a.投标人相互串通投标或者与招标人串通投标的、投标人以向招标人或者评标委员会成员行贿的手段谋取中标的,中标无效,处中标项目金额5‰以上10‰以下的罚款,对单位直接负责的主管人员和其他直接责任人员处单位罚款数额5%以上10%以下的罚款;有违法所得的,并处没收违法所得;情节严重的,取消其1年至2年内参加依法必须进行招标项目的投标资格并予以公告,直至由工商行政管理机关吊销营业执照;构成犯罪的,依法追究刑事责任。给他人造成损失的,依法承担赔偿责任。

b.投标人以他人名义投标或者以其他方式弄虚作假、骗取中标的,中标无效;给招标人造成损失的,依法承担赔偿责任;构成犯罪的,依法追究刑事责任。

依法必须进行招标的项目的投标人有以上行为尚未构成犯罪的,处中标项目金额5‰以上10‰以下的罚款,对单位直接负责的主管人员和其他直接责任人员处单位罚款数额5%以上10%以下的罚款;有违法所得的,并处没收违法所得;情节严重的,取消其1年至3年内参加依法必须进行招标的项目的投标资格并予以公告,直至由工商行政管理机关吊销营业执照。

③中标人违法行为应承担的法律责任

a.中标人将中标项目转让给他人的,将中标项目肢解后分别转让给他人的,违反《中华人民共和国招标投标法》规定将中标项目的部分主体、关键性工作分包给他人的,或者分包人再次分包的,转让、分包无效,并处转让、分包项目金额5‰以上10‰以下的罚款,有违法所得的,并处没收违法所得,可以责令停业整顿;情节严重的,由工商行政管理机关吊销营业执照。

b.中标人不履行与招标人订立的合同的,履约保证金不予退还,给招标人造成的损失超过履约保证金数额的,还应当对超过部分予以赔偿;没有提交履约保证金的,应当对招标人的损失承担赔偿责任。中标人不按照与招标人签订的合同履行义务,情节严重的,取消其2年至5年内参加依法必须进行招标项目的投标资格并予以公告,直至由工商行政管理机关吊销营业执照。

④招标人与投标人或中标人共同违法行为应承担的法律责任

a.依法必须进行招标的项目,招标人违反规定,与投标人就投标价格、投标方案等实质性内容进行谈判的,给予警告,对单位直接负责的主管人员和其他直接责任人员依法给予处分。若该行为影响中标结果,则中标无效。

b.招标人与中标人不按照招标文件和中标人的投标文件签订合同的,或者招标人、中标人订立背离合同实质性内容的协议的,责令改正;可以处中标项目金额5‰以上10‰以下的罚款。

⑤招标代理机构违法行为应当承担的法律责任

招标代理机构违反规定,泄露应当保密的与招标投标活动有关的情况和资料的,或者与招标人、投标人串通损害国家利益、社会公共利益或者他人合法权益的,处5万元以上25万元以下的罚款,对单位直接负责的主管人员和其他直接责任人员处5%以上10%以下的罚款;有违法所得的,并处没收违法所得;情节严重的,暂停直至取消招标代理资格;构成犯罪的,依法追究刑事责任;给他人造成损失的,依法承担赔偿责任;若该行为影响中标结果,则中标无效。

⑥评标委员会违法行为应承担的法律责任

评标委员会成员收受投标人的财物或者其他好处的、评标委员会成员或者参加评标的有关工作人员向他人透露对投标文件的评审和比较、中标候选人的推荐以及与评标有关的其他情况的,给予警告,没收财物,可以并处3 000元以上5万元以下的罚款,对有所列违法行为的评标委员会成员取消担任评标委员会成员的资格,不得再参加任何依法必须进行招标的项目的评标;构成犯罪的,依法追究刑事责任。

⑦国家机关工作人员违法行为应当承担的法律责任

对招标投标活动依法负有行政监督职责的国家机关工作人员徇私舞弊、滥用职权或者玩忽职守,构成犯罪的,依法追究刑事责任,不构成犯罪的,依法给予行政处分。

⑧单位或个人非法干涉招标投标活动应负的法律责任

任何单位和个人违反法律规定,限制或者排斥本地区、本系统以外的法人或者其他组织参加投标的,为招标人指定招标代理机构的,强制招标人委托招标代理机构办理招标事宜的,或者以其他方式干涉招标投标活动的,责令改正,对单位直接负责的主管人员和其他直接责任人员依法给予警告、记过、记大过的处分;情节较重的,依法给予降级、撤职、开除的处分。

《优化营商环境条例》规定,政府和有关部门及其工作人员有下列情形之一的,依法依规追究责任:

a.违法干预应当由市场主体自主决策的事项。

b.制定或者实施政策措施不依法平等对待各类市场主体。

c.没有法律、法规依据,强制或者变相强制市场主体参加评比、达标、表彰、培训、考核、考试以及类似活动,或者借前述活动向市场主体收费或者变相收费。

d.违法设立或者在目录清单之外执行政府性基金、涉企行政事业性收费、涉企保证金。

e.不履行向市场主体依法作出的政策承诺以及依法订立的各类合同,或者违约拖欠市场主体的货物、工程、服务等账款。

f.变相设定或者实施行政许可,继续实施或者变相实施已取消的行政许可,或者转由行业协会商会或者其他组织实施已取消的行政许可。

g.为市场主体指定或者变相指定中介服务机构,或者违法强制市场主体接受中介服务。

(6)中标无效的情况及其处理办法

①中标无效的情况

a.违法行为直接导致中标无效的情况

● 投标人相互串通投标或者与招标人串通投标的、投标人以向招标人或者评标委员会成员行贿的手段谋取中标的,中标无效。

- 投标人以他人名义投标或者以其他方式弄虚作假，骗取中标的，中标无效。
- 招标人在评标委员会依法推荐的中标候选人以外确定中标人的，依法必须进行招标的项目在所有投标被评标委员会否决后自行确定中标人的，中标无效。

b.只有在违法行为影响了中标结果时，中标才无效的情况

- 招标代理机构违反《中华人民共和国招标投标法》的规定，泄露应当保密的与招标投标活动有关的情况和资料，或者与招标人、投标人串通损失国家利益、社会公共利益或者他人合法权益的行为，影响中标结果的，中标无效。
- 依法必须进行招标的项目的招标人向他人透露已获取招标文件的潜在投标人的名称、数量或者可能影响公平竞争的有关招标投标的其他情况，或者泄露标底的行为，影响中标结果的，中标无效。
- 依法必须进行招标的项目，招标人违反规定，与投标人就投标价格、投标方案等实质性内容进行谈判的行为，影响中标结果的，中标无效。

②必须进行招标的项目在中标无效后的处理办法

a.在招标投标活动中出现违法行为导致中标无效后，招标人应当依照《中华人民共和国招标投标法》第四十一条规定的中标条件，从其余投标人中重新确定中标人。

b.在招标投标活动中出现违法行为导致中标无效后，招标人从其余投标人中重新确定中标人有可能违反公平、公正原则或者其余投标人都不符合中标条件时，招标人应当重新进行招标。

4.3 非招标采购制度

政府采购货物、工程和服务，除招标方式外，还有非招标采购方式。所谓政府采购，是指各级国家机关、事业单位和团体组织，使用财政性资金采购依法制定的集中采购目录以内的或者采购限额标准以上的货物、工程和服务的行为。非招标采购方式旨在弥补招投标采购方式之不足。

根据《中华人民共和国政府采购法》，政府采购采用以下方式：

（1）公开招标。

（2）邀请招标。

（3）竞争性谈判。

（4）单一来源采购。

（5）询价。

（6）国务院政府采购监督管理部门认定的其他采购方式。

《政府采购非招标采购方式管理办法》对竞争性谈判、单一来源采购和询价采购等非招标采购方式做了细化规定，旨在弥补制度空白，满足非招标采购活动的需要。此外，《政府采购竞争性磋商采购方式管理暂行办法》还规定了竞争性磋商的采购方式。《政府采购框架协议采购方式管理暂行办法》对框架协议采购制度做了专门规定。

《政府采购非招标采购方式管理办法》第四条规定，达到公开招标数额标准的货物、服务采购项目，拟采用非招标采购方式的，采购人应当在采购活动开始前，报经主管预算单位同意后，向设区的市、自治州以上人民政府财政部门申请批准。

4.3.1 竞争性谈判

1. 竞争性谈判的适用范围

竞争性谈判是指谈判小组与符合资格条件的供应商就采购货物、工程和服务事宜进行谈判,供应商按照谈判文件的要求提交响应文件和最后报价,采购人从谈判小组提出的成交候选人中确定成交供应商的采购方式。

公开招标应作为政府采购的主要采购方式,竞争性谈判主要适用于不能或者不宜采用招标方式的采购项目,具体为:

(1)招标后没有供应商投标或者没有合格标的或者重新招标未能成立的。
(2)技术复杂或者性质特殊,不能确定详细规格或者具体要求的。
(3)采用招标所需时间不能满足用户紧急需要的。
(4)不能事先计算出价格总额的。

2. 竞争性谈判的采购程序

(1)成立谈判小组

谈判小组由采购人的代表和有关专家共 3 人以上的单数组成,其中专家的人数不得少于成员总数的三分之二。

(2)制定谈判文件

谈判文件应当明确谈判程序、谈判内容、合同草案的条款以及评定成交的标准等事项。

(3)确定邀请参加谈判的供应商名单

谈判小组从符合相应资格条件的供应商名单中确定不少于 3 家的供应商参加谈判,并向其提供谈判文件。公开招标的货物、服务采购项目,招标过程中提交投标文件或者经评审实质性响应招标文件要求的供应商只有两家时,采购人、采购代理机构依法经本级财政部门批准后可以与该两家供应商进行竞争性谈判采购。

(4)谈判

谈判小组所有成员集中与单一供应商分别进行谈判。在谈判中,谈判的任何一方不得透露与谈判有关的其他供应商的技术资料、价格和其他信息。谈判文件有实质性变动的,谈判小组应当以书面形式通知所有参加谈判的供应商。《政府采购非招标采购方式管理办法》第三十二条进一步规定,在谈判过程中,谈判小组可以根据谈判文件和谈判情况实质性变动采购需求中的技术、服务要求以及合同草案条款,但不得变动谈判文件中的其他内容。实质性变动的内容须经采购人代表确认。对谈判文件作出的实质性变动是谈判文件的有效组成部分,谈判小组应当及时以书面形式同时通知所有参加谈判的供应商。供应商应当按照谈判文件的变动情况和谈判小组的要求重新提交响应文件。这一规定体现了竞争性谈判程序的灵活性和适应采购复杂采购标的的重要特点,是其有别于其他采购方式的主要特征。

(5)确定成交供应商

谈判结束后,谈判小组应当要求所有参加谈判的供应商在规定时间内进行最后报价,采购人从谈判小组提出的成交候选人中根据符合采购需求、质量和服务相等且报价最低的原则确定成交供应商,并将结果通知所有参加谈判的未成交的供应商。

关于确定成交供应商后的合同签署,《政府采购非招标采购方式管理办法》第十九条规定,采购人与成交供应商应当在成交通知书发出之日起 30 日内,按照采购文件确定的合同文本以及采购标的规格型号、采购金额、采购数量、技术和服务要求等事项签订政府采购合同。采购人不得向成交供应商提出超出采购文件以外的任何要求作为签订合同的条件,不得与成交供应商订立背离采购文件确定的合同文本以及采购标的规格型号、采购金额、采购数量、技术和服务要求等实质性内容的协议。

3. 竞争性谈判与竞争性磋商

为了克服竞争性谈判"报价最低"原则确定供应商的不足,对于非价格因素对采购需求满足影响重大的采购项目,《政府采购竞争性磋商采购方式管理暂行办法》还规定了竞争性磋商的采购方式。

该办法规定,符合下列情形的项目,可以采用竞争性磋商方式开展采购:

(1)政府购买服务项目。

(2)技术复杂或者性质特殊,不能确定详细规格或者具体要求的。

(3)因艺术品采购专利、专有技术或者服务的时间、数量事先不能确定等原因不能事先计算出价格总额的。

(4)市场竞争不充分的科研项目,以及需要扶持的科技成果转化项目。

(5)按照招标投标法及其实施条例必须进行招标的工程建设项目以外的工程建设项目。

竞争性磋商采购方式,经磋商确定最终采购需求和提交最后报价的供应商后,由磋商小组采用综合评分法对提交最后报价的供应商的响应文件和最后报价进行综合评分。综合评分法,是指响应文件满足磋商文件全部实质性要求且按评审因素的量化指标评审得分最高的供应商为成交候选供应商的评审方法。

综合评分法评审标准中的分值设置应当与评审因素的量化指标相对应。磋商文件中没有规定的评审标准不得作为评审依据。综合评分法货物项目的价格分值占总分值的比重(即权值)为30%至60%,服务项目的价格分值占总分值的比重(即权值)为10%至30%。采购项目中含不同采购对象的,以占项目资金比例最高的采购对象确定其项目属性。

有特殊情况需要在上述规定范围外设定价格分权重的,应当经本级人民政府财政部门审核同意。

4.3.2 询价

1. 询价的概念

询价是指询价小组向符合资格条件的供应商发出采购货物询价通知书,要求供应商一次报出不得更改的价格,采购人从询价小组提出的成交候选人中确定成交供应商的采购方式。根据《中华人民共和国政府采购法》,采购的货物规格、标准统一,现货货源充足且价格变化幅度小的政府采购项目,可以采用询价方式采购。

2. 采取询价方式采购程序

(1)成立询价小组

询价小组由采购人的代表和有关专家共3人以上的单数组成,其中专家的人数不得少于成员总数的三分之二。询价小组应当对采购项目的价格构成和评定成交的标准等事项作出规定。

(2)确定被询价的供应商名单

询价小组根据采购需求,从符合相应资格条件的供应商名单中确定不少于3家的供应商,并向其发出询价通知书让其报价。

（3）询价

询价小组要求被询价的供应商一次报出不得更改的价格。《政府采购非招标采购方式管理办法》第四十六条规定，询价小组在询价过程中，不得改变询价通知书所确定的技术和服务等要求、评审程序、评定成交的标准和合同文本等事项。

（4）确定成交供应商

采购人根据符合采购需求、质量和服务相等且报价最低的原则确定成交供应商，并将结果通知所有被询价的未成交的供应商。

案例4-3

采购人对采购结果提出异议

【案情简介】

某采购人委托采购中心采用询价采购方式采购一批笔记本电脑。询价结束后，询价小组出具了询价评审报告。采购中心将评审报告送交采购人确认，第二天采购人对评审报告提出异议。采购人在书面异议中认为：评审报告提出的成交候选人存在不响应询价需求的情况，不能确定成交供应商。

案例辨析

《政府采购非招标采购方式管理办法》规定，异议要向谈判小组、询价小组提出。因为异议的对象是评审报告中涉及到采购人确定成交供应商的部分，这些内容都是由谈判小组、询价小组在评审中作出的。异议不应向采购代理机构提出，但是采购人可以将异议交给采购代理机构，由其转交给谈判小组、询价小组。谈判小组、询价小组负责答复采购人提出的异议。

采购人提出异议的对象（内容）仅限于评审报告中涉及的内容，而且是影响确定成交供应商的事项。不能对采购项目的其他方面提出异议，如谈判文件、询价文件和其他采购过程。

4.3.3 单一来源采购

1.采用单一来源采购的情形

（1）只能从唯一供应商处采购的。

（2）发生了不可预见的紧急情况不能从其他供应商处采购的。

（3）必须保证原有采购项目一致性或者服务配套的要求，需要继续从原供应商处添购，且添购资金总额不超过原合同采购金额10%的。

根据《中华人民共和国政府采购法实施条例》第二十五条规定，政府采购工程依法不进行招标的，应当依照政府采购法和本条例规定的竞争性谈判或者单一来源采购方式采购。单一来源采购方式也适用工程采购。

为避免单一来源采购方式被滥用,《政府采购非招标采购方式管理办法》设置了公示制度。属于《中华人民共和国政府采购法》规定情形,即"只能从唯一供应商处采购"且达到公开招标数额的货物、服务项目,拟采用单一来源采购方式的,采购人、采购代理机构在报财政部门批准之前,应当在省级以上财政部门指定媒体上公示,并将公示情况一并报财政部门。公示期不得少于5个工作日,公示内容应当包括:

(1)采购人、采购项目名称和内容。
(2)拟采购的货物或者服务的说明。
(3)采用单一来源采购方式的原因及相关说明。
(4)拟定的唯一供应商名称、地址。
(5)专业人员对相关供应商因专利、专有技术等原因具有唯一性的具体论证意见,以及专业人员的姓名、工作单位和职称。
(6)公示的期限。
(7)采购人、采购代理机构、财政部门的联系地址、联系人和联系电话。

任何供应商、单位或者个人对采用单一来源采购方式公示有异议的,可以在公示期内将书面意见反馈给采购人、采购代理机构,并同时抄送相关财政部门。采购人、采购代理机构收到对采用单一来源采购方式公示的异议后,应当在公示期满后5个工作日内,组织补充论证,论证后认为异议成立的,应当依法采取其他采购方式;论证后认为异议不成立的,应当将异议意见、论证意见与公示情况一并报相关财政部门。采购人、采购代理机构应当将补充论证的结论告知提出异议的供应商、单位或者个人。

采取单一来源方式采购的,采购人与供应商应当遵循《中华人民共和国政府采购法》规定的原则,在保证采购项目质量和双方商定合理价格的基础上进行采购。《政府采购非招标采购方式管理办法》规定,采用单一来源采购方式采购的,采购人、采购代理机构应当组织具有相关经验的专业人员与供应商商定合理的成交价格并保证采购项目质量。

4.3.4 框架协议采购

1.框架协议采购的定义

框架协议采购,为了规范多频次、小额度采购活动,提高政府采购项目绩效,《政府采购框架协议采购方式管理暂行办法》确立了框架协议采购制度。

框架协议采购,是指集中采购机构或者主管预算单位对技术、服务等标准明确、统一,需要多次重复采购的货物和服务,如采购计算机软件、汽车维修和加油等,通过公开征集程序,确定第一阶段入围供应商并订立框架协议,采购人或者服务对象按照框架协议约定规则,在入围供应商范围内确定第二阶段成交供应商并订立采购合同的采购方式。

2.框架协议采购的特点

(1)适用范围上的特定性,即多频次、小额度采购,而非单一项目采购。(2)采购程序的两阶段性,第一阶段由集中采购机构或者主管预算单位通过公开征集程序,确定入围供应商并订立框架协议;第二阶段由采购人或者服务对象按照框架协议约定规则,在入围供应商范围内确定成交供应商并订立采购合同。

(3)关于供应商数量,框架协议采购可以确定一名或多名入围供应商。

3.框架协议采购的适用范围

根据《政府采购框架协议采购方式管理暂行办法》符合下列情形之一的,可以采用框架协议采购方式采购:

(1)集中采购目录以内品目,以及与之配套的必要耗材、配件等,属于小额零星采购的。

(2)集中采购目录以外,采购限额标准以上,本部门、本系统行政管理所需的法律、评估、会计、审计等鉴证咨询服务,属于小额零星采购的;但主管预算单位能够归集需求形成单一项目进行采购,通过签订时间、地点、数量不确定的采购合同满足需求的,不得采用框架协议采购方式。

(3)集中采购目录以外,采购限额标准以上,为本部门、本系统以外的服务对象提供服务的政府购买服务项目,需要确定2家以上供应商由服务对象自主选择的。

(4)国务院财政部门规定的其他情形。采购限额标准以上,是指同一品目或者同一类别的货物、服务年度采购预算达到采购限额标准以上。需要注意的是,符合以上情形的,采购人"可以"采用框架协议方式采购,也可以按项目采购执行,非强制采用框架协议采购方式。

4.框架协议采购的分类

框架协议采购分为封闭式框架协议采购和开放式框架协议采购两类。

封闭式框架协议采购是指通过公开竞争订立框架协议后,除经过框架协议约定的补充征集程序外,不得增加协议供应商的框架协议采购。开放式框架协议采购是指明确采购需求和付费标准等框架协议条件,愿意接受协议条件的供应商可以随时申请加入的框架协议采购。两者的主要区别在于一是入围阶段有无竞争,二是供应商能否自由加入和退出。

封闭式框架协议采购是框架协议采购的主要形式。除法律、行政法规或者《政府采购框架协议采购方式管理暂行办法》另有规定外,框架协议采购应当采用封闭式框架协议采购。

符合下列情形之一的,可以采用开放式框架协议采购:

(1)集中采购目录以内品目,以及与之配套的必要耗材、配件等,属于小额零星采购的,因执行政府采购政策不宜淘汰供应商的,或者受基础设施、行政许可、知识产权等限制,供应商数量在3家以下且不宜淘汰供应商的。

(2)集中采购目录以外,采购限额标准以上,为本部门、本系统以外的服务对象提供服务的政府购买服务项目,需要确定2家以上供应商由服务对象自主选择的,能够确定统一付费标准,因地域等服务便利性要求,需要接纳所有愿意接受协议条件的供应商加入框架协议,以供服务对象自主选择的,如政府购买失业培训,养老、体检等服务。

5.框架协议订立的一般程序

(1)采购需求的制定

集中采购机构或者主管预算单位应当确定框架协议采购需求。框架协议采购需求在框架协议有效期内不得变动。确定框架协议采购需求应当开展需求调查,听取采购人、供应商和专家等意见。面向采购人和供应商开展需求调查时,应当选择具有代表性的调查对象,调查对象一般各不少于3个。

(2)最高限制单价的确定

征集人就采购项目发布征集公告,编制征集文件。集中采购机构或者主管预算单位应当在征集公告和征集文件中确定框架协议采购的最高限制单价。征集文件中可以明确量价关系折扣,即达到一定采购数量,价格应当按照征集文件中明确的折扣降低。在开放式框架协议中,付费标准即为最高限制单价。

最高限制单价是供应商第一阶段响应报价的最高限价。入围供应商第一阶段响应报价是采购人或者服务对象确定第二阶段成交供应商的最高限价。确定最高限制单价时,有政府定价的,执行政府定价;没有政府定价的,应当通过需求调查,并根据需求标准科学确定。

货物项目单价按照台(套)等计量单位确定,其中包含售后服务等相关服务费用。服务项目单价按照单位采购标的价格或者人工单价等确定。服务项目所涉及的货物的费用,能够折入服务项目单价的应当折入,需要按实结算的应当明确结算规则。

(3)框架协议期限

集中采购机构或者主管预算单位应当根据工作需要和采购标的市场供应及价格变化情况,科学合理确定框架协议期限。货物项目框架协议有效期一般不超过 1 年,服务项目框架协议有效期一般不超过 2 年。

6.框架协议的解除

封闭式框架协议入围供应商无正当理由,不得主动放弃入围资格或者退出框架协议。开放式框架协议入围供应商可以随时申请退出框架协议。集中采购机构或者主管预算单位应当在收到退出申请 2 个工作日内发布入围供应商退出公告。

入围供应商有下列情形之一,尚未签订框架协议的,取消其入围资格;已经签订框架协议的,解除与其签订的框架协议:

(1)恶意串通谋取入围或者合同成交的。
(2)提供虚假材料谋取入围或者合同成交的。
(3)无正当理由拒不接受合同授予的。
(4)不履行合同义务或者履行合同义务不符合约定,经采购人请求履行后仍不履行或者仍未按约定履行的。
(5)框架协议有效期内,因违法行为被禁止或限制参加政府采购活动的。
(6)框架协议约定的其他情形。

被取消入围资格或者被解除框架协议的供应商不得参加同一封闭式框架协议补充征集,或者重新申请加入同一开放式框架协议。

思考与训练

一、选择题

1.《中华人民共和国招标投标法》规定的招标方式是(　　)。
A.公开招标、邀请招标和议标　　　　B.公开招标和议标
C.邀请招标和议标　　　　　　　　　D.公开招标和邀请招标

2.甲、乙两个同一专业的施工单位分别具有该专业二、三级企业资质,甲、乙两个单位的项目经理数量合计符合一级企业资质要求。若甲、乙两个单位组成联合体参加投标,则该联合体资质等级应为(　　)。
A.一级　　　　B.二级　　　　C.三级　　　　D.暂定级

3.开标应当在招标文件确定的提交投标文件截止时间的(　　)进行。
A.同一时间公开　　　　　　　　　　B.同一时间不公开

C.当天公开 D.当天不公开

4.以下选项中对评标委员会的组成的说法错误的是(　　)。

A.评标由招标人依法组建的评标委员会负责

B.一般招标项目可以采取随机抽取方式,特殊招标项目可以由招标人直接确定

C.与投标人有利害关系的人不得进入相关项目的评标委员会

D.评标委员会由招标人的代表和有关技术、经济等方面的专家组成,成员人数为5人以上

5.根据《中华人民共和国招标投标法》,招标人和中标人订立书面合同的时间应当是(　　)。

A.在中标通知书发出 30 日内 B.在中标通知书发出 60 日内

C.在评标结束后 30 日内 D.在评标结束后 60 日内

6.某施工项目,招标文件开始出售的时间为3月20日,停止出售的时间为3月30日,提交招标文件的截止时间为4月25日,评标结束的时间为4月30日,则投标有效期开始的时间为(　　)。

A.3 月 20 日　　　B.3 月 30 日　　　C.4 月 25 日　　　D.4 月 30 日

7.根据招标投标相关法律规定,在投标有效期结束前,当出现特殊情况,招标人要求投标人延长投标有效期时,(　　)。

A.投标人不得拒绝延长,并不得收回其投标保证金

B.投标人可以拒绝延长,并有权收回其投标保证金

C.投标人不得拒绝延长,但可以收回其投标保证金

D.投标人可以拒绝延长,但无权收回其投标保证金

8.按照合同计价方式,下列属于建设工程承发包方式的是(　　)。

A.总价合同 B.成本加酬金合同

C.可调价格合同 D.单价合同

9.下列不是按承发包方式分类的合同是(　　)。

A.单位工程施工承包合同 B.工程项目总承包合同

C.BOT 合同 D.成本加酬金合同

10.根据《非招标方式采购文件示范文本》,能够充分竞争且以价格竞争为主的采购项目适宜的采购方式是(　　)。

A.询价采购　　　B.谈判采购　　　C.公开招标　　　D.竞价采购

二、问答题

1.简述我国建设工程招标投标活动应遵循的基本原则。

2.必须进行招标的工程建设项目范围是如何规定的?

3.招标人招标应具备哪些条件?

4.工程项目投标保证金的金额是多少?有效期多长?

5.简述违法发包的情形。

6.按承发包范围划分承发包方式有哪些?

7.基本建设工程采用承发包方式组织施工有什么好处?

8.竞争性谈判采购的采购程序?

9.询价小组的组成成员有哪些?

三、技能训练题

先看下面案例,然后进行分析。

某房地产公司计划在某地开发一住宅项目,采用公开招标的形式,有A、B、C、D、E、F六家施工单位领取了招标文件。该工程招标文件规定:2010年10月20日17:30为投标文件接受终止时间。

在10月20日,A、B、C、D、E五家投标单位在17:30前将投标文件送达,F单位于10月20日18时送达,所有投标单位均按规定提供了投标保证金,在10月20日10:25,B单位向招标人递交了一份投标价格下降3%的书面说明。

开标时,由招标人检查投标文件密封情况,确认无误后,由工作人员当众拆封,并宣读了A、B、C、D、E五家投标单位的名称、投标价格、工期和其他重要内容。在开标过程中,招标人发现C单位的投标函上盖有企业及企业法定代表人的印章,但没有加盖项目负责人的印章。

评标委员会由招标人直接确定,共4人组成,其中招标人代表2人,经济专家1人,技术专家1人。

请问:(1)在本项目招标投标过程中有何不妥之处?说明理由。

(2)B单位向招标人递交的书面说明是否有效?说明理由。

(3)在开标后,招标人应对C单位的投标书如何处理?为什么?

(4)招标人将F单位的投标文件作为废标处理是否正确?理由是什么?

模块 5 建设工程合同法规

学习导向

推荐学习方法 以建设工程合同的基本概念为切入点，了解我国建设工程合同的立法现状；了解建设工程合同订立的程序，理解要约邀请、要约、承诺的内容及其主要特征。

理论知识要求
1. 了解合同的类别及其主要条款。
2. 掌握建设工程合同订立的程序。
3. 掌握合同解除的法定条件。

能力素质要求
1. 了解合同制度，掌握《中华人民共和国民法典》的基本法律规定，能够运用所学的合同知识解决实际问题。
2. 具有严格执行建设工程合同、保障建设项目顺利履行的意识和能力。

引例

2008年奥运会比赛场馆项目法人招标工作开始于2002年8月。在北京市计委举行了2008年奥运会比赛场馆及相关设施项目法人招标资格预审和意向征集新闻发布会之后，共有39名有意向的申请人对资格预审和意向征集做出了响应，其中7名申请人递交了资格预审和意向方案申请文件。经过评审，确定了5名申请人为合格申请人，进入投标阶段。2003年6月30日，在北京市计委和国信招标有限公司的主持下，国家体育场项目合作法人招标项目开标，中国中信集团联合体、北京建工集团联合体等4家联合体于开标前递交了投标文件。2003年7月4日至6日，由10名国内专家和7名国外专家组成的评标委员会对3份有效投标文件进行了评审。综合评分第一名为北京建工集团联合体，第二名为中国中信集团联合体，第三名为筑巢国际联合体。评标委员会推荐北京建工集团联合体、中国中信集团联合体为中标候选人。2003年7月18日，经过两次会议讨论后确定北京建工集团联合体为中标人，并向中标人和未中标人发出了通知书。2003年7月21日，招标人和中标人开始进行正式谈判。2003年7月24日，由于某些原因，招标人与中标人之间的谈判破裂，北京建工集团联合体未能与相关各方草签国家体育场协议等合同。2003年8月1日，按照有关法律、法规以及招标文件的规定，招标人取消了北京建工集团联合体中标人资格。2003年8月2日，招标人向另一个中标候选人——中国中信集团联合体——发出了中标通知书，并与中国中信集团联合体进行正式谈判。2003年8月5日，参与谈判的各方达成共识，并在最终确认的合同文本上进行了小签。2003 年 8 月 9 日,中信集团联合体与北京市政府等草签了合同协议。至此,国家体育场项目法人合作方招标及签约工作圆满结束。

2008 年奥运会比赛场馆项目法人招标过程充分体现了建设工程合同订立的完整程序:要约邀请、要约、承诺,并最终签订建设工程合同。

5.1 概 述

5.1.1 合同的概念及法律特征

1.合同的概念

合同是指平等主体的自然人、法人、其他组织之间设立、变更、终止民事权利和义务关系的协议。

2.合同的法律特征

2020 年 5 月公布的《中华人民共和国民法典》规定,合同是民事主体之间设立、变更、终止民事法律关系的协议。

合同具有以下法律特征:

(1)合同是一种法律行为。

(2)合同的当事人法律地位平等,双方自愿协商,任何一方不得将自己的观点、主张强加给另一方。

(3)合同的目的在于设立、变更、终止民事权利和义务关系。

(4)合同的成立必须有两个以上当事人;两个以上当事人不仅作出意思表示,而且意思表示是一致的。

5.1.2 建设工程合同的概念和特征

1.建设工程合同的概念

《中华人民共和国民法典》规定,建设工程合同是承包人进行工程建设,发包人支付价款的合同。建设工程合同实质上是一种特殊的承揽合同。《中华人民共和国民法典》规定,建设工程合同包括工程勘察、设计、施工合同。

建设工程施工合同是建设工程合同中的重要部分,是指施工人(承包人)根据发包人的委托,完成建设工程项目的施工工作,发包人接受工作成果并支付报酬的合同。施工合同的内容包括工程范围、建设工期、中间交工工程的开工和竣工时间、工程质量、工程造价、技术资料交付时间、材料和设备供应责任、拨款和结算、竣工验收、质量保修范围和质量保证期、双方相互协作等条款。

2.建设工程合同的特征

建设工程合同是一种特殊的承揽合同。除了和一般承揽合同都为承诺合同、双务合同和有偿合同外,建设工程合同有其特殊性。

(1)合同主体的特殊性,经济法律关系的多元性

工程建设技术含量较高、社会影响很大,因此法律对建设工程合同主体的资格有严格的限制,只有具有相应资质等级、符合国家有关要求的单位,才具有签订承包合同的民事能力。在合同签订和实施过程中会涉及多方面的关系,建设单位委托监理单位进行施工管理,而承包单位则涉及专业分包和材料供应和设备加工以及银行、保险等众多单位,因而产生了错综复杂的关系。

(2)合同标的的特殊性,合同内容的复杂性

建设工程合同的标的涉及建设工程的服务,而建设工程又具有产品固定、不能流动、产品多样、耗材多、资金大、产品使用时间长和社会影响大等特点。由于每个工程项目的特殊性和建设项目受多方面、多因素的影响和制约,所以建设工程合同中除一般条款外,还包括特殊条款,并涉及保险、税收、专利等多项内容。

(3)合同形式的要式性,履约方式的连续性和履约周期长

工程建设周期长,涉及因素多,专业技术性强,当事人之间的权利和义务关系复杂,不是简单用口头约定就能解决问题的,因此我国法律规定,建设工程合同应当采用书面形式。由于建设项目实施必须循序渐进地进行,所以履约方式也表现出连续性和履约周期长。

(4)合同的多变性

项目在实施过程中经常会出现设计变更或合同条款的修改,因此项目管理人员必须加强对变更的管理,做好记录,将其作为索赔、变更或终止合同的依据。

(5)较强的国家管理性

建设工程合同的标的物为不动产,工程建设对国家和社会生活的方方面面影响较大,在建设工程合同的订立和履行上,都具有较强的国家干预色彩。

5.1.3 建设工程合同法规的立法现状

2020年5月28日,十三届全国人大三次会议表决通过了《中华人民共和国民法典》,自2021年1月1日起实施。《中华人民共和国民法通则》《中华人民共和国担保法》《中华人民共和国合同法》《中华人民共和国物权法》《中华人民共和国侵权责任法》《中华人民共和国民法总则》同时废止。

5.2 建设工程合同的订立和履行

5.2.1 建设工程合同的订立

合同订立是指缔约人为意思表示并达成合意的状态。订立建设工程合同是一项涉及面广、内容复杂的行为。合同内容是否合法、条款是否完备、逻辑是否严谨、表达是否准确等,都可能对合同的效力及履行产生重大的影响。

1.建设工程合同订立的程序

《中华人民共和国民法典》规定,当事人订立合同,可以采取要约、承诺方式或者其他方式。

(1)要约

①要约的概念:《中华人民共和国民法典》规定,要约是希望与他人订立合同的意思表示。发出要约的人称为要约人,接受要约的人称为受要约人。在国际贸易实务中,也称为发盘、发价、报价。

由此可见,一方面,要约是具有明确目的性的意思表示,就是与受要约人订立合同;另一方面,要约对要约人与受要约人具有特定的约束力,即要约人应受发出的要约的约束,这是要约人的一种许诺;受要约人接到要约,可据此做出承诺而使合同成立。可见,要约的法律效力是双方面的。

②要约的生效:《中华人民共和国民法典》规定,要约生效的时间适用本法第一百三十七条的规定。该法第一百三十七条规定,以对话方式作出的意思表示,相对人知道其内容时生效。以非对话方式作出的意思表示,到达相对人时生效。以非对话方式作出的采用数据电文形式的意思表示,相对人指定特定系统接收数据电文的,该数据电文进入该特定系统时生效;未指定特定系统的,相对人知道或者应当知道该数据电文进入其系统时生效。当事人对采用数据电文形式的意思表示的生效时间另有约定的,按照其约定。

③要约的撤回:要约的撤回是指要约人在要约生效前,取消要约的意思表示。但撤回要约的通知应当先于或与要约同时到达受要约人。可见,要约撤回权的行使时间以要约的生效时间为分割点,在要约生效之前,或在要约生效之时,要约可以撤回,而要约一旦生效,要约人的撤回权就消灭了。

④要约的撤销:要约的撤销是指要约生效后,要约人取消要约使其效力归于消灭。但撤销要约的通知应当在受要约人发出承诺之前到达受要约人。

《中华人民共和国民法典》对要约的撤销进行了限制,规定以下两种情形下要约不得撤销:

a.要约人确定了承诺期限或者以其他形式明示要约不可撤销。

b.受要约人有理由认为要约是不可撤销的,并已经为履行合同做了合理准备工作。

⑤要约的失效:要约失效的原因主要有以下几种:

a.拒绝要约的通知到达要约人。拒绝要约是指受要约人没有接受要约所规定的条件。拒绝的方式有多种,既可以是明确表示拒绝要约的条件,也可以在规定的时间内不做答复而拒绝。一旦拒绝,则要约失效。

b.要约人依法撤销要约。要约在受要约人发出承诺通知之前,可由要约人撤销要约,一旦撤销,要约将失效。

c.承诺期限届满,受要约人未做出承诺。凡是在要约中明确规定了承诺期限的,则承诺必须在该期限内做出,超过了该期限,则要约自动失效。

d.受要约人对要约的内容做出实质性变更。受要约人对要约的实质内容做出限制、更改或扩张,从而形成新要约,既表明受要约人已拒绝了要约,同时也向要约人提出了一项新要约。

所谓实质性变更,是指有关合同标的、数量、质量、价款或者报酬、履行期限、履行地点和方式、违约责任和解决争议方法等内容的变更。

⑥要约邀请:《中华人民共和国民法典》规定,要约邀请是希望他人向自己发出要约的表示。拍卖公告、招标公告招股说明书、债券募集办法、基金招募说明书、商业广告和宣传、寄送的价目表等为要约邀请。商业广告和宣传的内容符合要约条件的构成要约。要约邀请可以是向特定人发出,也可以是向不特定的人发出。要约邀请只是邀请他人向自己发出要约,如果自己承诺才成立合同。因此,要约邀请处于合同的准备阶段,没有法律约束力。在建设工程招标投标活动中,

招标文件是要约邀请,对招标人不具有法律约束力;投标文件是要约,应受自己作出的与他人订立合同的意思表示的约束。

(2)承诺

①承诺的概念:《中华人民共和国民法典》规定,承诺是受要约人同意要约的意思表示。如招标人向投标人发出的中标通知书,是承诺。换言之,承诺是指受要约人同意接受要约的条件以缔结合同的意思表示。承诺的法律效力在于一经承诺并送达至要约人,合同便告成立。然而受要约人必须完全同意要约人提出的主要条件,如果对要约人提出的主要条件并没有表示接受,则意味着拒绝了要约人的要约,并形成了一项新要约。

②承诺的构成要件:承诺一旦生效,将导致合同的成立,所以承诺必须符合一定的条件。在法律上,承诺必须具备如下要件,才能产生法律效力:

a.承诺必须由受要约人向要约人做出。由于要约原则上是向特定人发出的,所以只有接受要约的特定人即受要约人才有权做出承诺。第三人因不是受要约人,当然无资格向要约人做出承诺,否则视为发出要约。

b.承诺应在有效期内做出。承诺只有到达要约人时才能生效,《中华人民共和国民法典》规定,承诺应当在要约确定的期限内到达要约人。只有在规定的期限内到达的承诺才是有效的。《中华人民共和国民法典》规定,如果要约是以对话方式做出的,承诺人应当即时做出承诺;如果要约是以非对话方式做出的,承诺人应当在合理的期限内做出承诺并到达要约人。

要约以信件或者电报做出的,承诺期限自信件载明的日期或者电报交发之日开始计算。信件未载明日期的,自投寄该信件的邮戳日期开始计算。要约以电话、传真等快速通信方式做出的,承诺期限自要约到达受要约人时开始计算。

c.承诺的内容必须与要约的内容一致。《中华人民共和国民法典》规定,承诺的内容应当与要约的内容一致。承诺的内容与要约的内容一致是指受要约人必须同意要约的实质内容,而不得对要约的内容做出实质性更改;否则,不构成承诺,应视为对原要约的拒绝并做出一项新的要约,或称为反要约。

承诺对要约的内容做出非实质性变更的,除要约人及时表示反对或者要约表明承诺不得对要约的内容做出任何变更的以外,该承诺有效,合同的内容以承诺的内容为准。

d.承诺的方式符合要约的要求。《中华人民共和国民法典》规定,承诺应当以通知的方式做出。这就是说,受要约人必须将承诺的内容通知要约人,但受要约人应采取何种通知方式,应根据要约的要求确定。如果要约规定承诺必须以一定的方式做出,否则承诺无效,那么承诺人做出承诺时,必须符合要约人规定的承诺方式。在此情况下,承诺的方式成为承诺生效的特殊要件。例如,要约要求承诺应以发电报的方式做出,则不应采取邮寄的方式。如果要约没有特别规定承诺的方式,则不能将承诺的方式作为有效承诺的特殊要求。《中华人民共和国民法典》规定,承诺原则上应采取通知方式,但根据交易习惯或者要约表明可以通过行为做出承诺的除外。这就是说,如果根据交易习惯或者要约的内容并不禁止以行为承诺,则受要约人可通过一定的行为做出承诺。

③承诺的生效:《中华人民共和国民法典》规定,承诺生效时合同成立,但是法律另有规定或者当事人另有约定的除外。以通知方式作出的承诺,生效的时间适用《中华人民共和国民法典》第一百三十七条的规定。承诺不需要通知的,根据交易习惯或者要约的要求作出承诺的行为时生效。

④承诺迟延:承诺迟延是指受要约人所做承诺未在承诺期限内到达要约人。它包括以下两种情况:

a.逾期承诺。是指受要约人在承诺期限届满后发出承诺而使承诺迟延。逾期承诺是受要约人向要约人发出的同意接受要约的意思表示,因为它做出的时间晚于要约确定的承诺期限,所以不符合有效承诺的全部要件,不能发生承诺的法律效力。逾期承诺有两种效力:一是要约人及时通知承诺人承认该承诺有效的,合同成立;二是如果要约人接到逾期承诺后未及时通知承诺人承认该承诺有效的,就只能作为一个新的要约,而不能认为是承诺。

b.承诺迟到。是指受要约人在承诺期限内发出承诺,但因其他原因而使承诺迟到。承诺迟到与逾期承诺不同,逾期承诺是在发出时就已超出承诺期限,而承诺迟到却是在承诺期限内发出,只是在到达要约人时超出承诺期限。在承诺迟到的情况下,要约人负有通知不接受承诺的义务。受要约人在承诺期限内发出承诺,按照通常情形能够及时到达要约人,但因其他原因承诺到达要约人时超过承诺期限的,除要约人及时通知受要约人因承诺超过期限不接受该承诺的以外,该承诺有效。

⑤承诺撤回:承诺可以撤回。撤回承诺的通知应当在承诺通知到达要约人之前或者与承诺通知同时到达要约人。承诺撤回是指承诺人在承诺发出之后,承诺生效之前,通知要约人收回承诺,以消灭承诺的行为。撤回承诺应以通知的形式由承诺人向要约人发出,撤回通知应明确表明撤回承诺、不愿意成立合同的意思,否则不产生撤回承诺的效力。撤回承诺的通知应当先于或与承诺同时到达要约人,才能产生防止承诺生效的效果。承诺撤回基本上只适用于书面形式的承诺。

2. 建设工程合同程序的实现

要约与承诺是订立合同的两个基本程序,它是通过招标与投标过程来实现的。

(1)招标公告(或投标邀请书)是要约邀请

招标人通过发布招标公告或者发出投标邀请书吸引潜在投标人投标,希望潜在投标人向自己发出"内容明确的订立合同的意思表示",因此,招标公告(或投标邀请书)是要约邀请。

(2)投标文件是要约

投标文件中含有投标人期望订立的建设工程合同的具体内容,表达了投标人期望订立合同的意思,因此,投标文件是要约。在直接发包中,建设单位的发包行为属于要约。

(3)中标通知书是承诺

中标通知书是招标人对投标文件(要约)的肯定答复,对于招标投标而言,招标人发出中标通知书为承诺。对于直接发包而言,施工单位同意承包工程为承诺。

3. 建设工程合同的成立

《中华人民共和国民法典》规定,承诺生效时合同成立,承诺生效的地点为合同成立的地点。具体有以下几种情况:

①当事人采用合同书形式订立合同的,自双方当事人签字或盖章之时合同成立。

②当事人采用信件、数据电文等形式订立合同的,在合同成立之前要求签订确认书的,签订确认书时合同成立。

③当事人采用合同书形式订立合同的,双方当事人签字或者盖章的地点为合同成立的地点。

④法律、行政法规规定或者当事人约定采用书面形式订立合同,当事人未采用书面形式,但一方已经履行主要义务,对方接受的,该合同成立。

⑤采用合同书形式订立合同,在签字或者盖章之前,当事人一方已经履行主要义务,对方接受的,该合同成立。

⑥通过直接发包方式订立的建设工程合同,自双方当事人签字或者盖章时合同成立。

4.建设工程合同的内容

(1)一般合同的主要内容

合同主要条款是订立合同时所必须具备的内容,它主要包括以下内容:

①当事人的名称或者姓名和住所。

②标的。

③数量。

④质量,可约定质量检验方法、质量责任期限与条件、对质量提出异议的条件与期限等。质量要求不明确的,按照强制性国家标准履行;没有强制性国家标准的,按照推荐性国家标准履行;没有推荐性国家标准的,按照行业标准履行;没有国家标准、行业标准的,按照通常标准或者符合合同目的的特定标准履行。

⑤价款或报酬。

⑥履行期限、地点与方式。

⑦违约责任。

⑧解决争议的办法。

当事人可以参照各类合同的示范文本订立合同。

(2)建设工程施工合同的一般条款

《中华人民共和国民法典》规定,建设工程施工合同的内容包括工程范围、建设工期、中间交工工程的开工和竣工时间、工程质量、工程造价、技术资料交付时间、材料和设备供应责任、拨款和结算、竣工验收、质量保修范围和质量保证期、双方相互协作等条款。我国于1999年12月24日印发了建设工程施工合同(示范文本),于2017年再次修订,自2017年10月1日起实施。这对于实现合同签订的规范化起了决定性作用。

案例5-1

签订合同时资料必须齐全。

【案情简介】

甲与乙签订一份厂房建设设计合同,甲委托乙完成厂房建设初步设计,约定设计期限为支付定金后30日,设计费按国家有关标准计算。另约定,如甲要求乙增加工作内容,其费用增加10%,合同中没有对基础资料的提供进行约定。开始履行合同后,乙向甲索要设计任务书以及选址报告和燃料、水、电协议文件,甲答复除设计任务书之外,其余都没有。乙自行收集了相关资料,于第37日交付设计文件。乙认为收集基础资料增加了工作内容,要求甲按增加后的数额支付设计费。甲认为合同中没有约定自己提供资料,不同意乙的要求,并要求乙承担逾期交付设计书的违约责任。乙遂诉诸法院。法院认为,合同中未对基础资料的提供和期限予以约定,乙方逾期交付设计书属乙方过错,构成违约;同时,按国家规定,勘察、设计单位不能任意提高勘察设计费,认定有关增加设计费的条款无效,判定:甲按国家规定标准计算给付乙设计费;乙按合同约定向甲支付逾期违约金。

案例辨析

本案例的设计合同缺乏一个主要条款,即基础资料的提供。《中华人民共和国民法典》规定,勘察、设计合同的内容包括提交有关基础资料和文件(包括概预算)的期限、质量要求、费用以及其他协作条件等条款。合同的主要条款是合同成立的前提,如果合同缺乏主要条款,则当事人无据可依,合同自身也就无效力可言。勘察、设计合同不仅要条款齐备,还要明确双方各自责任,以避免合同履行中的互相推诿,保障合同的顺利执行。《建设工程勘察设计合同条例》规定,设计合同中应明确约定由委托方提供基础资料,并对提供时间、进度和可靠性负责。本案例因缺乏该约定,故虽工作量增加,设计时间延长,乙方却无向甲方提供追偿由此造成的损失的依据。其责任应由乙方自行承担,增加设计费的要求违背国家有关规定,不能成立,故法院判决乙按规定收取费用并承担违约责任。

5.合同的形式

《中华人民共和国民法典》规定,当事人订立合同,可以采取书面形式、口头形式或者其他形式。书面形式是合同书、信件、电报、电传、传真等可以有形地表现所载内容的形式。以电子数据交换、电子邮件等方式能够有形地表现所载内容,并可以随时调取查用的数据电文,视为书面形式。

6.缔约过失责任

(1)含义和构成要件

缔约过失责任又称为先合同责任或先契约责任,是指在缔约过程中,缔约当事人一方违反依诚实信用原则所应承担的先合同义务,而造成对方信赖利益损失时所应当承担的民事责任。缔约过失责任的构成要件一般包括:

①缔约过失责任只能发生在订立合同的过程中。当事人在订立合同过程中给对方造成损失的,应当承担损害赔偿责任。由于合同的订立应采用要约、承诺方式,所以缔约过失责任的起始点应当以要约生效时为准;在要约未生效前,当事人还谈不上就缔约进行磋商,因此也就没有先合同义务的存在。

②一方违反依诚实信用原则所应负的义务。由于缔约过失责任发生在缔约阶段,当事人之间并没有合同义务,所以它不是违反合同义务的后果,而是违反先合同义务的后果。先合同义务既不是由当事人约定的,也不是当事人可以排除的,它是法律为维护交易安全和保护缔约当事人各方的利益,基于诚实信用原则而赋予当事人的法定注意义务,它的内容依不同情形,主要是告知、说明、协作、照顾、忠实、保密、保护等。

③一方受有损失。缔约过失责任属于以赔偿损失为内容的责任,因此,一方受有损失是缔约过失责任的构成要件。虽有一方违反先合同义务的行为,但另一方未受有损失的,也不发生缔约过失责任。不过,缔约过失责任中的损失主要是指另一方当事人因信赖合同的成立和有效而遭受的信赖利益损失,如订立合同的费用、准备履行的费用等,而不包括履行利益的损失。

④一方故意或过失违反先合同义务与另一方的损失之间有因果关系。如果另一方虽受有损失,但此损失并非因一方故意或过失违反缔约中的先合同义务造成的,也不能发生缔约过失责任。

(2)缔约过失的类型和责任范围

缔约过失责任主要有以下几种类型:

①假借订立合同,恶意进行磋商,简称恶意缔约,是指当事人根本没有订约的目的,仅仅是借

订立合同而损害相对人的利益。

②故意隐瞒与订立合同有关的重要事实或者提供虚假情况,是指当事人违反如实告知义务,实施欺诈行为而使相对人受到损失。

③其他违背诚实信用原则的行为。《中华人民共和国民法典》规定的"其他违背诚实信用原则"的行为,是兜底性条款:

a.依据诚实信用原则,未尽必要的通知、说明、保护、协助等义务,致使合同未生效或者被撤销的,导致缔约关系的破坏,损害对方当事人的信赖利益时,应当承担缔约过失责任。

b.泄露或者不正当使用在订立合同中知悉的商业秘密,给对方造成损失时,应当承担缔约过失责任。

c.违反意向书、备忘录等初步协议的约定,恶意中断订立合同的,应当承担缔约过失责任。

d.依照法律、行政法规的规定经批准或者登记才能生效的合同成立后,按照合同约定或者法律规定有义务办理申请批准或者申请登记等手续的一方当事人未办理申请批准或者未申请登记的,导致对方当事人信赖利益的损失,应当承担缔约过失责任。

案例 5-2

发出中标通知书后拒绝签订书面合同,应承担缔约过失责任。

【案情简介】

甲公司拟开发某项目楼盘,遂通过公开招标方式从投标的五家单位中,选择了乙公司作为中标人,并且在确定中标人之后,向乙公司发出中标通知书。之后,双方就合同实质性条款发生争议,由于双方不能达成一致意见,因此未签订建设工程承包合同。甲公司于是向法院提起诉讼,认为合同已经成立并且生效,应追究乙公司的违约责任。乙公司则认为合同虽然成立但未生效,其仅需承担缔约过失责任。

案例辨析

《中华人民共和国民法典》规定,建设工程合同应当采用书面形式。可见,建设工程合同为要式合同,必须采用书面形式。直接发包的建筑工程合同,承发包双方在书面合同上签字盖章之时,合同成立并且生效。而采用招标投标方式订立建设工程合同,在招标人向中标人发出中标通知书时合同成立,但并未生效。《中华人民共和国招标投标法》规定,招标人和中标人应当自中标通知书发出之日起 30 日内,按照招标文件和中标人的投标文件订立书面合同。招标人和中标人不得再行订立背离合同实质性内容的其他协议。由此可见,法律规定建设工程必须以书面合同为生效条件,因此只有当双方签订书面形式的合同之时,合同才能生效。《中华人民共和国民法典》规定,当事人在订立合同过程中有下列情形之一,给对方造成损失的,应当承担损害赔偿责任:(一)假借订立合同,恶意进行磋商;(二)故意隐瞒与订立合同有关的重要事实或者提供虚假情况;(三)有其他违背诚实信用原则的行为。乙公司违反诚实信用原则,拒绝签订合同,应当承担法律责任。但这种法律责任不是违约责任,而是缔约过失责任。

5.2.2 建设工程合同的合同履行

合同履行是指合同当事人双方依据合同条款的规定，实现各自享有的权利，并承担各自负有的义务。合同履行是整个合同制度的核心内容。《中华人民共和国民法典》对合同履行做了系统全面的规定。

1.合同履行的一般原则

《中华人民共和国民法典》规定，当事人应当按照约定全面履行自己的义务。当事人应当遵循诚实信用原则，根据合同的性质、目的和交易习惯履行通知、协助、保密等义务。虽然不同类型的合同有不同的特点，但此条规定了合同履行的一般原则。

(1) 全面履行原则

全面履行原则即按照约定全面履行的原则，又称适当履行原则或正确履行原则，是指合同当事人应在适当的时间、适当的地点，以适当的方式，按照合同中约定的数量和质量，履行合同中约定的义务。

全面履行原则包括三个方面的具体内容：一是履行主体适当，即当事人一般应亲自履行合同，不能由第三人代为履行，但当事人另有约定的除外；二是标的适当，即当事人交付的标的物、提供的工作成果、提供的劳动应符合合同约定或交易惯例；三是履行方式和地点适当，即当事人应按合同约定的数量、质量、品种等全面履行，不得部分履行而部分不履行，例如在买卖合同中，双方当事人约定卖方向买方交付 2 000 吨钢材，如果卖方只向买方交付了 1 000 吨钢材，就要承担违约责任。

(2) 诚实信用原则

诚实信用原则是指合同当事人应根据诚实信用原则，履行合同约定之外的附随义务。附随义务是基于诚实信用原则而产生的一项合同义务，虽然当事人在合同中可能没有约定该义务，但任何合同的当事人在履行时都必须遵守。

《中华人民共和国民法典》规定的附随义务包括：

①通知义务。当一方因客观情况必须变更合同或因不可抗力致使合同不能履行时，都应及时通知对方当事人。

②协助义务。是指当事人在履行合同过程中要互相合作，像对待自己的事务一样对待对方的事务，不仅要严格履行自己的合同义务，而且要配合对方履行义务，这项义务主要是针对债权人而言的，但又是有利于合同双方当事人的。

③保密义务。如在劳动合同中，工程技术人员不能泄露公司开发的新产品的秘密，该项义务在技术合同中显得尤为突出。

④提供必要条件。这项义务与协助义务密切联系，如施工合同中，发包人应当提供必要的场地条件以方便承包人进场施工。

⑤防止损失扩大义务。是指在合同履行过程中当事人遭受损失的，双方在有条件的情况下都有采取积极措施防止损失扩大的义务，而不管这种损失的造成是否与自己有关。

(3) 经济合理原则

经济合理原则是指合同当事人履行合同应讲求经济效益，付出最小的成本而取得最佳的合同利益的原则。这项原则在《中华人民共和国民法典》中有很多体现，如《中华人民共和国民法典》规定，当事人一方违约后，对方应当采取适当措施防止损失的扩大；没有采取适当措施致使损失扩大的,不得就扩大的损失要求赔偿。当事人因防止损失扩大而支出的合理费用,由违约方承担。

(4)情事变更原则

情事变更原则是指在合同有效成立以后,非因双方当事人的过错而发生情事变更,致使继续履行合同显失公平,因此根据诚实信用原则,当事人可以请求变更或解除合同。

这项原则的产生根据是诚实信用原则,它是诚实信用原则在《中华人民共和国民法典》中的运用。例如,在甲和乙签订一份分期交货的设备买卖合同后,由于制作设备的主要原材料市场价格暴涨,超过签约时的价格近4倍,如果仍按原合同履行,卖方就将承受近160万元的损失,所以根据情事变更原则,应修改合同,将设备价格适当提高,或者解除合同。

2.合同约定不明确情况下的履行原则

约定不明合同的存在势必给当事人履行合同造成困难,但为了鼓励交易、降低交易成本,应当尽量予以补充,并使合同具有可履行性。根据《中华人民共和国民法典》规定,约定不明合同的履行原则有:

(1)当事人协议补充原则

《中华人民共和国民法典》规定,合同生效后,当事人就质量、价款或者报酬、履行地点等内容没有约定或者约定不明确的,可以协议补充。因此,这项原则是指当事人对没有约定或者约定不明确的合同内容通过协商的办法订立补充协议,使合同具体化和明确化,并与原合同共同构成一份完整的合同。

(2)按照合同有关条款或交易习惯确定原则

约定不明合同在履行中形成纠纷时,首先应适用当事人协议补充原则;其次,当不能达成补充协议时,应按《中华人民共和国民法典》规定的"按照合同有关条款或者交易习惯确定"的原则进行。其中,按照合同有关条款确定是指结合合同的其他方面内容加以确定,使合同具体化和明确化,因为合同是一个整体,当事人就某一具体条款做了明确规定,而当其他条款中涉及这一问题时,就可以按照该条款加以确定;按照交易习惯确定是指按照人们在同样的交易中通常采用的合同内容加以确定,使合同具体化和明确化。因为无论在国内交易中还是在国际交易中,都已形成许多交易习惯,而这些交易习惯可以用来补充当事人合同的内容。

(4)法定补充原则

当事人就有关合同内容约定不明确,在适用当事人协议补充原则、按照合同有关条款或交易习惯确定原则仍不能确定时,就应适用法定补充原则。法定补充原则又称合同的补缺规则,是指法律规定的、适用于主要条款欠缺或合同条款约定不明确但并不影响效力的合同,以弥补当事人所欠缺或未明确表示的意思,使合同内容合理、确定且便于履行的法律条款。

①适用于普通商品的法定补充原则。根据《中华人民共和国民法典》规定,当事人就有关合同内容约定不明确,依照《中华人民共和国民法典》的规定仍不能确定的,适用下列规定:

a.质量要求不明确的,按照国家标准、行业标准履行;没有国家标准、行业标准的,按照通常标准或者符合合同目的的特定标准履行。

b.价款或者报酬不明确的,按照订立合同时履行地的市场价格履行;依法应当执行政府定价或者政府指导价的,按照规定履行。

c.履行地点不明确的,给付货币的,在接受货币一方所在地履行;交付不动产的,在不动产所在地履行;其他标的,在履行义务一方所在地履行。

d.履行期限不明确的,债务人可以随时履行,债权人也可以随时请求履行,但应当给对方必要的准备时间。

e.履行方式不明确的,按照有利于实现合同目的的方式履行。

f.履行费用的负担不明确的,由履行义务一方负担。

②适用于政府定价或者政府指导价商品的法定补充原则。政府定价是指对于一些特殊的商品,政府不允许当事人根据供给和需求自行决定价格,而是由政府直接为该商品确定价格。

政府指导价是指对于一些特殊的商品,政府不允许当事人根据供给和需求自行决定价格,而是由政府直接为该商品确定价格的浮动区间。

政府定价或政府指导价的商品具有自身的特殊性,《中华人民共和国民法典》做出了单独规定。《中华人民共和国民法典》规定,执行政府定价或者政府指导价的,在合同约定的交付期限内政府价格调整时,按照交付时的价格计价。逾期交付标的物的,遇价格上涨时,按照原价格执行;价格下降时,按照新价格执行。逾期提取标的物或者逾期付款的,遇价格上涨时,按照新价格执行;价格下降时,按照原价格执行。

案例5-3

建设工程施工合同中未约定质量保修期限,如何处理?

【案情简介】

甲公司与乙公司签订施工合同,建设一处住宅小区。小区建成后,经竣工验收质量合格。但是验收后3个月,甲公司发现几栋楼房屋顶漏水,遂要求乙公司负责无偿修理,并赔偿由漏水造成的损失。乙公司则以施工合同中并未规定质量保证期限且工程已经验收合格为由,拒绝返修要求。甲公司遂诉诸法院,法院经审理后支持了甲公司的诉讼请求,判令乙公司承担无偿修理责任并且赔偿损失。

案例辨析

本案例中,甲公司与乙公司签订的施工合同虽然欠缺质量保证期限条款,但并不影响双方当事人对施工合同主要义务的履行,故该合同有效。由于合同中没有质量保证期限的约定,故应当依照法律、法规的规定来确定工程质量保证期。《中华人民共和国民法典》规定,质量要求不明确的,按照国家标准、行业标准履行;没有国家标准、行业标准的,按照通常标准或者符合合同目的的特定标准履行。关于防水工程质量保证期限的国家标准,在国务院2000年1月30日发布的《建设工程质量管理条例》第四十条中有如下规定,屋面防水工程、有防水要求的卫生间、房间和外墙面的防渗漏,最低保修期限为5年。在本案例中,工程移交后3个月就出现屋顶漏水的质量问题,在国家规定的最低保修期限之内,故应由施工单位承担无偿修理的责任。同时《建设工程质量管理条例》第四十一条规定,建设工程在保修范围和保修期限内发生质量问题的,施工单位应当履行保修义务,并对造成的损失承担赔偿责任。因此施工单位应当赔偿由于漏水所造成的损失。

3.双务合同履行中的抗辩权

双务合同指双方当事人都享有权利和承担义务的合同,典型的有买卖、租赁、合伙、借贷、承揽、运输以及财产保险等;单务合同为一方当事人只享有权利而不尽义务,另一方则只负义务而不享有权利的合同,典型的有赠予、归还原物的借用和无偿保管合同等。在实践中,单务合同是合同中的例外,双务合同为普遍表现,工程施工合同等工程建设合同都属于双务合同。

根据《中华人民共和国民法典》的规定,双务合同履行中的抗辩权包括:同时履行抗辩权、先履行抗辩权和不安抗辩权。

（1）同时履行抗辩权

根据《中华人民共和国民法典》的规定,当事人互负债务,没有先后履行顺序的,应当同时履行。一方在对方履行之前有权拒绝其履行要求。一方在对方履行债务不符合约定时,有权拒绝其相应的履行要求。这里的同时履行是指合同没有约定,法律也没有规定,根据交易习惯也不能确定双务合同的哪一方当事人有先履行义务时,双方当事人应当同时履行合同义务。

同时履行抗辩权的效力,在于一方当事人在对方当事人未及时履行义务时,可以暂时也不履行自己的义务,但这并不能消灭对方当事人的请求,也不能消灭自己所负的债务;而当对方当事人提出履行时,同时履行抗辩权的效力就终止了,当事人必须履行自己的合同义务。

同时履行抗辩权的适用条件是:必须发生在互为给付的同一双务有偿合同中;合同必须要求当事人同时履行;双方债务必须均已届清偿期;对方当事人必须未履行债务或未适当履行债务;对方当事人的对待给付必须是可能履行的。

（2）先履行抗辩权

先履行抗辩权,是指在双务合同中当事人互负债务,有先后履行顺序的,先履行一方未履行债务或者履行债务不符合约定,后履行一方有权拒绝先履行一方的履行请求。先履行抗辩权在性质上也属于停止的或延期的抗辩权,而不是否定的或永久的抗辩权。

先履行抗辩权的效力,在于阻止对方当事人请求权的行使;而当对方当事人完全履行了合同债务时,先履行抗辩权就消灭了,当事人必须履行自己的合同债务。如果当事人行使先履行抗辩权致使合同迟延履行的,责任由对方当事人承担。

先履行抗辩权的适用条件是:当事人必须基于同一双务合同互负债务;当事人履行必须有先后顺序;先履行一方必须不履行合同义务或者履行合同义务不符合约定;先履行一方应当先履行的债务必须是可能履行的。

（3）不安抗辩权

不安抗辩权是指当事人互负债务,有先后履行顺序的,先履行的一方当事人有确切证据证明另一方当事人丧失履行债务能力时,有中止合同履行的权利。这是根据《中华人民共和国民法典》的规定,应当先履行债务的当事人,有确切证据证明对方有下列情形之一的,可以中止履行:①经营状况严重恶化;②转移财产、抽逃资金,以逃避债务;③丧失商业信誉;④有丧失或者可能丧失履行债务能力的其他情形。当事人没有确切证据中止履行的,应当承担违约责任。

不安抗辩权的适用条件是:必须基于同一双务合同且具有对价关系的互负债务;必须是负有先履行义务的一方当事人才有权行使不安抗辩权;先履行义务的一方当事人必须有确切证据证明对方当事人有不能对待给付的现实危险;后履行一方未提供适当担保。

《中华人民共和国民法典》为了兼顾合同双方当事人的利益受到公平保护,在赋予先履行一方享有不安抗辩权的同时,又规定了两项附随义务:

①通知义务。即主张不安抗辩权的先履行一方应当及时通知对方,便于对方在获得通知后采取对应措施,及时提供充分担保,以消灭不安抗辩权。

②举证义务。为了防止滥用不安抗辩权,主张不安抗辩权的先履行一方应当举出对方有法定的不能履行债务或者有不能履行债务可能的某一情形存在的确切证据,没有确切证据的,不安抗辩权主张不能成立,并构成违约。

《中华人民共和国民法典》规定,当事人依照本法规定中止履行的,应当及时通知对方。对方提供适当担保时,应当恢复履行。中止履行后,对方在合理期限内未恢复履行能力并且未提供适当担保的,中止履行的一方可以解除合同。此条规定了行使不安抗辩权的法律效力。

①暂时中止履行合同债务。不安抗辩权在性质上也是一种延期抗辩权,因为中止履行合同债务只是暂时中止履行或延期履行,而并不是终止或消灭合同债务。因此,如果后履行一方提供了适当担保,不安抗辩权就消灭了,当事人就应当恢复履行自己的债务。

②解除合同。即终止或消灭合同关系或合同之债。这就是说,主张不安抗辩权的先履行一方,在对方未在合理期限内恢复履行能力并且提供适当担保的情形下,就有权解除合同,消灭对方的请求权。此时,不安抗辩权就从延期抗辩权变成了永久抗辩权。

5.2.3 违约行为与违约责任

违约责任又称违反合同的民事责任,是指合同当事人不履行合同义务或者履行合同义务不符合约定所应承担的民事责任。

1.违约行为

违约行为是指合同当事人不履行或者不适当履行合同义务的客观事实。违约行为是构成违约责任的首要条件。

根据不同标准,可将违约行为进行以下分类:单方违约与双方违约;预期违约与实际违约。本书主要介绍后者。

(1)预期违约

预期违约又称先期违约、事先违约、提前违约、预期毁约,是指当事人一方在合同规定的履行期到来之前,明示或者默示其将不履行合同,由此在当事人之间发生一定的权利、义务关系的一项合同法律制度。

预期违约的违约责任承担与其他不履行合同的违约责任并没有不同,只是请求权发生时间提前了,即对方可以在履行期届满前请求承担违约责任。

(2)实际违约

①不履行

不履行是指在合同履行期届满时,合同当事人完全不履行自己的合同义务。它分为以下几种:

a.根本违约。是指当事人一方迟延履行债务或者有其他违约行为,致使不能实现合同目的。

b.拒绝履行。又称给付拒绝,是指履行期届满时,债务人无正当理由表示不履行合同义务的行为。

②不符合约定的履行

a.迟延履行。是指债务人无正当理由,在合同规定的履行期届满时,仍未履行合同债务。合同中未约定履行期限的,在债权人提出履行催告后仍未履行债务,就是迟延履行。

b.质量有瑕疵的履行。又称不适当履行,是指债务人所做的履行不符合合同规定的质量标准,甚至因交付的产品有缺陷而造成他人人身、财产的损害。

c.不完全履行。又称不完全给付,是指债务人虽然以完全给付的意思为给付,但给付不符合债务本旨。不完全履行包括:部分履行,如交付的标的物在数量上不足,还有部分未交付;履行地点不当,如在合同履行中擅自变更履行地点;履行方法不当,如本应一次履行完却分期或分批履行。

③其他违反合同义务的行为

其他违反合同义务的行为主要是指违反法定的通知、协助、保密等义务的行为。

2.违约责任的承担形式

合同当事人违反合同义务,承担违约责任的种类主要有:继续履行、采取补救措施、停止违约行为、赔偿损失、支付违约金或定金等。

(1)继续履行

《中华人民共和国民法典》规定,当事人一方不履行合同义务或者履行合同义务不符合约定的,应当承担继续履行、采取补救措施或者赔偿损失等违约责任。

继续履行是一种违约后的补救方式,是否要求违约方继续履行是非违约方的一项权利。继续履行可以与违约金、定金、赔偿损失并用,但不能与解除合同的方式并用。

(2)违约金和定金

违约金有法定违约金和约定违约金两种:由法律规定的违约金为法定违约金;由当事人约定的违约金为约定违约金。

《中华人民共和国民法典》规定,当事人可以约定一方违约时应当根据违约情况向对方支付一定数额的违约金,也可以约定因违约产生的损失赔偿额的计算方法。

约定的违约金低于造成的损失的,人民法院或者仲裁机构可以根据当事人的请求予以增加;约定的违约金过分高于造成的损失的,人民法院或者仲裁机构可以根据当事人的请求予以适当减少。

当事人可以约定一方向对方给付定金作为债权的担保。定金合同自实际交付定金时成立。定金的数额由当事人约定;但是,不得超过主合同标的额的20%,超过部分不产生定金的效力。实际交付的定金数额多于或者少于约定数额的,视为变更约定的定金数额。债务人履行债务的,定金应当抵作价款或者收回。给付定金的一方不履行债务或者履行债务不符合约定,致使不能实现合同目的的,无权请求返还定金;收受定金的一方不履行债务或者履行债务不符合约定,致使不能实现合同目的的,应当双倍返还定金。

当事人既约定违约金,又约定定金的,一方违约时,对方可以选择适用违约金或者定金条款。定金不足以弥补一方违约造成的损失的,对方可以请求赔偿超过定金数额的损失。

案例 5-4

双方为订立建设工程合同所设立的押金在合同未签订时如何处理？

【案情简介】

2019年6月10日，甲公司向乙公司承诺，将某项目装修工程发包给乙公司，并收取了乙公司20万元。同时，甲公司表示，如果30日内不能让乙公司入场施工，即双倍返还押金；如乙公司不能如期施工，则没收押金，并当即出示收条。之后，甲公司未能兑现承诺，故乙公司要求双倍返还押金。甲公司在支付了20万元后拒绝继续支付，乙公司诉诸法院。法院判令甲公司支付罚金20万元。

案例辨析

《中华人民共和国民法典》规定，当事人可以约定一方向对方给付定金作为债权的担保。债务人履行债务后，定金应当抵作价款或者收回。给付定金的一方不履行约定的债务的，无权要求返还定金；收受定金的一方不履行约定的债务的，应当双倍返还定金。在本案例中，双方约定的押金实际上是立约定金。由于《中华人民共和国建筑法》规定建设工程合同必须采用书面形式，所以双方仅有口头协议而未签订书面合同，建设工程合同并未成立。这笔押金是当事人为保证以后正式订立确认双方权利、义务关系的书面合同而专门设立的定金，因此是立约定金。甲公司没有履行相应的义务，应当双倍返还定金。

3.违约责任的免责事由

在合同履行过程中，如果出现法定的免责条件或合同约定的免责事由，违约人将免于承担违约责任。我国的《中华人民共和国民法典》仅承认不可抗力为法定的免责事由。

《中华人民共和国民法典》规定，当事人一方因不可抗力不能履行合同的，根据不可抗力的影响，部分或者全部免除责任，但是法律另有规定的除外。

因不可抗力不能履行合同的，应当及时通知对方，以减轻可能给对方造成的损失，并应当在合理期限内提供证明。当事人迟延履行后发生不可抗力的，不免除其违约责任。

免责事由又称免责条件，是指法律规定或者合同中约定的当事人对其不履行或者不适当履行合同义务免于承担违约责任的条件。通常包括不可抗力、受害人过错和免责条款。

（1）不可抗力

所谓不可抗力，是指不能预见、不能避免且不能克服的客观情况。其含义有三：第一，不可抗力仅指客观情况，即独立于个体之外的事件；第二，不可抗力具有不可预见性，即合同当事人以现有的技术水平、经验无法预知；第三，不可抗力具有不可避免性和不可克服性。不可避免是指不可抗力及其损害后果的发生具有必然性，而且当事人即使尽最大努力仍不能加以避免；不可克服是指不可抗力及其损害后果发生后，当事人即使尽最大努力仍不能加以克服，因而无法履行或者适当履行合同义务。不可抗力的影响大小、范围各异，故免除违约责任的范围应有所不同。换言之，部分或者全部免责受限于不可抗力对当事人履行合同义务的影响程度。而且，不可抗力作为免责事由以其发生于合同履行期间为条件,如果不可抗力发生于一方当事人迟延履行后,迟延履行当事人不得以不可抗力作为免责事由,否则无异于鼓励当事人怠于履行合同义务。

我国法律并没有明确规定不可抗力的范围,各国对于不可抗力的范围更没有统一的规定。不可抗力一般包括如下情况:

①自然事件:如地震、洪水、泥石流、火山爆发、海啸等。

②社会事件:如战争、暴乱、骚乱、特定的政府行为等。

(2)受害人过错

受害人过错是指受害人对违约行为或者违约损害后果的发生或者扩大存在过错。

(3)免责条款

免责条款是指合同当事人约定的排除或者限制其将来可能发生的违约责任的条款。只要具有免责条款规定的情形,当事人纵然有违约行为,也不承担违约责任。但是,合同中的免除造成对方人身伤害、因故意或者重大过失造成对方财产损失的违约责任的免责条款无效,当事人对此类损害仍应当承担赔偿责任。

5.3 建设工程合同的变更和解除

5.3.1 建设工程合同的变更

1.概念及类型

合同的变更有广义与狭义之分。狭义的合同变更是指合同内容的某些变化,是在主题不变的前提下,在合同没有履行或没有完全履行前,由于一定的原因,由当事人对合同约定的权利、义务进行局部调整。这种调整,通常变现为对合同某些条款的修改或补充。广义的合同变更是指除包括合同内容的变更外,还包括合同主体的变更,即由新的主体取代原合同的某一主体。这实质上是合同的转让。

合同的变更有以下类型:

①基于法律的直接规定变更合同,如债务人违约致使合同不能履行,履行合同的债务变为损害赔偿债务。

②在合同因重大误解而成立的情况下,有权人可诉请变更或撤销合同,由法院裁决变更合同。

③在情事变更使合同履行显失公平的情况下当事人诉请变更合同,由法院依职权裁决变更合同。

④当事人各方协商同意变更合同。

⑤形成权人行使形成权使合同变更。

2.合同变更的成立条件

(1)原已存在合同关系

合同变更是改变原合同关系,因此,合同变更离不开原已存在合同关系这一条件。

(2)合同内容发生变化

合同内容的变更包括:标的变更;标的物数量的增减;标的物品质的改变;价款或酬金的增

减；履行期限的变更；履行地点的改变；履行方式的改变；结算方式的改变；所附条件的增添或除去；单纯债权变为选择债权；担保的设定或消失；违约金的变更；利息的变化等。

(3)当事人协商一致，可以变更合同。当事人对合同变更的内容约定不明确的，推定为未变更的合同。

①合同的变更必须经当事人双方协商一致，如果双方当事人就变更事项达成一致意见，则变更后的内容取代原合同的内容，当事人应当按照变更后的内容履行合同。如果一方当事人未经对方同意就改变合同的内容，不仅变更的内容对另一方没有约束力，其做法还是一种违约行为，应当承担违约责任。

②对合同变更内容约定不明确的推定

合同变更的内容必须明确约定。如果当事人对于合同变更的内容约定不明确，则将被推定为未变更。任何一方不得要求对方履行约定不明确的变更内容。

③合同基础条件变化的处理

合同成立后，合同的基础条件发生了当事人在订立合同时无法预见的、不属于商业风险的重大变化，继续履行合同对于当事人一方明显不公平的，受不利影响的当事人可以与对方重新协商；在合理期限内协商不成的，当事人可以请求人民法院或者仲裁机构变更或者解除合同。

(4)必须遵守法律要求的方式

对合同的变更，法律要求采取一定方式的，必须遵守此种要求。基于情事变更原则变更合同，变更意思表示不真实的合同，必须经法院裁决。当事人协议变更合同，有时需要采用书面形式，有时则无此要求。法律、行政法规规定变更合同应当办理批准、登记等手续的，依照其规定。

5.3.2 建设工程合同的转让

合同的转让实际上是合同权利、义务的转让，是指合同当事人一方依法将合同权利、义务全部或部分地转让给第三人。它包括合同权利的转让、合同义务的转让和合同权利、义务的概括转移。

1.合同权利(债权)的转让

(1)合同权利(债权)的转让范围

《中华人民共和国民法典》规定，债权人可以将债权的全部或者部分转让给第三人，但是有下列情形之一的除外：

①根据债权性质不得转让的债权。债权是在债的关系中权利主体具备的能够要求义务主体为一定行为或者不为一定行为的权利。债权和债务一起共同构成债的内容。如果债权随意转让给第三人，会使债权债务关系发生变化，违反当事人订立合同的目的，使当事人的合法利益得不到应有的保护。

②按照当事人约定不得转让的债权。当事人订立合同时可以对债权的转让做出特别约定，禁止债权人将债权转让给第三人。这种约定只要是当事人真实意思的表示，同时不违反法律禁止性规定，即对当事人产生法律的效力。债权人如果将债权转让给他人，其行为将构成违约。

③依照法律规定不得转让的债权。《中华人民共和国民法典》规定，最高额抵押担保的债权确定前，部分债权转让的，最高额抵押权不得转让，但是当事人另有约定的除外。最高额抵押担保的债权确定前，抵押权人与抵押人可以通过协议变更债权确定的期间、债权范围以及最高债权额。但是，变更的内容不得对其他抵押权人产生不利影响。

(2)合同权利(债权)的转让应当通知债务人

《中华人民共和国民法典》规定，债权人转让债权的，未通知债务人的，该转让对债务人不发生效力。债权转让的通知不得撤销,但是经受让人同意的除外。

需要说明的是,债权人转让权利应当通知债务人,未经通知的转让行为对债务人不发生效力,但债权人债权的转让不需要得到债务人的同意。这一方面是尊重债权人对其权利的行使,另一方面也防止债权人滥用权利损害债务人的利益。当债务人接到权利转让的通知后,权利转让即行生效,原债权人被新的债权人替代,或者新债权人的加入使原债权人不再完全享有原债权。

(3)债务人对让与人的抗辩

《中华人民共和国民法典》规定,债务人接到债权转让通知后,债务人对让与人的抗辩,可以向受让人主张。抗辩权是指债权人行使债权时,债务人根据法定事由对抗债权人行使请求权的权利。债务人的抗辩权是其固有的一项权利,并不随权利的转让而消灭。在权利转让的情况下债务人可以向新债权人行使该权利。受让人不得以任何理由拒绝债务人权利的行使。

(4)从权利随同主权利转让

《中华人民共和国民法典》规定,债权人转让债权的,受让人取得与债权有关的从权利,但是该从权利专属于债权人自身的除外。受让人取得从权利不因该从权利未办理转移登记手续或者未转移占有而受到影响。

2. 合同义务(债务)的转让

《中华人民共和国民法典》规定,债务人将债务的全部或者部分转移给第三人的,应当经债权人同意。债务人或者第三人可以催告债权人在合理期限内予以同意,债权人未作表示的,视为不同意。

债务转移分为两种情况:一是债务的全部转移,在这种情况下,新的债务人完全取代了旧的债务人,新的债务人负责全面履行债务;另一种情况是债务的部分转移,即新的债务人加入到原债务中,与原债务人一起向债权人履行义务。无论是转移全部债务还是部分债务,债务人都需要征得债权人同意。未经债权人同意,债务人转移债务的行为对债权人不发生效力。

3. 合同中权利和义务的一并转让

《中华人民共和国民法典》规定,当事人一方经对方同意,可以将自己在合同中的权利和义务一并转让给第三人。合同的权利和义务一并转让的,适用债权转让、债务转移的有关规定。权利和义务一并转让,是指合同一方当事人将其权利和义务一并转移给第三人,由第三人全部承受这些权利和义务。权利义务一并转让的后果,导致原合同关系的消灭,第三人取代了转让方的地位,产生出一种新的合同关系。只有经对方当事人同意,才能将合同的权利和义务一并转让。如果未经对方同意,一方当事人擅自一并转让权利和义务的转让行为无效,对方有权就转让行为对自己造成的损害,追究转让方的违约责任。

5.3.3 建设工程合同的终止

合同的终止,是指依法生效的合同,因具备法定的或当事人约定的情形,合同的债权债务归于消灭,债权人不再享有合同的权利,债务人也不必再履行合同的义务。《中华人民共和国民法典》规定,有下列情形之一的,债权债务终止:

(1)债务已经履行;

(2)债务相互抵销;

(3)债务人依法将标的物提存;

(4)债权人免除债务;

(5)债权债务同归于一人；
(6)法律规定或者当事人约定终止的其他情形。

资料链接5-1

单方可以请求解除工程施工合同的情况。

在建设工程施工合同中，承包人发生下列情形之一的，发包人可以请求解除合同：

①承包人明确表示或以行为表明不履行合同主要义务的。
②在合同约定的期限内没有完工，且在发包人催告的合理期限内仍未完工。
③已经完成的建设工程质量不合格，且承包人拒绝修复的。
④承包人将承包的建设工程非法转包、违法分包的。

发包人具有下列情形之一，致使承包人无法施工，且在催告的合理期限内仍未履行相应义务的，承包人可以请求解除建设工程合同：

①发包人未按约定支付工程价款的。
②发包人提供的主要建筑材料、建筑构配件和设备不符合强制性标准的。
③发包人不履行合同约定的协助义务的。

案例5-5

原业主被兼并，由谁负责对工程进行验收？

【案情简介】

乙公司与甲厂就甲厂技术改造工程签订建设工程承包合同。合同约定：乙公司承担甲厂技术改造工程项目28项，负责承包各项目的土建部分；承包方式为固定总价合同，竣工后办理结算。合同签订后，乙公司按照合同约定完成了该工程的各土建项目，并于2019年9月24日竣工。孰料，甲厂2019年7月被丙公司兼并，由丙公司承担甲厂的全部债权、债务，承接甲厂的各项工程合同、借款合同及各种协议。乙公司在工程竣工后多次催促丙公司对工程进行验收并支付所欠工程款，丙公司对此一直置之不理，既不验收已竣工工程，也不支付工程款。乙公司无奈之下将甲厂、丙公司诉诸法院。法院审理后，判决丙公司对已完工的土建项目进行验收，验收合格后向乙公司支付所欠工程款项。

案例辨析

《中华人民共和国民法典》规定，当事人订立合同后合并的，由合并后的法人或者其他组织行使合同权利，履行合同义务。本案例中，在甲厂被丙公司兼并前，承包人乙公司与发包人甲厂签订了建设工程承包合同。甲厂被丙公司兼并后，丙公司承担了甲厂的全部债权、债务，并同时承接了甲厂的各项工程合同，丙公司应当继续履行乙公司与甲厂签订的建设工程承包合同，代替甲厂成为合同当事人（发包人）。《中华人民共和国民法典》规定，建设工程竣工后，发包人应当根据施工图纸及说明书、国家颁发的施工验收规范和质量检验标准及时进行验收。因此，丙公司应履行竣工验收的责任。

5.4 FIDIC《土木工程施工合同条件》简介

FIDIC(中文译为菲迪克)是国际咨询工程师联合会(Fédération Internationale Des Ingénieurs Conseils)法文名称首字母的缩写。FIDIC 于 1913 年由欧洲三个国家的咨询工程师协会在比利时成立,在每个国家只吸收一个独立的咨询工程师协会作为团体会员。经过近百年的发展,该联合会已拥有 80 多个代表不同国家和地区的咨询工程师专业团体会员,分属于 4 个地区性组织,即亚洲及太平洋地区成员协会(ASPAC)、欧洲共同体成员协会(CEDIC)、非洲成员协会集团(CAMA)和北欧成员协会集团(RINORD)。可以说,FIDIC 代表了世界上大多数咨询工程师,是国际上最有权威的咨询工程师组织之一,也是被世界银行认可的国际咨询服务机构。

FIDIC 成立以来,对国际上实施工程建设项目以及促进国际经济技术合作的发展起到了重要作用。由其编制的 FIDIC 合同条件已形成"彩虹系列",由《土木工程施工合同条件》(红皮书)、《机电工程合同条件》(黄皮书)、《设计、施工及交钥匙合同条件》(橙皮书)和《业主与咨询工程师服务协议模式》(白皮书)以及《设计、采购及施工合同条件》(银皮书)、《FIDIC 合同条件的简短合同格式》(绿皮书)6 种示范合同组成。在"彩虹系列"中,红皮书是基本合同条件,其他 5 种示范合同是根据工程类型不同在红皮书的基础上演变而来的。

《土木工程施工合同条件》是 FIDIC 最早编制的合同文本,也是其他几个合同条件的基础。其主要特点表现为:条款中责任的约定以招标选择承包商为前提;合同履行过程中建立以工程师为核心的管理模式;以单价合同为基础(也允许部分工作以总价合同承包)。建设部颁发的《建设工程施工合同文本》采用了很多《土木工程施工合同条件》的条款。

FIDIC 出版物被世界银行、亚洲开发银行等国际和区域发展援助金融机构作为实施项目的合同和协议范本。这些合同和协议文本的条款内容严密,对履约各方和实施人员的职责、义务做了明确的规定;对实施项目过程中可能出现的问题也都有比较合理的规定,以利于人们遵循解决。这些协议性文件为实施项目进行科学管理提供了可靠的依据,有利于保证工程质量、工期和控制成本,使业主、承包人以及咨询工程师等有关人员的合法权益得到尊重。此外,FIDIC 还编辑出版了一些供业主和咨询工程师使用的业务参考书籍和工作指南,以帮助业主更好地选择咨询工程师,使咨询工程师更全面地了解业务工作范围和根据指南进行工作。FIDIC 制定的承包商标准资格预审表、招标程序、咨询项目分包协议等都很有实用参考价值,在国际上受到普遍欢迎,得到了广泛承认和应用。

案例 5-6

【案情简介】

云南云安房地产开发有限公司诉昆明中策装饰(集团)有限公司装饰装修合同纠纷案。

2014年8月15日,原告云南云安房地产开发有限公司与被告昆明中策装饰(装修)有限公司签订《室内装修施工合同》,合同约定:由被告承包本市昆瑞路云安阳光城5栋201、202号、6栋302号等共计6套样板房室内硬装部分装修工程(不含软装配套),工程总包干价1 178 567元。施工工期为45天,准确开工日期以原告开工令次日起核算。工程竣工验收合格后,即向原告交付钥匙。

案例辨析

关于工程保修,合同约定,工程承包范围内的全部项目为保修内容、范围,保修期限按建筑工程质量管理条例执行,质量保修期自工程竣工验收合格之日起计算。

属于保修范围、内容的项目,被告应当在接到保修通知之日起24小时内派人保修,被告不在约定期限内派人保修的,原告可以委托他人修理,所发生的费用由被告承担。

质量保修完成,由原告组织验收,保修费用由造成质量缺陷的责任方承担。

2017年11月2日,原告向被告发出《关于"云安阳光城样板房5栋201房"施工质量处理的联系函》,称住户入住后使用发现插座跳闸,经检查,是房间所有插座线路接地有问题导致空开跳闸,住户不能正常使用,属功能性问题,存在安全隐患……请被告安排专业施工人员尽快上门进行处理。

2018年9月18日,原告与案外人云南云安建筑股份有限公司(以下简称云安建筑)签订《云安阳光城5栋201房共用卫生间渗水改造工程施工合同》,合同约定,云安阳光城5栋201号房共用卫生间渗水改造工程由云安建筑施工。工程包干价为17 172.07元,合同工期为45天,从2018年9月21日至2018年11月6日,具体施工日期以原告通知为准。2018年9月21日,云安建筑开始施工。

施工过程中发现是卫生间防水质量问题导致墙体受潮,随后原告在2018年9月22、23日对客卫进行墙地砖拆除重新做防水层,在拆除地面砖时出现火花,发现下列问题:

(1)沿地面砖下的电线没有穿线管,电线裸露埋设,不符合国家规范要求;

(2)地面埋设处有多处线路接头不符合国家规范要求;

(3)插座线路检测,绝缘电阻不符合国家规范要求;

(4)给排水管未使用同一厂家配件,不符合国家规范要求。

为此原告要求被告安排专业施工人员(3日内)上门将存在的问题处理。否则,原告将委托第三方进行处理,产生的一切费用由被告承担。

2018年12月20日,原告与云安建筑对该漏水维修改造工程进行了结算,结算金额为17 172.07元,原告向云安建筑支付了该款项。

思考与训练

一、选择题

1. 承包商为赶工期,向水泥厂紧急发函,要求按市场价格订购 200 吨 425 硅酸盐水泥,并要求 3 日内运抵施工现场,该承包商的订购行为( )。

   A.属于要约邀请,随时可以撤销

   B.属于要约,在水泥运抵施工现场前可以撤回

   C.属于要约,在水泥运抵施工现场前可以撤销

   D.属于要约,而且不可撤销

2. 受要约人在要约规定的期限内发出的书面承诺,由于水灾导致邮路中断,致使到达要约人的时间超过承诺期限。按照《中华人民共和国民法典》的规定,下列选项中正确的是( )。

   A.应视为受要约人撤回承诺

   B.应视为受要约人撤销承诺

   C.若要约人未做出任何表示,则该承诺有效

   D.因承诺超过规定期限到达,故该承诺只能无效

3. 开发商拖欠承包商工程款 700 万元,承包商认为可以用开发的商品房抵账,因此并不急于追索。同时,承包商拖欠劳务分包商报酬 150 万元已达 6 个月,则该劳务分包商有权( )。

   A.以自己的名义向政府行政主管部门请求付款

   B.以承包商的名义向人民法院请求开发商付款

   C.以自己的名义向人民法院请求开发商付款

   D.以承包商的名义向开发商请求付款

4. 甲与乙订立了一份水泥购销合同,约定甲向乙交付 200 吨水泥,货款 6 万元,乙向甲支付定金 1 万元;如任何一方不履行合同,应支付违约金 1.5 万元。甲因将水泥卖给丙而无法向乙交付,给乙造成损失 2 万元。乙提出的如下诉讼请求中,不能获得法院支持的是( )。

   A.要求甲双倍返还定金 2 万元

   B.要求甲双倍返还定金 2 万元,同时支付违约金 1.5 万元

   C.要求甲支付违约金 2 万元

   D.要求甲支付违约金 1.5 万元

5. 甲与乙签订房屋买卖合同,将自有的一幢房屋卖给乙,并约定任何一方违约须向对方支付购房款 25% 的违约金。但在交房前甲又与丙签订合同,将该房屋卖给丙,并与丙办理了过户登记手续,则下列选项中错误的是( )。

   A.若乙要求甲支付约定的违约金,甲可以请求法院或仲裁机构予以适当减少

   B.甲必须收回房屋并向乙方交付

   C.丙取得该房屋的所有权

   D.乙不能要求甲实际交付该房屋,但可以要求甲承担违约责任

6. 建设单位与供货商签订的钢材供货合同未约定交货地点,后双方对此没有达成补充协议,

也不能依其他方法确定,则供货商备齐钢材后,(　　)。

A.应将钢材送到施工现场

B.可通知建设单位自提

C.应将钢材送到建设单位的仓库

D.应将钢材送到建设单位的办公所在地

7.甲供货单位与乙采购单位于2009年3月1日订立水泥供应合同。约定水泥价格为每吨370元,2010年5月1日交货,逾期交货1个月的违约金为每吨10元。甲实际交货为2010年6月1日。2010年5月1日水泥市场价格为每吨380元,2010年6月1日水泥市场价格为每吨390元,则乙最终应付价款为每吨(　　)元。

A.360　　　　B.370　　　　C.380　　　　D.390

8.甲是乙的债务人,乙是丙的债务人,由于乙怠于行使自己到期的债权导致无法偿还对丙的债务,则下列选项中正确的是(　　)。(提示:参阅《中华人民共和国民法典》中有关合同保全条款)

A.丙可以行使代位权,代替乙向甲行使债权

B.丙必须以乙的名义行使乙的债权

C.丙可以行使不安抗辩权

D.甲可以行使代位权,直接向丙偿还债务

二、问答题

1.什么是合同?合同具有哪些特征?

2.简述建设工程合同订立的程序。

3.什么是缔约过失责任?其主要类型有哪些?

4.什么是合同解除?在建设工程施工合同中,发包人和承包人在哪些情况下可以解除合同?

三、技能训练题

1.发包人未提供生产条件应承担何种法律责任?

发包人甲公司与承包人乙建筑承包公司于2009年8月签订了一份土地平整工程合同。合同约定:承包人为发包人平整土地,造价205万元,交工日期是2009年11月底。在合同履行中因发包人未解决征用土地问题,承包人施工时被当地居民阻拦,使承包人5台推土机无法进入施工现场,窝工240个台班。后经双方协商同意将原合同规定的交工日期迟延到2009年12月底。工程完工结算时,双方又因停工、窝工问题发生争议,发包人拒付工程款。承包人诉诸法院要求支付工程款,赔偿窝工损失。

请问:本案例该如何处理?

2.建设工程合同可以通过口头形式订立吗?

承包人和发包人签订了物流货物堆放场地平整工程合同,规定工程按该市工程造价管理部门颁布的"综合价格"进行结算。在履行合同过程中,因发包人未解决好征地问题,使承包人7台推土机无法进入场地,窝工200天,致使承包人没有按期交工。经发包人和承包人口头交涉,在征得承包人同意的基础上按承包人实际完成的工程量变更合同,并商定按"冶金部广东省某厂估价标准机械化施工标准"结算。工程完工结算时因为窝工问题和结算依据发生争议。承包人起诉,要求发包人承担全部窝工责任并坚持按第一次合同规定的计价依据和标准办理结算,而发包

人在答辩中则要求承包人承担延期交工责任。法院经审理判决第一份合同有效,第二份变更的合同无效,工程结算的依据应当依双方第一次签订的合同为准。

请你根据以上情况,加以评析。

3. 合同订立程序问题

某市甲食品公司因要建造一栋大楼,故急需水泥,其基建处遂向本省的A水泥厂、B水泥厂及原告C水泥厂发出函电。函电中称:"我公司急需标号为150号的水泥100吨,如贵厂有货,请速来函电,我公司愿派人前往购买。"三家水泥厂在收到函电之后,都先后向甲食品公司回复了函电,在函电中告知备有现货,且告知了水泥的价格,而C水泥厂在发出函电的同时,还派车给甲食品公司送去了50吨水泥。在该批水泥送达之前,甲食品公司得知B水泥厂所产的水泥质量较好且价格合理,因此向B水泥厂发去函电,称:"我公司愿购买贵厂100吨150号水泥,盼速发货,运费由我公司负担。"在发出函电后第2天上午,B水泥厂发函电称已准备发货。当日下午,C水泥厂将50吨水泥送到,甲食品公司告知C水泥厂,他们已决定购买B水泥厂的水泥,因此不能接收C水泥厂送来的水泥。C水泥厂认为,甲食品公司拒收货物已构成违约,双方协商不成,C水泥厂遂向法院起诉。

请问:

(1)甲食品公司向三家水泥厂分别发函电的行为,在《中华人民共和国民法典》上属于什么行为?三家水泥厂回函电的行为是什么行为?

(2)甲食品公司第二次向B水泥厂发函电的行为是什么行为?甲食品公司与B水泥厂之间的买卖合同是否成立?为什么?

(3)C水泥厂与甲食品公司之间的买卖合同是否成立?

4. 合同转让

案情简介:

某房地产公司购买某市中心地块筹建某大厦,且已选定某市第七建筑公司作为施工总承包单位,经业主同意,第七建筑公司将部分安装工程分包给某安装公司并签订安装工程承包合同,安装工程造价6 000万元人民币。安装工程开工之前,应总包单位的要求,安装公司进驻现场做一些准备工作,约三个月。此时某房地产公司将整个项目卖给上海某房地产开发公司,该公司指令总承包单位更换安装项目承包单位,并愿意承担更换安装工程施工单位所造成的损失。在此情况下,经总承包单位、某安装公司和上海某房地产开发公司三方协商,上海某房地产开发公司赔偿某安装公司经济损失190万元人民币。

问题:(1)合同可以转让否?

(2)某安装公司是否可以要求赔偿?

微课9　模块5选择题

微课10　模块5技能训练题

模块 6

建设工程监理法规

学习导向

推荐学习方法　以建设工程监理的基本概念为切入点,了解我国有关建设监理法律、法规现状;根据监理实施要点的总结,深刻体会工程建设中监理的重要性,理解我国建设工程监理合同的基本内容。

理论知识要求　1.了解建设工程监理的基本概念。
2.熟悉建设工程监理实施的范围和原则。
3.重点掌握我国工程监理实施的具体内容。
4.理解建设工程监理合同各条款的重要性。

能力素质要求　1.具有初步运用法律、法规规范监理行为的能力。
2.具有签订工程建设监理合同的能力。

引例

　　HJ 监理公司是 B 市实力最雄厚的监理企业,承揽并完成了很多大、中型工程项目的监理任务,积累了丰富的经验,建立了一定的业务关系。某业主投资建设一栋 28 层高层住宅,因 HJ 监理公司曾承揽过类似工程的监理任务,所以业主就指定由 HJ 监理公司实施委托监理工作并签订了书面合同。在合同的通用条款中详细填写了委托监理任务,其主要监理任务及合同内容有:

(1)除因业主原因发生的时间延误外,任何时间延误,HJ 监理公司应支付相当于施工单位误期罚款的 20% 给业主。如工期提前,HJ 监理公司可得到相当于施工单位工期提前奖金的 20%。

(2)凡是由于监理工程师的差错、失误而造成重大经济损失,HJ 监理公司应当付给业主一定比例(取费费率)的赔偿费;如未出现差错、失误,HJ 监理公司可得到全部监理费。

(3)施工期间每发生一起施工人员重伤事故,HJ 监理公司受罚款 1 万元;发生一起死亡事故,HJ 监理公司受罚款 3 万元。

……

在施工过程中,业主和承包人经常发生争议,总监理工程师以业主的身份与承包人进行协商。

问题:指出背景材料中的不妥之处,并说明理由。

建设工程监理制度是我国工程建设领域中项目管理体制的重大改革举措之一,它是与投资体制、承包经济责任体制、建筑市场开放体制、招标投标体制、项目业主体制等改革制度相匹配的改革制度,是为适应社会化大生产的需要和社会主义市场经济发展而产生的。

实践表明,实行建设工程监理制度可以有效地控制建设工期,确保工程质量,控制建设投资,从而促进工程建设水平和投资效益的提高,保证国家建设计划的顺利实施,为我国建设事业持续和健康发展发挥了独特作用。

6.1 概　述

1.建设工程监理的概念

建设工程监理是指具有相应资质的工程监理企业,接受建设单位的委托,承担其项目管理工作,并代表建设单位对承建单位的建设行为进行监控的专业化活动。

建设单位也可称为业主或项目法人,它是委托监理的一方。工程监理企业是指取得企业法人营业执照,具有监理资质证书的依法从事建设工程监理业务活动的经济组织,是被委托监理的一方。承建单位主要是指直接与建设单位签订咨询合同、建设工程勘察合同、设计合同、材料设备供应合同或施工合同的单位。

工程监理和政府质量监督都是工程建设领域的监督管理活动。但是前者是民间、社会行为,后者是政府行为(也有一种说法,我国监理分为社会监理和政府监理),二者存在很大的差异。

(1)性质不同

建设监理依据委托监理合同代表业主实施监督与管理,是高智能的有偿技术服务。监理单位是具有独立法人资格、自负盈亏的企业单位。它只能在资质等级许可范围内实施工程监理,无地域性的限制。对业主负责是一种委托的服务性活动。建设工程质量监督机构是经省级以上建设行政主管部门或有关专业部门考核认定具有独立法人资格的事业单位。它是接受县级以上地方人民政府建设行政主管部门或有关专业部门的委托,依法对它所管辖区域范围内的建设工程项目实施强制性质量监督检查的专职执法机构。对委托部门负责,是一种强制性的政府监督行为。

(2)权利不同

建设单位与监理单位是委托与被委托的合同关系,监理单位与施工单位是监理与被监理的关系。监理单位接受政府监督机构的监督检查。监理单位无仲裁权。委托人与承包人发生争议,监理机构以独立的身份判断,公正地进行调解。建设行政主管部门调解或仲裁机构仲裁时,它提供做证的事实材料。监督机构与承、发包方是监督与被监督的关系。监督机构有权对监理单位的监理行为进行监督检查。工程质量发生争议,监督机构有仲裁权。

(3)职责不同

建设监理工作包括控制工程建设的投资、建设工期和工程质量,进行工程建设合同管理、信息管理和协调有关单位的工作关系,即"三控制、二管理、一协调",是对工程质量微观性的监控与检查。监督机构主要在项目建设的施工阶段,对建设行为各方主体(建设、勘察、设计、施工、监理)在建设活动中的质量行为实施监督检查,重点对有关工程质量的法律、法规和强制性标准执行情况进行监督检查。

(4)工作依据不同

监理单位不仅要依据国家的法律、法规、技术标准及设计文件,还要依据施工合同和监理合同来开展工作。质量监督机构的工作则依据国家的法律、法规、强制性标准及设计文件。

(5)手段不同

建设监理综合运用技术、经济和法律手段,对工程质量不合格者令其返工、停工、不进行工程计量、不支付工程款、违约索赔,以制约施工单位。监督机构主要采用行政手段,对违法、违章、违规的行为视其情节轻重,提出警告、通报、罚款、责令停工整顿,建议上级有关部门降低施工企业资质等级。

(6)方法不同

监理单位的监理方法是采取旁站、巡视、平行检验、例会、专题会等形式,对建设工程实施监理。监督机构的监督方法是事先资质审查和重点抽查相结合,以抽查为主,重点抽查地基与基础、主体结构以及决定使用功能和安全性能的重要部位。

(7)收费不同

监理单位的收费按国家指导性标准收费,监督机构的收费按国家或地方规定费率收费。

2.我国建设监理制度与立法

从中华人民共和国成立直至20世纪80年代,我国固定资产投资基本上是由国家统一安排计划,由国家统一财政拨款。在我国当时经济基础薄弱、建设投资和物资短缺的条件下,这种方式对于国家集中有限的财力、物力、人力进行经济建设,迅速建立我国的工业体系和国民经济体系起到了积极作用。

20世纪80年代,我国进入了改革开放的新时期,国务院决定在基本建设和建筑业领域采取一些重大的改革措施,例如,投资有偿使用、投资包干责任制、投资主体多元化、工程招标投标制等。在这种情况下,改革传统的建设工程管理形式,已经势在必行;否则,将难以适应我国经济发展和改革开放新形势的要求。在鲁布革水电站引水工程成功实行工程监理后,我国的一些大型项目开始尝试建设管理体制改革。随着我国改革开放的深入以及市场经济体制的深化,具有中国特色的工程建设项目管理模式——建设监理制度逐步成形。

建设工程监理于1988年在我国八市二部试点,即工程监理试点阶段(1988—1993年),国家颁发了《建设监理试行规定》,这是我国开展建设监理工作的第一个法规性文件。5年后逐步推开,进入工程监理稳步推进阶段(1993—1995年),国家正式发布《建设监理规定》等相关法规文件。1996年起工程监理进入全面推进阶段。《中华人民共和国建筑法》以法律制度的形式做出规定,随后又颁布多个条例和规定,从而使建设工程监理在全国范围内进入全面推行阶段。

伴随着我国改革开放的铿锵步伐,工程建设取得了前所未有的成就,建设监理事业从无到有、从试点到推广逐步走向完善,得到了快速发展。工程监理法规体系初步建立,这些法律、法规和规章的出台,初步形成了我国建设工程监理的法规体系,为建设工程监理工作提供了法律保障。但是我们应该看到,建设工程监理法规体系和市场体系尚需进一步完善。尽管《中华人民共和国建筑法》《中华人民共和国招标投标法》《建设工程质量管理条例》《建设工程安全生产管理条例》等法律、法规中均有建设工程监理的有关规定,但目前尚未建立系统、完善的建设工程监理法规体系。这在一定程度上影响了建设工程监理行业的发展。

3.建设工程监理的依据与性质

(1)建设工程监理的依据

①有关的法律、法规、规章、标准和规范。包括《中华人民共和国建筑法》《中华人民共和国民法典》《中华人民共和国招标投标法》《建设工程质量管理条例》等法律、法规，《工程建设监理规定》等部门规章，以及地方性法规等，也包括《工程建设标准强制性条文》《建设工程监理规范》以及有关的工程技术标准、规范、规程等。

②工程建设文件。包括批准的可行性研究报告、建设用地规划许可证、建设工程规划许可证、批准的施工图设计文件、施工许可证等。

③建设工程委托监理合同和有关的建设工程合同。工程监理企业应当根据下述两类合同进行监理：一是工程监理企业与建设单位签订的建设工程委托监理合同；二是建设单位与承建单位签订的建设工程合同。

(2)建设工程监理的性质

①服务性。监理单位是智力密集型的，它本身不是建设产品的直接生产者和经营者，它为建设单位提供的是智力服务。首先，监理工程师的工作是服务性的。一方面，监理单位的监理工程师通过工程建设活动进行组织、协调、监督和控制，保证建设合同的顺利实施，达到建设单位的建设意图；另一方面，监理工程师在建设工程合同的实施过程中，有权监督建设单位和承包单位严格遵守国家有关建设标准和规范，贯彻国家的建设方针和政策，维护国家利益和公众利益。其次，监理单位的劳动与相应的报酬是技术服务性的。监理单位与工程承包公司、房地产公司不同，它不像这类企业那样承包工程造价，不参与工程承包的赢利分配，它按其支付脑力劳动量取得相应的监理报酬。

引例点评

监理工作的性质是服务性的，监理单位"不是，也不可能成为任何承包商的工程的承保人或保证人"，将施工中出现的问题与监理单位直接挂钩，与监理工作的性质不符。

②独立性。独立性是建设工程监理的又一重要特征，具体表现在以下几个方面：

a.监理单位在人际关系、业务关系和经济关系上必须独立，其单位和个人不得与工程建设的各方发生利益关系。

b.监理单位与建设单位的关系是平等的合同约定关系。监理单位所承担的任务不由建设单位随时指定，而由双方事先按平等协商的原则确立于合同之中，监理单位可以不承担合同以外建设单位随时指定的任务。如果实际工作中出现这种需要，双方必须通过协商，并以合同形式对增加的工作加以确定。监理委托合同一经确定，建设单位不得干涉监理工程师的正常工作。

c.监理单位在实施监理的过程中，是处于工程承包合同签约双方，即建设单位和承建单位之间的独立一方，它以自己的名义，行使依法成立的监理委托合同所确认的职权，承担相应的职业道德责任和法律责任。

引例点评

总监理工程师以业主身份参与调解不妥，应该是总监理工程师以独立身份进行调解。这是由监理的独立性所决定的。

③公正性。公正性是社会公认的职业道德准则，是监理行业能够长期生存和发展的基本职业道德准则。监理单位和监理工程师在实施工程建设监理活动中，特别是当这两方发生利益冲突或者矛盾时，应排除各种干扰，以公正的态度对待委托方和被监理方。应以事实为依据，以有关法律、法规和双方所签订的建设工程合同为准绳，站在第三方立场上公正地加以解决和处理，在维护建设单位的合法权益时，不损害承包单位的合法利益。

公正性是监理单位和监理工程师顺利实施其职能的重要条件。监理成败的关键在很大程度上取决于能否与承包商以及业主进行良好的合作、相互支持、互相配合，而这一切都是以监理的公正性为基础的。

④科学性。科学性是监理单位区别于其他一般服务性组织的重要特征，也是其赖以生存的重要条件，这是由建设工程监理要达到的基本目的决定的。建设工程监理以协助建设单位实现其投资目的为己任，力求在计划的目标内建成工程。面对工程规模日趋庞大，环境日益复杂，功能、标准要求越来越高，新技术、新工艺、新材料、新设备不断涌现的局面，监理单位必须具有发现和解决工程设计和承建单位所存在的技术与管理方面问题的能力，能够提供高水平的专业服务，因此它必须具有科学性。监理单位的独立性和公正性也是科学性的基本保证。

科学性主要表现在：工程监理企业应当由组织管理能力强、工程建设经验丰富的人员担任领导；应当具有由足够数量的、有丰富的管理经验和应变能力的监理工程师组成的骨干队伍；要有一套健全的管理制度；要有现代化的管理手段；要掌握先进的管理理论和方法；要积累足够的技术、经济资料和数据；要有科学的工作态度和严谨的工作作风；要实事求是、创造性地开展工作。

4.工程监理企业与工程建设各方的关系

（1）业主与监理企业的关系

业主与监理企业是法人之间的一种平等的委托合同关系，是委托与被委托、授权与被授权的关系。

引例点评

对于施工期间施工单位施工人员的伤亡，业主方并不承担任何责任，监理单位的责、权、利主要来源属于业主的委托与授权，业主并不承担的责任，合同中要求监理单位承担，也是不妥的。

（2）监理企业与承包商的关系

这里说的承包商，不仅是指施工企业，而且还包括承接工程项目规划的规划单位、承接工程勘察的勘察单位、承接工程设计业务的设计单位、承接工程施工的施工单位以及承接工程设备、工程构件和配件的加工制造单位。即凡承接工程建设业务的单位，相对于业主来说，都属于承包商。监理企业与承包商之间是平等关系，是监理与被监理的关系。

6.2 建设工程监理实施的主要内容

1. 建设工程监理的范围

建设工程监理的范围可以分为工程范围和规模标准以及阶段范围。

(1)工程范围和规模标准

《建设工程监理范围和规模标准规定》(建设部于2001年1月17日发布)规定了我国必须实行监理的建设工程项目的具体范围和规模标准,规范了建设工程监理活动,具体包括以下几类工程:

①国家重点建设工程。国家重点建设工程是指依据《国家重点建设项目管理办法》所确定的对国民经济和社会发展有重大影响的骨干项目。

②大、中型公用事业工程。大、中型公用事业工程是指项目总投资额在3 000万元以上的下列工程项目:供水、供电、供气、供热等市政工程项目;科技、教育、文化等项目;体育、旅游、商业等项目;卫生、社会福利等项目;其他公用事业项目。

③成片开发建设的住宅小区工程。成片开发建设的住宅小区工程,建筑面积在5万平方米以上的住宅建设工程必须实行监理;5万平方米以下的住宅建设工程,可以实行监理,具体范围和规模标准,由省、自治区、直辖市人民政府建设行政主管部门规定。为了保证住宅质量,对高层住宅及地基、结构复杂的多层住宅应当实行监理。

④利用外国政府或者国际组织贷款、援助资金的工程。利用外国政府或者国际组织贷款、援助资金的工程范围包括:使用世界银行、亚洲开发银行等国际组织贷款资金的项目;使用国外政府及其机构贷款资金的项目;使用国际组织或者国外政府援助资金的项目。

⑤国家规定必须实行监理的其他工程。国家规定必须实行监理的其他工程是指项目总投资额在3 000万元以上的关系到社会公共利益、公众安全的基础设施项目;学校、影剧院、体育场馆项目。

(2)阶段范围

建设工程监理适用于建设工程投资决策、设计、招标投标、施工以及竣工验收和保修等各个阶段,但目前主要是建设工程施工阶段。

2. 建设工程监理的任务

建设工程监理的中心任务是进行项目目标控制,即投资、工期和质量的控制,对项目内部的管理主要是合同和信息管理,对项目外部主要是组织协调。合同是控制、管理、协调的主要依据。概括起来,建设工程监理的任务即"三控制、两管理、一协调"。

(1)三控制

三控制即质量控制、工期控制和投资控制。对任何一项建设工程来说,质量、工期和投资往往既矛盾又统一,三项目标不可能同时达到最佳状态。工程监理的任务是根据业主的不同要求,尽可能实现三项目标接近最佳状态。

(2) 两管理

两管理是指对工程建设承发包合同管理和工程建设过程中的信息管理。承发包合同管理是建设工程监理的主要工作内容，是实现三项目标控制的手段。信息管理是信息的收集、整理、存储、传递和应用等一系列工作的总称。

(3) 一协调

一协调是指协调参与工程建设各方的工作关系。这也是监理单位顺利开展工作的前提，通过召开会议或者分别沟通等方式，使参建各方实现达成统一意见、相互协调一致的目的。

随着监理工作的深入开展和全面推广，上述原则已不适用于目前工程监理的实际情况和政府对于监理工作加大力度的要求。现在，监理单位很多采取"四控三管一协调"的监理方式，贯穿于项目的事前、事中及事后控制。"四控"就是指四个控制目标"进度、成本、质量、变更与风险"（这四项构成了"四控"）；"三管"指"合同、安全、文档"（这三项构成了"三管"）；"沟通与协调"（由此形成了"一协调"）。这也是监理单位在工程主项目建设中重点涉及的项目管理要素。此外，监理单位还会直接或间接涉及"项目组织与人员管理""计划与执行管理""执行与知识产权管理"等要素。

3. 监理实施各阶段的工作内容

(1) 监理委托前的工作

①制定监理大纲。监理大纲是社会监理单位为了获得监理任务，在投标前由监理单位编制的项目监理方案性文件，它是投标书的重要组成部分。其目的是要使业主信服，能实现业主的投资目标和建设意图，进而赢得竞争，赢得监理任务。可见，监理大纲的作用是为社会监理单位经营目标服务的，起着承揽监理任务和保证监理中标的作用。

> **引例点评**
>
> 指定监理公司不妥，应以招标方式进行确定。本工程明显不属于不招标的情形，因此应采用招标方式。

②签订监理合同。建设监理的委托与被委托实质上是一种商业性行为，是为委托双方的共同利益服务的。它用文字明确了合同的双方所要考虑的问题及想实现的目标，包括实施服务的具体内容、所需支付的费用以及工作需要的条件等。

(2) 监理委托后的准备工作

①决定项目总监理工程师，组建项目监理组织。

②熟悉工程情况，收集有关资料。

(3) 施工阶段的监理工作

①编制监理规划。监理规划是指依据监理大纲，由项目总监理工程师主持编写的指导监理工作的纲领性文件，由它统领施工阶段的监理工作。

②编制监理实施细则。监理实施细则是依据监理规划，由专业监理工程师编写的监理工作操作性文件。

③施工阶段具体监理工作的实施。通过召开工地例会、下达监理通知、开复工令、监理巡查、旁站监理、审批承包商报告等方法开展对建设工程投资、质量、进度、安全的控制,实现监理控制目标。

④参与竣工验收,并整理监理资料。

引例点评

引例中因工期拖延就对工程监理罚款是不合理的,监理不对工期负责,这是由监理的服务性所决定的。

(4)保修阶段的监理工作
①定期对工程回访,发现问题,确定缺陷责任并督促维修。
②责任期结束时全面检查。
③协助建设单位与施工单位办理合同终止手续。
(5)各阶段都可以开展其他委托服务
监理企业可以接受业主委托,承担以下技术服务:
①协助业主办理项目报建手续。
②协助业主办理项目申请供水、供电、供气、电信线路等协议或批文。
③协助业主制订商品房营销方案等。

在我国,监理企业只接受建设单位的委托,即只为建设单位服务,它不能接受承包单位的委托,为其提供管理服务。而在国际上,建设项目管理可以按服务对象的不同分为为建设单位服务的项目管理和为承包单位服务的项目管理,与我国不同。

6.3 建筑工程监理合同及相关规定

1.建设工程监理合同

(1)建设工程监理合同的概念

建设工程监理合同是我国实行建设监理制后出现的一种新型的技术性委托服务合同形式。合同当事人双方是委托方(项目法人)和被委托方(监理单位)。通过监理委托合同,项目法人委托监理单位对与项目法人签订建设工程合同的当事人履行合同进行监督、协调和评价,并应用科学的技能为项目的发包、合同的签订与实施等提供规定的技术服务。

监理合同与勘察设计合同、施工承包合同、物资采购合同、运输合同等的最大区别表现在标的性质上的差异。监理合同的标的是监理单位凭借自己的知识、经验和技能,为所监理的建设工程合同的实施,向项目法人提供服务而获取报酬。在参与工程建设的过程中,监理单位与勘察、设计、施工、设备供应等单位存在根本区别,它不直接从事生产活动,不承包项目建设生产任务。因此,按照《中华人民共和国民法典》的规定,监理合同属于委托合同。

(2)建设工程监理合同示范文本

为规范建设工程监理活动,维护建设工程监理合同当事人的合法权益,住房和城乡建设部、国家工商行政管理总局对《建设工程委托监理合同(示范文本)》(GF—2000—2002)进行了修订,制定了《建设工程监理合同(示范文本)》(GF—2012—0202)。

推行建设工程委托监理合同示范文本,有利于提高合同签订的质量,有利于减少双方签订合同的工作量,也有利于保护合同当事人的合法权益。

推行建设工程委托监理合同(示范文本),有利于提高合同签订的质量,有利于减少双方签订合同的工作量,也有利于保护合同当事人的合法权益。

《建设工程监理合同(示范文本)》具体内容包括协议书、通用条件、专用条件、附录A(服务范围和内容)、附件B(委托人派遣的人员和提供的房屋、资料、设备)。

第一部分:协议书。合同是一个总的协议,是纲领性的法律文件。合同是一份标准的格式文件,其主要内容为工程概况,合同签订、生效、完成的时间以及合同文件的组成等。

第二部分:通用条件。其内容包括合同中所用词语定义,适用范围和法规;签约双方的义务;合同生效、变更与终止;监理报酬;争议的解决以及其他一些情况。适用于各类建设工程项目监理,各委托人、监理人都应遵守。

第三部分:专用条件。由于标准条件适用于各行各业所有项目的建设工程监理,因此其条款相对于实际工程来说比较笼统。所以,具体签订某工程项目监理合同时,需要结合工程特点、地域特点和专业特点等,对标准条件中的某些条款进行补充和修正。

引例点评

在合同的通用条款中填写委托监理任务不妥,应在"专用条款"中填写。

案例6-1

签订监理合同要按规定执行。

【案情简介】

A房地产开发企业投资开发建设B住宅小区,与C监理公司签订委托监理合同。在监理职责条款中,合同约定:"乙方(C监理公司)负责甲方(A房地产开发企业)B住宅小区工程设计阶段和施工阶段的监理业务……A房地产开发企业应于监理业务结束之日起5日内支付最后20%的监理费用。"B住宅小区工程竣工一周后,C监理公司要求A房地产开发企业支付剩余20%的监理费,A房地产开发企业以双方有口头约定,C监理公司监理职责应履行至工程保修期满为由,拒绝支付,C监理公司索款未果,诉至法院。法院判决双方口头商定的监理职责延至保修期满的内容不构成委托监理合同的内容,A房地产开发企业到期未支付最后一笔监理费,构成违约,应承担违约责任,即支付C监理公司剩余20%监理费及延期付款利息。

> **案例辨析**
>
> 《中华人民共和国民法典》规定,建设工程实行监理的,发包人应当与监理人采用书面形式订立委托监理合同。发包人与监理人的权利和义务以及法律责任,应当依照本法委托合同以及其他有关法律、行政法规的规定。本案例中,A房地产开发企业开发B住宅小区,属于需要实行监理的建设工程,理应与监理人签订委托监理合同。本案争议焦点在于确定C监理公司监理义务范围。依书面合同约定,监理范围包括工程设计和施工两个阶段,而未包括工程的保修阶段;双方只是口头约定还应包括保修阶段。依《中华人民共和国民法典》规定,委托监理合同应以书面形式订立,口头形式约定不成立委托监理合同。因此,该委托监理合同关于监理义务的约定,只能包括工程设计和施工两个阶段,不应包括保修阶段,也就是说,C监理公司已完全履行了合同义务,A房地产开发企业逾期支付监理费用,属于违约行为,故判决其承担违约责任,支付监理费及利息,无疑是正确的。此类案件中,当事人还应注意监理单位的资质条件。此外,若监理单位不履行义务,给委托人造成损失的,则监理单位应与承包单位承担连带赔偿责任。

2. 监理人的义务

(1) 监理的范围和工作内容

监理范围应当在专用条件中约定。同时相关服务的范围和内容在附录A中约定。除专用条件另有约定外,监理工作内容包括:

①收到工程设计文件后编制监理规划,并在第一次工地会议7天前报委托人。根据有关规定和监理工作需要,编制监理实施细则。

②熟悉工程设计文件,并参加由委托人主持的图纸会审和设计交底会议。

③参加由委托人主持的第一次工地会议;主持监理例会并根据工程需要主持或参加专题会议。

④审查施工承包人提交的施工组织设计,重点审查其中的质量安全技术措施、专项施工方案与工程建设强制性标准的符合性。

⑤检查工程质量、安全生产管理制度及组织机构和人员资格情况。

⑥检查专职安全生产管理人员的配备情况。

⑦审查施工承包人提交的施工进度计划,核查承包人对施工进度计划的调整。

⑧检查施工承包人的试验室。

⑨审核施工分包人资质条件。

⑩查验施工承包人的施工测量放线成果。

⑪审查工程开工条件,对条件具备的签发开工令。

⑫审查施工承包人报送的工程材料、构配件、设备质量证明文件的有效性和符合性,并按规定对用于工程的材料采取平行检验或见证取样方式进行抽检。

⑬审核施工承包人提交的工程款支付申请,签发或出具工程款支付证书,并报委托人审核、批准。

⑭在巡视、旁站和检验过程中,发现工程质量、施工安全存在事故隐患的,要求施工承包人整改并报委托人。

⑮经委托人同意,签发工程暂停令和复工令。

⑯审查施工承包人提交的采用新材料、新工艺、新技术、新设备的论证材料及相关验收标准。

⑰验收隐蔽工程、分部分项工程。

⑱审查施工承包人提交的工程变更申请,协调处理施工进度调整、费用索赔、合同争议等事项。

⑲审查施工承包人提交的竣工验收申请,编写工程质量评估报告。

⑳参加工程竣工验收,签署竣工验收意见。

㉑审查施工承包人提交的竣工结算申请并报委托人。

㉒编制、整理工程监理归档文件并报委托人。

案例6-2

监理方的责任和义务。

【案情简介】

某综合性医院建设工程项目,在工程的基础施工中,施工班组的违章作业使经过监理人员检验合格的基础钢筋出现位移质量事故,在混凝土浇筑不久后被监理方发现,及时口头指示后并书面通知承包方立即停工进行处理和整改。承包方按监理方指令执行,提出质量事故报告及处理方案,经监理工程师审查批准后实施。整改完成后,经监理方重新检验确认合格后,指令复工,继续基础混凝土施工,并明确由此造成的经济损失由承包方承担,工期不予延长。监理方还将此事故及处理情况向业主做了报告。而业主代表书面提出:出现质量事故,监理公司也应负一定责任,要求扣除1‰的监理费作为罚金。

案例辨析

监理方不能接受业主代表要求扣除1‰的监理费作为罚金。因为是承包方违章作业造成的质量事故,不是由于监理的错误指令造成的,责任在承包方,不属于监理方责任。

(2)监理与相关服务依据

监理依据包括:

①适用的法律、行政法规及部门规章。

②与工程有关的标准。

③工程设计及有关文件。

④本合同及委托人与第三方签订的与实施工程有关的其他合同。

双方根据工程的行业和地域特点,在专用条件中具体约定监理依据。相关服务依据在专用条件中约定。

(3)项目监理机构和人员

①监理人应组建满足工作需要的项目监理机构,配备必要的检测设备。项目监理机构的主要人员应具有相应的资格条件。

②本合同履行过程中,总监理工程师及重要岗位监理人员应保持相对稳定,以保证监理工作

正常进行。

③监理人可根据工程进展和工作需要调整项目监理机构人员。监理人更换总监理工程师时,应提前7天向委托人书面报告,经委托人同意后方可更换;监理人更换项目监理机构其他监理人员,应以相当资格与能力的人员替换,并通知委托人。

④监理人应及时更换有下列情形之一的监理人员:

a. 严重过失行为的;

b. 有违法行为不能履行职责的;

c. 涉嫌犯罪的;

d. 不能胜任岗位职责的;

e. 严重违反职业道德的;

f. 专用条件约定的其他情形。

⑤委托人可要求监理人更换不能胜任本职工作的项目监理机构人员。

(4) 履行职责

监理人应遵循职业道德准则和行为规范,严格按照法律法规、工程建设有关标准及本合同履行职责。

①在监理与相关服务范围内,委托人和承包人提出的意见和要求,监理人应及时提出处置意见。当委托人与承包人之间发生合同争议时,监理人应协助委托人、承包人协商解决。

②当委托人与承包人之间的合同争议提交仲裁机构仲裁或人民法院审理时,监理人应提供必要的证明资料。

③监理人应在专用条件约定的授权范围内,处理委托人与承包人所签订合同的变更事宜。如果变更超过授权范围,应以书面形式报委托人批准。

在紧急情况下,为了保护财产和人身安全,监理人所发出的指令未能事先报委托人批准时,应在发出指令后的24小时内以书面形式报委托人。

④除专用条件另有约定外,监理人发现承包人的人员不能胜任本职工作的,有权要求承包人予以调换。

(5) 提交报告

监理人应按专用条件约定的种类、时间和份数向委托人提交监理与相关服务的报告。

(6) 文件资料

在本合同履行期内,监理人应在现场保留工作所用的图纸、报告及记录监理工作的相关文件。工程竣工后,应当按照档案管理规定将监理有关文件归档。

(7) 使用委托人的财产

监理人无偿使用附录B中由委托人派遣的人员和提供的房屋、资料、设备。除专用条件另有约定外,委托人提供的房屋、设备属于委托人的财产,监理人应妥善使用和保管,在本合同终止时将这些房屋、设备的清单提交委托人,并按专用条件约定的时间和方式移交。

3. 委托人的义务

(1) 告知

委托人应在委托人与承包人签订的合同中明确监理人、总监理工程师和授予项目监理机构的权限。如有变更,应及时通知承包人。

(2)提供资料

委托人应按照附录 B 约定,无偿向监理人提供工程有关的资料。在本合同履行过程中,委托人应及时向监理人提供最新的与工程有关的资料。

(3)提供工作条件

委托人应为监理人完成监理与相关服务提供必要的条件。包括委托人应按照附录 B 约定,派遣相应的人员,提供房屋、设备,供监理人无偿使用。同时委托人应负责协调工程建设中所有外部关系,为监理人履行本合同提供必要的外部条件。

(4)委托人代表

委托人应授权一名熟悉工程情况的代表,负责与监理人联系。委托人应在双方签订本合同后 7 天内,将委托人代表的姓名和职责书面告知监理人。当委托人更换委托人代表时,应提前 7 天通知监理人。

(5)委托人意见或要求

在本合同约定的监理与相关服务工作范围内,委托人对承包人的任何意见或要求应通知监理人,由监理人向承包人发出相应指令。

(6)答复

委托人应在专用条件约定的时间内,对监理人以书面形式提交并要求做出决定的事宜,给予书面答复。逾期未答复的,视为委托人认可。

(7)支付

委托人应按本合同约定,向监理人支付酬金。

特别提示:监理费的计算方法一般由业主和工程监理企业协商确定。监理费的计算方法主要有以下几种。

①按建设工程投资的百分比计算法。

②按工资加一定比例的其他费用计算法。

③按时计算法。

④固定价格计算法。

4.违约责任

(1)监理人的违约责任

监理人未履行本合同义务的,应承担相应的责任。

①因监理人违反本合同约定给委托人造成损失的,监理人应当赔偿委托人损失。赔偿金额的确定方法在专用条件中约定。监理人承担部分赔偿责任的,其承担赔偿金额由双方协商确定。

引例点评

引例中合同第二条虽然原则上没错,但在合同中应明确写明责任界定,如"重大经济损失"的内涵、监理单位赔偿比例等。合同用语切忌含糊不清。

②监理人向委托人的索赔不成立时,监理人应赔偿委托人由此发生的费用。
(2)委托人的违约责任
委托人未履行本合同义务的,应承担相应的责任。
①委托人违反本合同约定造成监理人损失的,委托人应予以赔偿。
②委托人向监理人的索赔不成立时,应赔偿监理人由此引起的费用。
③委托人未能按期支付酬金超过28天,应按专用条件约定支付逾期付款利息。
(3)除外责任
因非监理人的原因,且监理人无过错,发生工程质量事故、安全事故、工期延误等造成的损失,监理人不承担赔偿责任。
因不可抗力导致本合同全部或部分不能履行时,双方各自承担其因此而造成的损失、损害。

案例6-3

监理工程师只在合同委托范围内负责。

【案情简介】

某大型商业中心工程项目业主与某一级施工企业和某甲级监理公司分别签订了工程施工合同和施工阶段监理合同,工程开工后发生以下事件:

在商业中心工程的基础施工中,监理人员检验合格的基础钢筋出现位移质量事故,开始浇筑混凝土后不久,监理方发现是由于图纸质量有问题,监理单位及时书面通知承包方立即停工处理和整改。整改完成后,经监理方重新检验确认合格后,指令复工,继续进行基础混凝土施工。由此造成的经济损失由承包方承担,工期不予延长。监理方将此事故及处理情况向业主做了报告。而业主代表书面提出:出现质量事故,监理公司也应负一定责任,要求扣除1%的监理费作为罚金。

请问:业主方做法正确吗?监理公司对该事故是否应承担责任?

案例辨析

业主做法不正确,监理工程师只对监理合同委托范围内的工程质量负责。在该案例中,施工图纸设计的问题虽在施工阶段发现,但是图纸的问题在设计阶段就已存在。由于业主没有委托设计阶段监理,因此图纸有问题,监理没有责任。虽然监理工程师要在施工准备阶段组织施工图会审,但其目的是发现设计问题,把问题消灭在审图阶段,以免给业主带来更大的损失。图纸有问题,是设计院的责任,监理没有责任,就是因为业主没有委托设计阶段的监理。

思考与训练

一、选择题

1. 建设工程监理是指( )的工程监理企业,接受( )的委托,承担其项目管理工作。
   A. 具有相应资质　建设单位
   B. 具有相应资质　承建单位
   C. 不需具有资质　建设单位
   D. 不需具有相应资质　承建单位

2. 实施建设工程监理( )。
   A. 有利于避免发生承建单位的不当建设行为,但不能避免发生建设单位的不当建设行为
   B. 有利于避免发生建设单位的不当建设行为,但不能避免发生承建单位的不当建设行为
   C. 既有利于避免发生承建单位的不当建设行为,又有利于避免发生建设单位的不当建设行为
   D. 既不能避免发生承建单位的不当建设行为,又不能避免发生建设单位的不当建设行为

3. 在开展工程监理的过程中,当建设单位与承建单位发生利益冲突时,监理单位应以事实为依据,以法律和有关合同为准绳,在维护建设单位的合法权益的同时,不损害承建单位的合法权益,这表明建设工程监理具有( )。
   A. 公平性　　B. 自主性　　C. 独立性　　D. 公正性

4. 按照《中华人民共和国民法典》的规定,( )属于委托合同。
   A. 某地铁公司与设计院订立的建设工程勘察合同
   B. 某房地产开发公司与工程监理公司订立的监理合同
   C. 某政府机关与建筑工程公司订立的建设工程施工合同
   D. 某宾馆与电器公司订立的客房维修空调合同

5. 依据委托监理合同示范文本,当委托人严重拖欠监理酬金而又未提出任何书面解释时,监理人可( )。
   A. 发出终止合同通知,通知发出14日后合同即行终止
   B. 发出终止合同通知,通知发出14日内未得到答复,可进一步发出终止合同通知,第2个通知到达即行终止
   C. 发出终止合同通知,通知发出14日内未得到答复,可在第1个通知发出35日内终止
   D. 发出终止合同通知,通知发出14日内未得到答复,可进一步发出终止合同通知,第2个通知发出42日仍未得到答复可终止合同

6. 监理工程师李某在对某工程施工的监理过程中,发现该工程设计存在瑕疵,则李某( )。
   A. 应当要求施工单位修改设计
   B. 应当报告建设单位要求施工单位修改设计
   C. 应当报告建设单位要求设计单位修改设计
   D. 应当要求设计单位修改设计

7. 如果监理工程师与建设单位或施工企业串通,弄虚作假,降低工程质量,从而引发安全事故,则( )。

A.监理工程师承担责任,质量、安全事故责任主体不承担责任
B.监理工程师不承担责任,质量、安全事故责任主体承担责任
C.监理工程师应当与质量、安全事故责任主体平均分担责任
D.监理工程师应当与质量、安全事故责任主体承担连带责任

二、问答题

1.实行强制监理的建设工程范围有哪些?
2.简述建设工程监理的任务。
3.工程建设监理与政府工程质量监督有什么区别?

三、技能训练题

某钢筋混凝土框架式8层商业大厦工程项目,业主甲分别与监理单位乙和施工单位丙签订了施工阶段委托监理合同和施工合同。在委托监理合同中,对于业主(甲方)和监理单位(乙方)的权利、义务和违约责任的某些规定如下:

1.乙方在监理工作中应维护甲方的利益。
2.施工期间的任何设计变更必须经过乙方审查、认可并发布变更令方为有效并付诸实施。
3.乙方应在甲方的授权范围内对委托的工程项目实施施工监理。
4.乙方发现工程设计中的错误或不符合建筑工程质量标准的要求时,有权要求设计单位更改。
5.乙方监理仅对本工程的施工质量实施监督控制,进度控制和费用控制任务由甲方行使。
6.乙方有审核批准索赔权。
7.乙方对工程进度款支付有审核确认权,甲方有独立于乙方之外的自主支付权。
8.在由于甲方严重违约及非乙方责任而使监理工作停止半年以上的情况下,乙方有权终止合同。
9.乙方有发布开工令、停工令、复工令等指令的权力。

请问:

以上各条款中有无不妥之处?如何改正?

微课11
模块6选择题

微课12
模块6技能训练题

模块 7

工程安全生产管理法规

学习导向

推荐学习方法 以工程安全生产管理的基本概念为切入点,了解我国有关工程法律、法规现状;根据案例分析总结,深刻体会工程建设中安全生产管理的重要性。

理论知识要求
1. 了解工程安全生产管理法规的立法现状。
2. 掌握工程安全管理基本制度。
3. 掌握各建设单位的工程安全责任和义务。
4. 重点掌握工程建设重大事故报告和调查程序规定。

能力素质要求
1. 具有准确区分工程建设各方责任和义务的能力。
2. 具有严格执行工程安全管理基本制度的意识和能力。

引例

2015年12月,某市一渣土受纳场发生滑坡事故,造成73人死亡,4人下落不明,17人受伤,33栋建筑物被损毁、掩埋,90家企业生产受影响。事故造成直接经济损失为8.81亿元。

此渣土受纳场主要功能是受纳建设工程产生的余泥渣土,属于市政基础设施中城市垃圾处理设施。

经调查,在建设运营过程中,受纳场在没有正规施工设计图和未办理用地、建设、环境影响评价、水土保持等审批许可的情况下违法违规建设运营,超量、超高、超规划区域堆填余泥渣土,导致发生特别重大生产安全责任事故。并且受纳场的审批、监管等环节存在违法违规和腐败问题:市城市管理部门违法违规审批许可,未按规定履行日常监管职责,日常监督检查严重缺失;建设、环保、水务部门未按规定履行建设、环保、水务行政审批许可和日常监管等法定职责;规划和国土资源管理部门违法违规实施规划许可,对违法用地行为未依法查处。

这是一起重大责任事故,伤亡人数多、经济损失严重。对事故原因的深入分析表明,建设工程安全生产管理意义重大。

7.1 概 述

7.1.1 建设工程安全生产管理的概念及方针

1. 建设工程安全生产管理的概念

建设工程安全生产管理是指为保证建设工程生产安全所进行的计划、组织、指挥、协调和控制等一系列管理活动,目的在于保护劳动者在生产活动中的安全与健康,保证人民财产不受损失,保证建设工程生产任务顺利进行。

建设工程安全管理包括建设行政主管部门对建设活动中的安全问题所进行的行业管理和从事建设活动的主体对自己建设活动的安全生产所进行的企业管理。

从事建设活动的主体所进行的安全生产管理包括建设单位对安全生产的管理、设计单位对安全生产的管理、施工单位对建设工程安全生产的管理等。

2. 建设工程安全生产管理的方针

《中华人民共和国建筑法》第三十六条规定,建筑工程安全生产管理必须坚持安全第一、预防为主的方针,建立健全安全生产的责任制度和群防群治制度。《中华人民共和国安全生产法》第三条规定,安全生产工作应当以人为本,坚持人民至上、生命至上,把保护人民生命摆在首位,树牢安全发展理念,坚持安全第一、预防为主、综合治理的方针,从源头上防范化解重大安全风险。安全生产工作实行管行业必须管安全、管业务必须管安全、管生产经营必须管安全,强化和落实生产经营单位主体责任与政策监管责任,建立生产经营单位负责、职工参与、政府监管、行业自律和社会监督的机制。

《中华人民共和国安全生产法》确立了"安全第一、预防为主、综合治理"的安全生产工作"十二字方针",明确了安全生产的重要地位、主体任务和实现安全生产的根本途径。"安全第一"要求从事生产经营活动必须把安全放在首位,不能以牺牲人的生命、健康为代价换取发展和效益。"预防为主"要求把安全生产工作的重心放在预防上,强化隐患排查治理,打非治违,从源头上控制、预防和减少生产安全事故。"综合治理"要求运用行政、经济、法治、科技等多种手段,充分发挥社会、职工、舆论监督各个方面的作用,抓好安全生产工作。

"安全第一、预防为主、综合治理"的方针,体现了国家在建设工程安全生产过程中"以人为本"的思想,也体现了国家对保护劳动者权利、保护社会生产力的高度重视。

7.1.2 建设工程安全生产管理的立法情况

随着改革开放的深入和经济的高速发展,安全生产越来越受到重视,我国先后出台了《中华人民共和国安全生产法》《安全生产许可证条例》等法律、法规。在建设工程方面,《中华人民共和国建筑法》《建设工程安全生产管理条例》《建筑施工企业安全生产许可证管理规定》等从法律制度上规范安全生产管理工作,并以国家强制力保障这些法定制度和措施得以严格贯彻执行。其最根本的目的是保障人民群众的生命和财产安全,维护社会稳定,保证社会主义现代化建设的顺利进行。

住房和城乡建设部《关于取消部分部门规章和规范性文件设定的证明事项的决定(建法规〔2019〕6号)》中规定,建筑施工企业安全生产许可证遗失补办,由申请人告知资质许可机关,由资质许可机关在官网发布信息。

1.法律

(1)《中华人民共和国建筑法》

《中华人民共和国建筑法》第五章规范了建筑安全生产管理,包括建筑工程安全生产管理必须坚持的方针和建筑工程安全管理制度等方面的内容。《中华人民共和国建筑法》是我国社会主义市场经济法律体系中的重要法律,其立法目的在于加强建筑活动的监督管理,维护建筑市场秩序,保证建筑工程的质量和安全,促进建筑业的健康发展。

(2)《中华人民共和国安全生产法》

《中华人民共和国安全生产法》的立法目的在于加强安全生产工作,防止和减少生产安全事故,保障人民群众生命和财产安全,促进经济社会持续健康发展。《中华人民共和国安全生产法》包括七章,共一百一十九条。对生产经营单位的安全生产保障、从业人员的安全生产权利和义务、安全生产的监督管理、生产安全事故的应急救援与调查处理、法律责任等方面做出了规定。

在中华人民共和国领域内从事生产经营活动的单位(以下统称生产经营单位)的安全生产,适用本法;有关法律、行政法规对消防安全和道路交通安全、铁路交通安全、水上交通安全、民用航空安全以及核与辐射安全、特种设备安全另有规定的,适用其规定。

《中华人民共和国安全生产法》作为我国安全生产的综合性法律,具有丰富的法律内涵和规范作用。

2.行政法规

(1)《建设工程安全生产管理条例》

《建设工程安全生产管理条例》的立法目的在于加强建设工程安全生产监督管理,保障人民群众的生命和财产安全。《中华人民共和国建筑法》和《中华人民共和国安全生产法》是制定该条例的基本法律依据。该条例是《中华人民共和国建筑法》和《中华人民共和国安全生产法》在工程建设领域的进一步细化与延伸。《建设工程安全生产管理条例》共八章七十一条,分别对建设单位、施工单位、工程监理单位以及勘察设计和其他有关单位的安全责任做出了规定。

《建设工程安全生产管理条例》规定,在中华人民共和国境内从事建设工程的新建、扩建、改建和拆除等有关活动及实施对建设工程安全生产的监督管理,必须遵守本条例。本条例所称建设工程,是指土木工程、建筑工程、线路管道和设备安装工程及装修工程。

《建筑工程安全生产管理条例》是我国第一部规范建设工程安全生产的行政法规。

(2)《安全生产许可证条例》

《安全生产许可证条例》的立法目的在于严格规范安全生产条件,进一步加强安全生产监督管理,防止和减少生产安全事故。该条例共包括二十四条,对安全生产许可证的颁发管理做出了规定。

《安全生产许可证条例》规定,国家对矿山企业、建筑施工企业和危险化学品、烟花爆竹、民用爆破器材生产企业(以下统称企业)实行安全生产许可制度。企业未取得安全生产许可证的,不得从事生产活动。

3.行政规章

2014年9月1日,住房和城乡建设部颁布了《建筑施工企业主要负责人、项目负责人和专职安全生产管理人员安全生产管理规定》,自 2014 年 9 月 1 日起施行。其目的是加强房屋建筑和市政基础设施工程施工安全监督管理,提高建筑施工企业主要负责人、项目负责人和专职安全生产管理人员(以下合称"安管人员")的安全生产管理能力。在中华人民共和国境内从事房屋建筑和市政基础设施工程施工活动的建筑施工企业的"安管人员",参加安全生产考核,履行安全生产责任,以及对其实施安全生产监督管理,应当符合本规定。

7.1.3 工程安全管理的基本制度

依据《中华人民共和国建筑法》和《中华人民共和国安全生产法》的规定,《建设工程安全生产管理条例》进一步明确了建设工程安全管理的基本制度。

1. 安全生产责任制度

安全生产责任制度是建筑生产中最基本的安全管理制度,是所有安全规章制度的核心。安全生产责任制度是指将各种不同的安全责任落实到负有安全管理责任的人员和具体岗位人员身上的一种制度。这一制度是安全第一、预防为主方针的具体体现,是建筑安全生产的基本制度。在建筑活动中,只有明确安全责任,分工负责,才能形成完整有效的安全管理体系,激发每个人的安全责任感,严格执行建筑工程安全的法律、法规和安全规程、技术规范,防患于未然,减少和杜绝建筑工程事故,为建筑工程的生产创造一个良好的环境。

安全生产责任制度的主要内容包括:

(1)从事建筑活动主体的负责人的责任制度

建筑施工企业的法定代表人要对本企业的安全负主要的责任。

(2)从事建筑活动主体的职能机构或职能处室负责人及其工作人员的安全生产责任制度

建筑企业根据需要设置的安全处或者专职安全人员要对安全负责。

(3)岗位人员的安全生产责任制度

岗位人员必须对安全负责,从事特种作业的安全人员必须进行培训,经过考试合格后方能上岗作业。

2. 群防群治制度

群防群治制度是职工群众对安全隐患进行预防和治理的一种制度。这一制度也是"安全第一、预防为主"的具体体现,同时也是群众路线在安全工作中的具体体现,是企业进行民主管理的重要内容。这一制度要求建筑企业职工在施工中应当依法履行安全生产方面的义务和行使安全生产方面的权利。

根据《中华人民共和国安全生产法》的规定,从业人员有义务遵守安全生产的法律、法规和安全规章、规程,不违章作业;有义务接受安全生产教育培训,有义务发现事故隐患或者其他不安全因素并立即报告;有依法获得安全生产保障的权利,对工作场所和工作岗位有知情权,对于违章作业指挥和强令冒险作业有拒绝权,对安全生产中存在的问题有批评权、检举权和控告权,对直接危及人身安全的紧急情况有紧急避险权,对因生产安全事故受到损害有请求赔偿的权利,有获得符合标准的劳动防护用品的权利,有获得安全生产教育和培训的权利。

3. 安全生产教育培训制度

安全生产教育培训制度是对建筑企业职工进行安全教育培训,提高安全意识,增加安全知识和技能的制度。安全生产教育培训制度是安全生产管理工作的一个重要组成部分,是实现安全生产的一项重要的基础性工作。

4. 安全生产检查制度

安全生产检查制度是上级管理部门或企业自身对安全生产状况进行定期或不定期检查的制度。通过检查可以发现问题，查出隐患，从而采取有效措施，堵塞漏洞，把事故消灭在发生之前，做到防患于未然，是"预防为主"的具体体现。通过检查，还可以总结出好的经验加以推广，为进一步搞好安全工作打下基础。安全生产检查制度是安全生产的保障。

5. 伤亡事故处理报告制度

伤亡事故处理报告制度是指施工中发生事故时，建筑企业应当采取紧急措施减少人员伤亡和事故损失，并按照国家有关规定及时向有关部门报告的制度。事故处理必须遵循一定的程序，做到三不放过（事故原因不清不放过、事故责任者和群众没有受到教育不放过、没有防范措施不放过）。通过对事故的严格处理，可以总结教训，为制定规程、规章提供第一手素材，做到亡羊补牢。

6. 安全责任追究制度

《中华人民共和国建筑法》第七章"法律责任"中规定，建设单位、设计单位、施工单位、监理单位，由于没有履行职责造成人员伤亡和事故损失的，视情节给予相应处理；情节严重的，责令停业整顿，降低资质等级或吊销资质证书；构成犯罪的，依法追究刑事责任。

《中华人民共和国安全生产法》第六章"法律责任"利用大量篇幅，对建设工程有关单位和监督管理部门在安全生产方面的法律责任做了详细的规定。

7.2 工程安全责任和义务

7.2.1 建设单位的安全责任

1. 向施工单位提供资料的责任

《建设工程安全生产管理条例》第六条规定，建设单位应当向施工单位提供施工现场及毗邻区域内供水、排水、供电、供气、供热、通信、广播电视等地下管线资料，气象和水文观测资料，相邻建筑物和构筑物、地下工程的有关资料，并保证资料的真实、准确、完整。

建设单位因建设工程需要，向有关部门或者单位查询前款规定的资料时，有关部门或者单位应当及时提供。

建设单位提供的资料将成为施工单位后续工作的主要参考依据。这些资料如果不真实、准确、完整，并因此导致了施工单位的损失，施工单位可以就此向建设单位要求赔偿。

2. 依法履行合同的责任

《建设工程安全生产管理条例》第七条规定，建设单位不得对勘察、设计、施工、工程监理等单位提出不符合建设工程安全生产法律、法规和强制性标准规定的要求，不得压缩合同约定的工期。

工期并非不可压缩，但是此处的"不得压缩合同约定的工期"指的是不得单方面压缩工期。

如果由于外界原因不得不压缩工期,则应在不违背施工工艺的前提下,与合同另一方当事人协商并达成一致意见后方可压缩。

3.提供安全生产费用的责任

《建设工程安全生产管理条例》第八条规定,建设单位在编制工程概算时,应当确定建设工程安全作业环境及安全施工措施所需费用。

安全生产需要资金的保证,而这笔资金的源头就是建设单位。只有建设单位提供了用于安全生产的费用,施工单位才可能有保证安全生产的费用。

4.不得推销劣质材料设备的责任

《建设工程安全生产管理条例》第九条规定,建设单位不得明示或者暗示施工单位购买、租赁、使用不符合安全施工要求的安全防护用具、机械设备、施工机具及配件、消防设施和器材。

建设单位与施工单位的特殊关系决定了建设单位的明示或者暗示经常被施工单位理解为强制性的命令。因此,法律明确规定了建设单位不得向施工单位去推销劣质材料,以解除施工单位进退两难的处境。

5.提供安全施工措施资料的责任

《建设工程安全生产管理条例》第十条规定,建设单位在申请领取施工许可证时,应当提供建设工程有关安全施工措施的资料。

依法批准开工报告的建设工程,建设单位应当自开工报告批准之日起 15 日内,将保证安全施工的措施报送建设工程所在地的县级以上地方人民政府建设行政主管部门或者其他有关部门备案。

6.对拆除工程进行备案的责任

《建设工程安全生产管理条例》第十一条规定,建设单位应当将拆除工程发包给具有相应资质等级的施工单位。

建设单位应当在拆除工程施工 15 日前,将下列资料报送建设工程所在地的县级以上地方人民政府建设行政主管部门或者其他有关部门备案:

(1)施工单位资质等级证明。

(2)拟拆除建筑物、构筑物及可能危及毗邻建筑的说明。

(3)拆除施工组织方案。

(4)堆放、清除废弃物的措施。

实施爆破作业的,应当遵守国家有关民用爆炸物品管理的规定。

7.办理特殊作业申请批准手续的责任

《中华人民共和国建筑法》第四十二条规定,有下列情形之一的,建设单位应当按照国家有关规定办理申请批准手续:

(1)临时占用规划批准范围以外场地的审批;

(2)可能损坏道路、管线、电力、邮电、通信等公共设施的审批;

(3)临时停水、停电、中断道路交通的审批;

(4)爆破作业的审批;

(5)法律、法规规定需要办理报批手续的其他情况。

7.2.2 施工单位的安全责任

根据《中华人民共和国安全生产法》《建设工程安全生产管理条例》《安全生产许可证条例》《建筑施工企业安全生产许可证管理规定》等法律的规定,施工单位的安全责任如下:

1. 确保安全生产条件,合法经营的责任

《中华人民共和国安全生产法》第二十条规定,生产经营单位应当具备本法和有关法律、行政法规和国家标准或者行业标准规定的安全生产条件;不具备安全生产条件的,不得从事生产经营活动。

《安全生产管理条例》第二十条规定,施工单位从事建设工程的新建、扩建、改建和拆除等活动,应当具备国家规定的注册资本、专业技术人员、技术装备和安全生产等条件,依法取得相应等级的资质证书,并在其资质等级许可的范围内承揽工程。

"安全生产条件"是指施工单位能够满足保障生产经营安全的需要,在正常情况下不会导致人员伤亡和财产损失所必需的各种系统、设施和设备以及与施工相适应的管理组织、制度和技术措施等。具体包括以下内容:

①具备安全生产的管理制度。
②有负责安全生产的机构和人员。
③对于施工单位的管理人员和其他作业人员进行安全培训的制度。
④对已经发生的安全事故的处理情况及整改情况。

施工单位如果不具备相应的安全生产条件,就会存在安全事故隐患,可能发生安全生产事故。因此,对于不具备安全生产条件的施工单位,不得颁发资质证书,以从根本上防止安全事故的发生。

2. 建立健全安全生产责任制,明确岗位责任

《中华人民共和国安全生产法》第四条规定,生产经营单位必须遵守本法和其他有关安全生产的法律、法规,加强安全生产管理,建立健全安全生产责任制和安全生产规章制度,加大对安全生产资金、物资、技术、人员的投入保障力度,改善安全生产条件,加强安全生产标准化、信息化建设,构建安全生产标准化、信息化建设,构建安全风险分级管控和隐患排查治理双重预防机制,健全风险防范化解机制,提高安全生产条件,确保安全生产。

3. 保证安全生产和安全设施必需的资金投入的责任

(1)保证安全生产所必需的资金

生产经营单位应当具备的安全生产条件所必需的资金投入,由生产经营单位的决策机构、主要负责人或者个人经营的投资人予以保证,并对由于安全生产所必需的资金投入不足导致的后果承担责任。

(2)保证安全设施所需要的资金

生产经营单位新建、改建、扩建工程项目(以下统称建设项目)的安全设施,必须与主体工程同时设计、同时施工、同时投入生产和使用。安全设施投资应当纳入建设项目概算。

(3)保证劳动防护用品、安全生产培训所需要的资金

生产经营单位必须为从业人员提供符合国家标准或者行业标准的劳动防护用品,并监督、教育从业人员按照使用规则佩戴、使用。

生产经营单位应当安排用于配备劳动防护用品、进行安全生产培训的经费。

(4)保证工伤社会保险所需要的资金

生产经营单位必须依法参加工伤社会保险,为从业人员缴纳保险费。

4.进行安全生产教育培训的责任

安全教育是提高全员素质,实现安全生产的基础性工作。《中华人民共和国建筑法》第四十六条规定,建筑施工企业应当建立健全劳动安全生产教育培训制度,加强对职工安全生产的教育和培训;未经安全生产教育培训的人员,不得上岗作业。

5.施工单位采取安全措施的责任

(1)编制安全技术方案、施工现场临时用电方案和专项施工方案。

(2)安全施工技术交底

《建设工程安全生产管理条例》第二十七条规定,建设工程施工前,施工单位负责项目管理的技术人员应当对有关安全施工的技术要求向施工作业班组、作业人员做出详细说明,并由双方签字确认。施工前安全施工技术交底的目的就是让所有的安全生产从业人员都对安全生产有所了解,最大限度地避免事故的发生。依据2006年12月1日实施的《建设工程项目管理规范》,安全技术交底应符合下列规定:

①工程开工前,项目经理部的技术负责人应向有关人员进行安全技术交底。

②结构复杂的分部分项工程实施之前,项目经理部的技术负责人应进行安全技术交底。

③项目经理部应保存安全技术交底记录。

(3)设置施工现场安全警示标志

《建设工程安全生产管理条例》第二十八条第一款规定,施工单位应当在施工现场入口处、施工起重机械、临时用电设施、脚手架、出入通道口、楼梯口、电梯井口、孔洞口、桥梁口、隧道口、基坑边沿、爆破物及有害危险气体和液体存放处等危险部位,设置明显的安全警示标志。安全警示标志必须符合国家标准。

设置明显的安全警示标志是对施工现场危险部位的一项重要管理工作。安全警示标志是提醒人们注意的各种标牌、文字、符号和灯光等。安全警示标志应当设置在明显的地点,易于被人看到。安全警示标志如果是文字的,应当易于读懂;如果是符号,则应当易于理解;如果是灯光,应当明亮显眼。安全警示标志不能随意设置,必须符合相关国家标准,即《安全标志及其使用导则》(GB 2894—2008)。

(4)对施工现场的安全防护

《建设工程安全生产管理条例》第二十八条第二款规定,施工单位应当根据不同施工阶段和周围环境及季节、气候的变化,在施工现场采取相应的安全施工措施。施工现场暂时停止施工的,施工单位应当做好现场防护,所需费用由责任方承担,或者按照合同约定执行。

《建设工程施工现场管理规定》第二十七条做出了一般性的规定,即建设单位或者施工单位应当做好施工现场安全保卫工作,采取必要的防盗措施,在现场周边设立围护设施。施工现场在市区的,周围应当设置遮挡围栏,临街的脚手架也应当设置相应的围护设施。非施工人员不得擅自进入施工现场。

(5)按照安全和文明施工要求布置施工现场

《建设工程安全生产管理条例》第二十九条规定,施工单位应当将施工现场的办公、生活区与作业区分开设置,并保持安全距离;办公、生活区的选址应当符合安全性要求。职工的膳食、饮水、休息所等应当符合卫生标准。施工单位不得在尚未竣工的建筑物内设置员工集体宿舍。

施工现场临时搭建的建筑物应当符合安全使用要求。施工现场使用的装配式活动房屋应当具有产品合格证。临时建筑物一般包括施工现场的办公用房、仓库、宿舍、食堂、卫生间等。这些设施虽然是临时搭建的,但直接用于现场工作人员的生产生活,因此必须符合安全使用要求。

(6)采取环境防护措施

施工单位在进行施工时必须采取措施以减少对周边环境的不良影响。

《中华人民共和国建筑法》第四十一条规定,建筑施工企业应当遵守有关环境保护和安全生产的法律、法规的规定,采取控制和处理施工现场的各种粉尘、废气、废水、固体废物以及噪声、振动对环境的污染和危害的措施。

《建设工程安全生产管理条例》第三十条规定,施工单位对因建设工程施工可能造成损害的毗邻建筑物、构筑物和地下管线等,应当采取专项防护措施。施工单位应当遵守有关环境保护法律、法规的规定,在施工现场采取措施,防止或者减少粉尘、废气、废水、固体废物、噪声、振动和施工照明对人和环境的危害和污染。在城市市区内的建设工程,施工单位应当对施工现场实行封闭围挡。

《建设工程施工现场管理规定》第三十一条规定,施工单位应当遵守国家有关环境保护法律规定,采取措施控制施工现场的各种粉尘、废气、废水、固定废弃物以及噪声、振动对环境的污染和危害。

(7)施工现场的消防安全措施

因施工等特殊情况需要使用明火作业的,应当按照规定事先办理审批手续,采取相应的消防安全措施;作业人员应当遵守消防安全规定。进行电焊、气焊等具有火灾危险作业的人员和自动消防系统的操作人员,必须持证上岗,并遵守消防安全操作规程。

(8)安全防护设备管理措施

《建设工程安全生产管理条例》第三十四条规定,施工单位采购、租赁的安全防护用具、机械设备、施工机具及配件,应当具有生产(制造)许可证、产品合格证,并在进入施工现场前进行查验。

施工现场的安全防护用具、机械设备、施工机具及配件必须由专人管理,定期进行检查、维修和保养,建立相应的资料档案,并按照国家有关规定及时报废。

作业人员应当遵守安全施工的强制性标准、规章制度和操作规程,正确使用安全防护用具、机械设备等。

(9)起重机械设备管理措施

《建设工程安全生产管理条例》第三十五条规定,施工单位在使用施工起重机械和整体提升脚手架、模板等自升式架设设施前,应当组织有关单位进行验收,也可以委托具有相应资质的检验检测机构进行验收;使用承租的机械设备和施工机具及配件的,由施工总承包单位、分包单位、出租单位和安装单位共同进行验收。验收合格的方可使用。

施工单位应当自施工起重机械和整体提升脚手架、模板等自升式架设设施验收合格之日起30日内,向建设行政主管部门或者其他有关部门登记。登记标志应当置于或者附着于该设备的显著位置。

(10)办理意外伤害保险的责任

《建设工程安全生产管理条例》第三十八条规定,施工单位应当为施工现场从事危险作业的人员办理意外伤害保险。

意外伤害保险费由施工单位支付。实行施工总承包的,由总承包单位支付意外伤害保险费。意外伤害保险期限自建设工程开工之日起至竣工验收合格止。

根据这一条款,分包单位从事危险作业人员的意外伤害保险的保险费是由总承包单位支付的。

6.履行安全生产义务,维护从业人员安全保障的权利

《中华人民共和国建筑法》第四十七条规定,建筑施工企业和作业人员在施工过程中,应当遵守有关安全生产的法律、法规和建筑行业安全规章、规程,不得违章指挥或者违章作业。作业人员有权对影响人身健康的作业程序和作业条件提出改进意见,有权获得安全生产所需的防护用品。作业人员对危及生命安全和人身健康的行为有权提出批评、检举和控告。

《中华人民共和国安全生产法》第六条规定,生产经营单位的从业人员有依法获得安全生产保障的权利,并应当依法履行安全生产方面的义务。

《建设工程安全生产管理条例》第三十二条规定,施工单位应当向作业人员提供安全防护用具和安全防护服装,并书面告知危险岗位的操作规程和违章操作的危害。

作业人员有权对施工现场的作业条件、作业程序和作业方式中存在的安全问题提出批评、检举和控告,有权拒绝违章指挥和强令冒险作业。

在施工中发生危及人身安全的紧急情况时,作业人员有权立即停止作业或者在采取必要的应急措施后撤离危险区域。

《建设工程安全生产管理条例》第三十三条规定,作业人员应当遵守安全施工的强制性标准、规章制度和操作规程,正确使用安全防护用具、机械设备等。

7.生物安全风险防控

2020年10月公布的《中华人民共和国生物安全法》规定,有关单位和个人应当配合做好生物安全风险防控和应急处置等工作。任何单位和个人不得编造、散布虚假的生物安全信息。县级以上人民政府有关部门应当依法开展生物安全监督检查工作,被检查单位和个人应当配合,如实说明情况,提供资料,不得拒绝、阻挠。

任何单位和个人发现传染病、动植物疫病的,应当及时向医疗机构、有关专业机构或者部门报告。依法应当报告的,任何单位和个人不得瞒报、谎报、缓报、漏报,不得授意他人瞒报、谎报、缓报,不得阻碍他人报告。

重大新发突发传染病,是指我国境内首次出现或者已经宣布消灭再次发生,或者突然发生,造成或者可能造成公众健康和生命安全严重损害,引起社会恐慌,影响社会稳定的传染病。

重大新发突发动物疫情,是指我国境内首次发生或者已经宣布消灭的动物疫病再次发生,或者发病率、死亡率较高的潜伏动物疫病突然发生并迅速传播,给养殖业生产安全造成严重威胁、危害,以及可能对公众健康和生命安全造成危害的情形。

建设单位是工程项目疫情常态化防控总牵头单位,负责施工现场疫情常态化防控工作指挥、协调和保障等事项。施工总承包单位负责施工现场疫情常态化防控各项工作组织实施。监理单位负责审查施工现场疫情常态化防控工作方案,开展检查并提出建议。建设、施工、监理项目负责人是本单位工程项目疫情常态化防控和质量安全的第一责任人。

严格执行项目所在地人员管控要求,依托全国一体化政务服务平台及建筑工地实名制管理系统等信息化手段,核实项目人员身份及健康信息,不私招乱雇,不使用零散工和无健康信息的劳务人员,不得在项目之间无组织调配使用劳务人员,不得使用按照有关规定需要隔离观察的劳务人员。项目部应按照疫情防控要求,对参建各方聘用的所有人员进行健康管理,建立"一人一档"制度,准确掌握人员健康和流动情况。

案例 7-1

工地土方坍塌事故。

【案情简介】

2016年3月13日,在江苏某市政公司承接的苏州河滞留污水截流工程某号段工地上,施工单位正在做工程前期准备工作。为了交接地下管线情况、土质情况及实测原有排水管涵位置标高,于15时30分开始地下管线探摸、样槽开挖作业。16时30分左右,当挖掘机将样槽挖至约2 m深时,突然土体发生塌方,当时正在坑底进行挡土板作业的工人周某避让不及,身体头部以下被埋入土中。事故发生后,现场项目经理、施工人员立即组织人员进行抢救,并通知120救护中心、119消防部门赶赴现场抢救,虽经多方抢救但未能成功。17时20分左右,周某在某中心医院死亡。

案例辨析

1. 直接原因

(1) 施工过程中土方堆置不合理。土方堆置未按规范"单侧堆土高度不得超过1.5 m、离沟槽边距离不得小于1.2 m"的要求进行,实际堆土高度达2 m,距沟槽边仅1 m。

(2) 现场土质较差。现场为原沟浜回填土,约4 m深,且紧靠开挖的沟槽,其中夹杂许多垃圾,土体非常松散。

2. 间接原因

(1) 施工现场安全措施针对性较差。未能考虑员工逃生办法,对事故的预见性较差,麻痹大意。

(2) 施工人员安全意识较淡薄。对三级安全教育、安全技术交底、进场安全教育未能引起足够的重视,凭经验作业。

(3) 坑底作业人员站位不当,自身防范意识不强,逃生时晕头转向,从而发生了事故。

(4) 施工现场管理不力。由于刚进场作业,所以对安全生产方面准备不充分,思想上未能引起足够的重视,管理不到位。

3. 主要原因

(1) 施工过程中土方堆置不合理。

(2) 开挖后未按规定在深度达1.2 m时及时进行分层支撑。仅在实际开挖至2 m后,才开始支撑挡板。

(3) 现场土质较差,土体非常松散。

4. 事故预防及控制措施

(1) 暂停施工,进行全面安全检查与整改。

(2) 召开事故现场会,进一步对职工进行安全教育。

(3) 编制针对性强的安全施工技术方案和安全操作规程,对上岗职工进行安全技术交底,配备足够的施工保护设施用品,如横列板、钢板柱、逃生扶梯等,并督促落实。

7.2.3 工程监理单位的安全责任

根据《建设工程安全生产管理条例》,工程监理单位的安全责任主要体现在以下方面:

1. 依法监理的责任

工程监理单位和监理工程师应当按照法律、法规和工程建设强制性标准实施监理,并对建设工程安全生产承担监理责任。

根据《建设工程安全生产管理条例》第五十七条的有关规定,工程监理单位违反上述三项法定义务,视情形将可能分别受到责令停业整顿并处罚款、降低资质等级、吊销资质证书等行政处罚;构成犯罪的,其直接责任人员要承担刑事责任;造成损失的,工程监理单位还要依法承担民事赔偿责任。

2. 审查施工组织设计的责任

工程监理单位应当审查施工组织设计中的安全技术方案或者专项施工方案是否符合工程建设强制性标准。

3. 安全隐患报告的责任

工程监理单位在实施监理过程中,发现存在安全事故隐患的,应当要求施工单位整改;情况严重的,应当要求施工单位暂时停止施工,并及时报告建设单位。施工单位拒不整改或者不停止施工的,工程监理单位应当及时向有关主管部门报告。

7.2.4 其他单位的安全责任

1. 勘察单位的安全责任

建设工程勘察是工程建设的基础性工作。建设工程勘察文件是建设工程项目规划、选址和设计的重要依据,其勘察成果是否科学、准确,对建设工程安全生产具有重要影响。

(1)确保勘察文件的质量,以保证后续工作安全的责任。《建设工程安全生产管理条例》第十二条规定,勘察单位应当按照法律、法规和工程建设强制性标准进行勘察,提供的勘察文件应当真实、准确,满足建设工程安全生产的需要。

(2)科学勘察,以保证周边建筑物安全的责任。《建设工程安全生产管理条例》第十二条还规定,勘察单位在勘察作业时,应当严格执行操作规程,采取措施保证各类管线、设施和周边建筑物、构筑物的安全。

2. 设计单位的安全责任

(1)科学设计的责任。《建设工程安全生产管理条例》第十三条规定,设计单位应当按照法律、法规和工程建设强制性标准进行设计,防止因设计不合理导致生产安全事故的发生。

(2)提出建议的责任。《建设工程安全生产管理条例》第十三条同时规定,设计单位应当考虑施工安全操作和防护的需要,对涉及施工安全的重点部位和环节在设计文件中注明,并对防范生产安全事故提出指导意见。

采用新结构、新材料、新工艺的建设工程和特殊结构的建设工程,设计单位应当在设计中提出保障施工作业人员安全和预防生产安全事故的措施建议。

(3)承担后果的责任。《建设工程安全生产管理条例》第十三条同时规定,设计单位和注册建筑师等注册执业人员应当对其设计负责。

3. 机械设备和配件供应单位的安全责任

《建设工程安全生产管理条例》第十五条规定，为建设工程提供机械设备和配件的单位，应当按照安全施工的要求配备齐全有效的保险、限位等安全设施和装置。这就提出了施工机械设备和配件的生产制造单位的安全责任：

①向施工单位提供安全可靠的施工机械设备。

②按照国家有关法律、法规和安全技术规范进行机械设备和配件的生产经营活动。确保与其产品生产相适应的生产条件、技术力量和产品检验手段，建立、健全质量管理制度和安全责任制度。在提供机械设备和配件时，应同时提供生产许可证或强制性认证、核准、许可证书，产品合格证，产品使用说明书，检验合格证等。

③应当严格按照国家标准进行生产，保证产品的质量和安全性能。

4. 出租机械设备和施工机具及配件单位的安全责任

《建设工程安全生产管理条例》第十六条规定，出租的机械设备和施工机具及配件，应当具有生产（制造）许可证、产品合格证，出租单位应当对出租的机械设备和施工机具及配件的安全性能进行检测，在签订租赁协议时，应当出具检测合格证明。禁止出租检测不合格的机械设备和施工机具及配件。

如果出租单位出租未经安全性能检测或者经检测不合格的机械设备和施工机具及配件，将受到责令停业整顿、罚款等行政处罚；造成损失的，依法承担赔偿责任。出租单位是否依法履行安全性能检测义务，是其应否承担安全责任的关键。

5. 现场安装、拆卸单位的安全责任

《建设工程安全生产管理条例》第十七条第一款规定，在施工现场安装、拆卸施工起重机械和整体提升脚手架、模板等自升式架设设施，必须由具有相应资质的单位承担。

安装、拆卸施工起重机械和整体提升脚手架、模板等自升式架设设施应当编制拆装方案、采取安全施工措施，并由专业技术人员现场监督。

安装、拆卸施工起重机械和整体提升脚手架、模板等自升式架设设施安装完毕后，安装单位应当自检，出具自检合格证明，并向施工单位进行安全使用说明，办理验收手续并签字。

施工起重机械和自升式架设设施等的安装、拆卸属于特殊专业安装，具有高度危险性，容易造成重大伤亡事故，和施工安全具有密切关系。

6. 检验检测机构的安全责任

（1）依法从事检验检测活动的责任

根据《特种设备安全监察条例》的规定，从事施工起重机械定期检验、监督检验的检验检测机构，应当经国务院特种设备安全监督部门核准后方可从事检验检测活动。

（2）对检测结果、鉴定结论负责

《建设工程安全生产管理条例》第十九条规定，检验检测机构对检测合格的施工起重机械和整体提升脚手架、模板等自升式架设设施，应当出具安全合格证明文件，并对检测结果负责。

检验检测机构和检验检测人员进行特种设备检验检测，应当遵循诚信原则和方便企业的原则，为施工单位提供可靠、便捷的检验检测服务。检验检测机构和检验检测人员应当客观、公正、及时地出具检验检测结果、鉴定结论。检测合格的，应当出具安全合格证明文件。检验检测结果、鉴定结论经检验检测人员签字后，由检验检测机构负责人签署。设备检验检测机构和检验检测人员对检验检测结果、鉴定结论负责。

(3)隐患报告的责任

设备检验检测机构进行设备检验检测时发现严重事故隐患,应当及时告知施工单位,并立即向特种设备安全监督管理部门报告。

7.3 建设工程重大安全事故的处理

7.3.1 建设工程安全事故的分类

《生产安全事故报告和调查处理条例》第三条规定,根据生产安全事故(以下简称事故)造成的人员伤亡或者直接经济损失不同,事故一般分为以下等级:

(1)特别重大事故

特别重大事故是指造成30人以上死亡,或者100人以上重伤(包括急性工业中毒,下同),或者1亿元以上直接经济损失的事故。

(2)重大事故

重大事故是指造成10人以上30人以下死亡,或者50人以上100人以下重伤,或者5 000万元以上1亿元以下直接经济损失的事故。

(3)较大事故

较大事故是指造成3人以上10人以下死亡,或者10人以上50人以下重伤,或者1 000万元以上5 000万元以下直接经济损失的事故。

(4)一般事故

一般事故是指造成3人以下死亡,或者10人以下重伤,或者1 000万元以下直接经济损失的事故。

国务院安全生产监督管理部门可以会同国务院有关部门,制定事故等级划分的补充性规定。上述条款中所称的"以上"包括本数,所称的"以下"不包括本数。

7.3.2 建设工程重大安全事故的处理

1. 事故报告

《建设工程安全生产管理条例》第五十条规定,施工单位发生生产安全事故,应当按照国家有关伤亡事故报告和调查处理的规定,及时、如实地向负责安全生产监督管理的部门、建设行政主管部门或者其他有关部门报告;特种设备发生事故的,还应当同时向特种设备安全监督管理部门报告。接到报告的部门应当按照国家有关规定,如实上报。实行施工总承包的建设工程,由总承包单位负责上报事故。

《生产安全事故报告和调查处理条例》规定,事故报告应当及时、准确、完整,任何单位和个人对事故不得迟报、漏报、谎报或者瞒报。

(1)重大事故应当逐级上报至国务院

事故发生后,事故现场有关人员应当立即向本单位负责人报告;单位负责人接到报告后,应当于1小时内向事故发生地县级以上人民政府安全生产监督管理部门和负有安全生产监督管理职责的有关部门报告。

安全生产监督管理部门和负有安全生产监督管理职责的有关部门逐级上报事故情况,每级上报的时间不得超过 2 小时。同时,报告本级人民政府并通知公安机关、劳动保障行政部门、工会和人民检察院。

(2)报告事故应当包括的内容

①事故发生单位概况。

②事故发生的时间、地点以及事故现场情况。

③事故的简要经过。

④事故已经造成或者可能造成的伤亡人数(包括下落不明的人数)和初步估计的直接经济损失。

⑤已经采取的措施。

⑥其他应当报告的情况。

事故发生单位负责人接到事故报告后,应当立即启动事故相应应急预案,或者采取有效措施,组织抢救,防止事故扩大,减少人员伤亡和财产损失。

事故发生地有关地方人民政府、安全生产监督管理部门和负有安全生产监督管理职责的有关部门接到事故报告后,其负责人应当立即赶赴事故现场,组织事故救援。

2. 事故现场保护

《建设工程安全生产管理条例》第五十一条规定,发生生产安全事故后,施工单位应当采取措施防止事故扩大,保护事故现场。需要移动现场物品时,应当做出标记和书面记录,妥善保管有关证物。

施工现场发生生产安全事故后,施工单位负责人应当组织对现场安全事故的抢救,实行总承包的项目,总承包单位应统一组织事故的抢救工作,要根据事故的情况按应急救援预案或企业有关事故处理的制度迅速采取有效措施,组织抢救,防止事故扩大,减少人员伤亡和财产损失。同时,要保护事故现场,因抢救工作需要移动现场部分物品时,必须做出标志,绘制事故现场图,并详细记录,妥善保管有关证物,为调查分析事故发生的原因提供真实的证据。

故意破坏事故现场、毁灭有关证据,为将来进行事故调查、确定事故责任制造障碍者,要承担相应的法律责任。分包单位要根据总承包单位统一组织的应急救援预案和各自的职责分工,投入抢救工作,防止事态扩大。

3. 重大事故的调查

事故调查处理应当坚持实事求是、尊重科学的原则,及时、准确地查清事故经过、事故原因和事故损失,查明事故性质,认定事故责任,总结事故教训,提出整改措施,并对事故责任者依法追究责任。

重大事故由事故发生地省级人民政府负责调查。省级人民政府可以直接组织事故调查组进行调查,也可以授权或者委托有关部门组织事故调查组进行调查。

(1)事故调查组的组成

事故调查组的组成应当遵循精简、效能的原则。

根据事故的具体情况,事故调查组由有关人民政府、安全生产监督管理部门、负有安全生产监督管理职责的有关部门、监察机关、公安机关以及工会派人组成,并应当邀请人民检察院派人参加。事故调查组可以聘请有关专家参与调查。

事故调查组组长由负责事故调查的人民政府指定。事故调查组组长主持事故调查组的工作。事故调查组成员应当具有事故调查所需要的知识和专长，并与所调查的事故没有直接利害关系。

(2)事故调查组的职责

①查明事故发生的经过、原因、人员伤亡情况及直接经济损失。

②认定事故的性质和事故责任。

③提出对事故责任者的处理建议。

④总结事故教训，提出防范和整改措施。

⑤提交事故调查报告。

事故调查组有权向有关单位和个人了解与事故有关的情况，并要求其提供相关文件、资料，有关单位和个人不得拒绝。

(3)事故调查报告应当包括的内容

①事故发生单位概况。

②事故发生经过和事故救援情况。

③事故造成的人员伤亡和直接经济损失。

④事故发生的原因和事故性质。

⑤事故责任的认定以及对事故责任者的处理建议。

⑥事故防范和整改措施。

事故调查报告应当附具有关证据材料。事故调查组成员应当在事故调查报告上签名。

事故调查报告报送负责事故调查的人民政府后，事故调查工作即告结束。事故调查的有关资料应当归档保存。

4.重大事故处理

对重大事故的处理，应坚持"四不放过"的原则。"四不放过"是指事故原因不查清不放过；不采取改正措施不放过；责任人和广大群众不受到教育不放过；与事故有关的领导和责任人不受到查处不放过。

《生产安全事故报告和调查处理条例》规定：

①负责事故调查的人民政府应当自收到事故调查报告之日起15日内做出批复。

②有关机关应当按照人民政府的批复，依照法律、行政法规规定的权限和程序，对事故发生单位和有关人员进行行政处罚，对负有事故责任的国家工作人员进行处分。

③事故发生单位应当按照负责事故调查的人民政府的批复，对本单位负有事故责任的人员进行处理。

④负有事故责任的人员涉嫌犯罪的，依法追究刑事责任。

⑤事故发生单位应当认真吸取事故教训，落实防范和整改措施，防止事故再次发生。防范和整改措施的落实情况应当接受工会和职工的监督。

⑥安全生产监督管理部门和负有安全生产监督管理职责的有关部门应当对事故发生单位落实防范和整改措施的情况进行监督检查。

⑦事故处理的情况由负责事故调查的人民政府或者其授权的有关部门、机构向社会公布，依法应当保密的除外。

案例7-2

违反安全生产规定作业造成安全事故。

【案情简介】

2020年4月6日，在某建设集团下属公司承接的某高层5号工地上，项目部安排瓦工A、B拆除西单元楼内电梯井隔离防护。由于木工在支设12层电梯井时少预留西北角一个销轴洞，因而在设置12层防护隔离时，西北角的搁置点采用一根$\phi 48$ mm钢管从11层支撑至12层作为补救措施。A、B在作业时，均未按要求使用安全带操作，而且颠倒拆除程序，先拆除11层隔离（薛某将用于补救措施的钢管也一起拆掉），后拆除12层隔离。10:30 A在进入电梯井西北角拆除防护隔离板时，只有3个搁置点的钢管框架发生倾翻，A随防护隔离一起从12层（32 m）高空坠落到电梯井底。事故发生后，工地负责人立即派人将薛某急送至医院，但A因伤势严重，经抢救无效，于当日死亡。

案例辨析

1. 事故原因

安全防护隔离设施在设置时有缺陷，规定设4根固定销轴，但只设了3根，而补救钢管已先拆除，这是造成本次事故的直接原因。项目负责人违章指挥，操作人员违章作业，违反先上后下的拆除作业程序，自我保护意识差，高空作业未系安全带，加之安全防护设施存在隐患，是造成这次事故的主要原因。此外，造成这次事故的间接原因还有：施工现场监督、检查不力，未能及时发现存在的隐患；劳动组织不合理，安排瓦工拆除电梯井防护隔离设施；安全教育不力，造成职工安全意识和自我保护防范能力差。

2. 对事故责任者的处理

事故发生后，事故单位根据事故调查组的意见，对本次事故负有一定责任者进行了相应的处理：

(1) 项目经理：监督管理不严，制度不够健全，职责不够明确，对本次事故负有一定责任，给予行政处分，并处罚款。

(2) 公司经理：对本次事故负有领导责任，写出书面检查，并处罚款。

(3) 现场负责人：违章安排瓦工拆除电梯井隔离防护，对本次事故负有主要责任，给予行政记过处分，并处罚款。

(4) 瓦工班长：对施工人员检查不够，对本次事故负有一定责任，给予罚款。

(5) 瓦工B：违章操作，对本次事故负有主要责任，给予罚款。

(6) 瓦工A：违章操作，对本次事故负有主要责任，但鉴于A已经死亡，不予追究。

3. 采取的整改措施

(1) 组织全体人员召开事故现场会，进行系统的安全生产教育，增强安全意识及自我保护的基本能力，杜绝违章作业。

模块 7 工程安全生产管理法规

(2)组织架子工对施工现场脚手架、电梯井隔离设施、临边防护栏杆、通道防护棚等安全防护设施进行全面检查,对查出的问题进行整改。

(3)预留洞口安排木工,加盖并固定。

(4)加强对现场管理人员的安全教育,提高管理人员的法制观念,严格遵守各项安全生产的法律、法规,杜绝违章指挥。

(5)组织全体职工进行各工种岗位责任制、操作规程学习,确定专职监督人员。从思想上、管理上提高安全生产意识和水平,确保安全施工。

思考与训练

一、选择题

1.按照《建设工程安全生产管理条例》的规定,(　　)不属于建设单位安全责任范围。

A.向建设行政主管部门提供安全施工措施资料

B.向施工单位提供准确的地下管线资料

C.对拆除工程进行备案

D.为施工现场从事特种作业的施工人员提供安全保障

2.施工单位与建设单位签订施工合同后,将其中的部分工程分包给分包单位,则施工现场的安全生产由(　　)负总责。

A.建设单位　　　B.施工单位　　　C.分包单位　　　D.工程监理单位

3.以下选项中,(　　)属于安全生产监督检查人员的职权。

A.财务报表审查权　B.责令紧急避险权　C.现场调解裁决权　D.设备物资检验权

4.对于涉及(　　)工程的专项施工方案,施工单位依法应当组织专家进行论证、审查。

A.地下暗挖　　　B.降水　　　C.脚手架　　　D.起重吊装

5.根据《建设工程安全生产管理条例》的规定,以下选项中(　　)属于施工单位的安全责任。

A.提供相邻构筑物的有关资料　　　B.编制安全技术措施及专项施工方案

C.办理施工许可证时报送安全施工措施　D.提供安全施工措施费用

6.根据《建设工程安全生产管理条例》的规定,建设工程意外伤害保险的期限(　　)。

A.自保险合同生效之日起至保险合同解除止

B.自施工合同订立之日起至施工合同履行完毕止

C.自实际施工之日起至竣工结算完毕止

D.自工程开工之日起至竣工验收合格止

二、问答题

1.建设工程安全生产管理的方针是什么?

2. 工程安全管理有哪些基本制度?
3. 简述建设单位、设计单位、施工单位和工程监理单位的安全责任和义务。
4. 简述从业人员在安全生产方面的权利和义务。
5. 简述施工现场消防管理、安全防护管理和环境保护的内容。

三、技能训练题

某建筑公司承建的某市电视台演播中心建设工地发生一起重大职工因工伤亡事故。大演播厅舞台在浇筑顶部混凝土施工中,因模板支撑系统失稳,大演播厅舞台屋盖坍塌,造成正在现场施工的民工和电视台工作人员6人死亡,35人受伤(其中重伤11人),直接经济损失75万元。

1. 事故经过

该工程地下2层、地面18层,建筑面积34 000 m²,采用现浇框架剪力墙结构体系。该工程公开招标投标,该建筑公司中标,该建筑公司与电视台签订了施工合同,并由该建筑公司组建了项目经理部。

演播中心工程大演播厅总高38 m(其中地下8.70 m,地上29.30 m),占地面积为624 m²。搭设的模板支撑系统支架、钢管、扣件等总吨位约290 t。

在大演播厅舞台支撑系统支架搭设前,由项目工程师编制了"上部结构施工组织设计",并经项目经理和主任工程师批准实施。

在搭设大演播厅舞台顶部模板支撑系统过程中,由于工程需要和材料供应等方面的问题,支架搭设施工时断时续。搭设时没有施工方案,没有图纸,没有进行技术交底。由项目经理决定支架三维尺寸按常规进行搭设,由项目部施工员在现场指挥搭设。搭设开始15日后,该建筑公司主任工程师将"模板工程施工方案"交给项目部施工员。看到施工方案后,项目部施工员向项目经理做了汇报,项目经理答复还按以前的方案施工,到最后再加固。

模板支撑系统支架由该建筑公司组织进场的工程队进行搭设(事故发生时工程队共17人,其中5人无特种作业人员操作证),搭设支架总面积约624 m²,高度38 m。在搭设支架的全过程中,没有自检、互检、交接检、专职检等程序,搭设完毕后未按规定进行整体验收。

进行支撑系统模板安装时,木工工长向项目部经理反映,水平杆加固没有到位,项目部经理随即安排架子工加固支架,浇筑混凝土时仍有6名架子工在加固支架。

开始浇筑混凝土后2小时,项目部资料质量员补填混凝土浇捣令,并送监理公司总监签字。浇筑时,输送机械设备一直正常运行,现场有混凝土工工长1人,木工8人,架子工8人,钢筋工2人,混凝土工20人,以及电视台工作人员3名(拍摄现场资料)等。截至事故发生时,输送至屋面混凝土约139 m³,重约342 t,占原计划输送屋面混凝土总量的51%。

当浇筑混凝土由北向南单向推进浇至主、次梁交叉点区域时,出现大厅内模板支架系统整体倒塌。屋顶模板上正在浇筑混凝土的工人纷纷随塌落的支架和模板坠落,部分工人被塌落的支架、楼板和混凝土浆掩埋。

事故发生后,项目经理部向有关部门紧急报告事故情况。闻讯赶到的领导指挥公安民警、武警战士和现场工人采用各种手段实施紧急抢险工作,于第一时间将伤者立即送往医院救治。

2. 事故原因分析

(1) 支架搭设不合理,特别是水平连系杆严重不足,三维尺寸过大以及底部未设扫地杆,从而使主、次梁交叉区域单杆受荷过大,引起立杆局部失稳。

(2) 梁底模的木枋放置方向不妥,导致大梁的主要荷载传至梁底中央排立杆,且该排立杆的水平连系杆不够,承载力不足,因而加剧了局部失稳。

(3)屋盖下模板支架与周围结构固定不足,加大了顶部晃动。

请问:

1.指出在上述事件中,施工单位和监理单位有哪些做法不妥,并说明正确做法。

2.根据安全生产责任制度的规定,上述事件中,哪些人应为这次事故承担责任?为什么?

3.什么是生产安全事故?生产安全事故分为哪几个等级?这一事故为几级?

4.简述建设工程重大事故调查处理的原则。

5."四不放过"的含义是什么?

模块 8

工程建设环境保护法规

学习导向

推荐学习方法 从环境保护的角度出发,对施工现场常见的环境污染问题进行剖析,从而引出我国目前出台的有关工程建设环境保护的法规,探索目前环境保护的现状与要求,最后研究建设项目的固体废物处理、污水处理、噪声防治等方面的措施与要求。

理论知识要求 1.熟悉施工现场的环境保护内容。
2.掌握建设工程项目环境影响评价制度。
3.熟悉水、大气、噪声和固体废物环境污染防治。
4.掌握环境保护的"三同时"制度。

能力素质要求 具有严格执行环境保护法规,对施工现场的各种污染物进行管理的意识和能力。

引例

某市房产建设项目施工工地因现场渣土覆盖不规范,防治扬尘措施落实不到位,午间、夜间违规经营造成噪声扰民等问题,给附近居民带来了诸多不良影响。有关行业主管部门依法对相关建设单位做出行政处罚,责令其及时采取有效处理措施。最终该工程相关管理人员受到警告处分并对该项目进行了处理和整改;严格遵守相关污染防治条例等法律、法规规定,确保扬尘、防治措施到位;加大对辖区工地扬尘的检查力度,确保施工现场无渣土裸露现象,如发现有渣土裸露现象,依法严厉查处;发现未经批准擅自夜间施工违法行为,依法及时查处。

本引例是一则典型的建设工程项目在施工过程中污染环境的案例。那么,建设工程项目在建设过程中常见的重要环境因素有哪些?什么是环境保护?建筑工程施工对环境的常见影响表现在哪些方面?这些都是我们在组织建设工程实施中必须面对且要解决的问题。

8.1 概 述

1. 环境保护法律、法规及标准

(1) 环境

环境是指影响人类社会生存和发展的各种天然的和经过人工改造的自然因素总体,包括大气、水、海洋、土地、矿藏、森林、草原、野生动物、自然古迹、人文遗迹、自然保护区、风景名胜区、城市和乡村等。

(2) 工程施工中环境保护的必要性

环境保护是我国的一项基本国策。建设项目既要消耗大量的自然资源,又要向自然界排放大量的废水、废气、废渣、噪声、粉尘、化学品等,它们是造成环境污染的主要根源之一。

建筑施工对环境的常见影响表现在以下方面:

①施工机械作业、模板支拆、清理与修复作业、脚手架安装与拆除作业等产生的噪声排放。

②土、灰、沙、石搬运及存放、施工场地平整作业、混凝土搅拌作业等产生的粉尘排放。

③现场渣土、混凝土、生活垃圾、建筑垃圾、原材料运输等过程中产生的遗撒。

④现场油品、化学品库房及作业点产生的油品、化学品泄漏。

⑤现场废弃的涂料桶、油手套以及机械维修保养废液、废渣等产生的有毒有害废弃物排放。

⑥城区施工现场夜间照明造成的光污染。

⑦现场生活区、库房、作业点等处可能发生的火灾、爆炸。

⑧现场食堂、厕所、搅拌站、洗车点等处产生的生活、生产污水排放。

⑨现场钢材、木材等主要建筑材料的消耗。

⑩现场用水、用电等的消耗。

由此可见,建筑施工对环境的影响是比较巨大的。因此,加强项目建设的环境保护管理是相当必要的。

(3) 我国环保方面的法律、法规概况

我国现行的工程建设环境影响评价与保护法律主要有:《中华人民共和国环境影响评价法》(2002年10月28日第九届全国人民代表大会常务委员会第三十次会议通过,自2003年9月1日起施行。2016年、2018年进行了修正)、《中华人民共和国环境保护法》(1989年12月26日第七届全国人民代表大会常务委员会第十一次会议通过并实施。2014年进行了修正)。

另外,依据《中华人民共和国环境保护法》,我国相继颁布实施了一系列有关环境保护的单行法律,主要包括:《中华人民共和国水污染防治法》《中华人民共和国固体废物污染环境防治法》《中华人民共和国环境噪声污染防治法》《中华人民共和国节约能源法》《中华人民共和国大气污染防治法》。

与工程建设相关的环境保护法规和规章有很多,如《建设项目环境保护管理条例》(1998年11月29日发布和实施,于2017年修订)、《建设项目环境影响评价资质管理办法》(2005年7月21日通过,2006年1月1日实施;于2015年修订)、《建设项目环境影响评价文件分级审批规定》(2002年11月1日发布实施,于2008年修订)、《建设项目竣工环境保护验收管理办法》(2001年12月27日发布,2002年2月1日实施,于2010年修订)、《关于加快推动我国绿色建筑发展的实施意见》(2012年4月27日发布并实施)、《建设项目环境影响后评价管理办法(试行)》(2015年4月2日发布,2016年1月1日施行)、《环境影响评价技术导则》(1993年发布,1994年4月1日实施,经几次修订,最新版本"HJ2.1—2016"于2017年1月1日实施)等。

这些法律、法规是在建筑工程施工过程中必须遵守的法律准绳。

(4)环境标准

环境标准是我国环境法规体系中的重要组成部分,也是环境法制管理的基础和重要依据。环境标准主要包括环境质量标准(如《大气环境质量标准》《声环境质量标准》《放射防护规定》等)、污染物排放标准、基础标准、方法标准等,其中环境质量标准和污染物排放标准为强制性标准。

2.环境保护法规的任务与目的

(1)环境保护法规的任务

①保护和改善生活环境和生态环境。保护环境一般是在现有基础上不再使环境恶化,改善环境则是要将已经被污染和破坏了的环境恢复到良好的状态。

②防治环境污染和其他公害。"污染"通常是指由于某种物质的介入使环境质量恶化的现象。"公害"一词专门用来指由于工业或人类其他活动所造成的相当范围的大气、水体、土壤、噪声、恶臭、固体废物、放射性和电磁波等污染以及振动、地面沉降、光照妨碍等危害人体健康、社会生活和自然生态的状况。"防治"通常有两层含义:一是预防,二是治理,并且预防在先,以预防为主。由此可见,我国环境保护法规从任务上也体现了以预防为主的基本原则,不允许再走"先污染后治理"的老路,要在产生污染的源头采取科技手段预防可能产生的污染。

(2)环境保护法规的目的

《中华人民共和国环境保护法》第一条规定,为保护和改善环境,防治污染和其他公害,保障公众健康,推进生态文明建设,促进经济社会可持续发展,制定本法。因此,环境保护法规的目的可概括为以下两个方面:

①保护生态平衡,保障人体健康。环境的污染和破坏,尤其是环境污染,会给人的身体健康造成极大的危害,甚至会危及人的生命,有的还会造成遗传疾病,危害子孙后代。因此,环境保护法规必须把保障人体健康作为立法的目的之一,确保人们生活在一个安全、健康、舒适、优美的环境中。

②促进经济社会的可持续发展。可持续发展是指在不危及后代人需要的前提下寻求满足当代人需要的发展途径。在1992年的联合国环境与发展大会上,把实现可持续发展写进《里约环境与发展宣言》,成为世界各国所公认的正确发展战略。我国接受了可持续发展战略,并在国家的相关政策性文件中得到体现。

3.环境保护法规的基本原则

(1)经济建设与环境保护协调发展的原则

经济建设与环境保护协调发展的原则是指经济建设和环境保护必须同步规划、同步实施、同步发展,以实现经济与环境的协调发展,从而保障经济、社会的可持续发展。经济建设与环境保护是对立统一的关系,保护好环境,维护生态平衡,促进生态系统的良性循环,有利于经济的发展;经济发展又为保护和改善环境提供了必要的条件。反之,环境污染了,资源破坏了,人体健康损害了,经济的发展就会受到严重制约。

(2)预防为主、防治结合、综合治理的原则

确立预防为主、防治结合、综合治理的原则,这是由环境污染与危害的特性决定的。环境污

染一旦发生，一般在短期内难以消除，不少环境要素遭到破坏后，要恢复正常极为困难，有的甚至是不可恢复的，因此要以预防为主；环境污染引起的某些疾病，潜伏期长，不易被发现，发病以后难以根治；环境受污染和破坏后，治理和恢复的代价很大。

要将环境污染控制在最低限度，光着眼于对新污染的"防"尚不够，还要对已有的污染与破坏采取综合性的措施进行积极治理。

(3) 全面规划、合理布局的原则

控制环境污染与破坏，必须从全局和整体上加以考虑，治本的首要办法是"全面规划、合理布局"。很多环境污染问题，是由缺乏整体规划、布局不合理造成的，布局一旦错了，铸成了事实，要想纠正就很不容易。还有一种现象，工业布局中搞地方保护，损人利己，如各地将污染工业安排在自己的下游或者主导风之外，只管自己的发展，不管别人、别的地区的死活（市边界、省边界），酿成跨地区污染纠纷，逃避监管，增大了处理难度。《中华人民共和国环境保护法》第十三条关于环境保护规划的编制和内容的规定、第十九条关于环境影响评价的规定、第二十九条关于生态保护的管理规定、第三十五条关于城乡建设的规定等条款的内容，都体现了这一原则。

(4) 谁污染谁治理、谁开发谁保护的原则

《中华人民共和国环境保护法》第四十二条规定，排放污染物的企业事业单位和其他生产经营者，应当采取措施，防治在生产建设或者其他活动中产生的废气、废水、废渣、医疗废物、粉尘、恶臭气体、放射性物质以及噪声、振动、光辐射、电磁辐射等对环境的污染和危害。排放污染物的企业事业单位，应当建立环境保护责任制度，明确单位负责人和相关人员的责任。重点排污单位应当按照国家有关规定和监测规范安装使用监测设备，保证监测设备正常运行，保存原始监测记录。严禁通过暗管、渗井、渗坑、灌注或者篡改、伪造监测数据，或者不正常运行防治污染设施等逃避监管的方式违法排放污染物。第四十三条关于排污单位要"按照国家有关规定缴纳排污费"的规定，第四十四条"企业事业单位在执行国家和地方污染物排放标准的同时，应当遵守分解落实到本单位的重点污染物排放总量控制指标"的规定，都体现了谁污染谁治理的原则，充分体现了生产者、经营者、开发者法律上的权利与义务一致性。实行这样的原则，有利于推动污染者治理污染，有利于筹措污染治理资金，有利于保护资源的合理开采和持续利用。

(5) 政府对环境质量负责的原则

《中华人民共和国宪法》第二十六条规定，国家保护和改善生活环境和生态环境，防治污染和其他公害。《中华人民共和国环境保护法》第六条明确规定，一切单位和个人都有保护环境的义务。地方各级人民政府应当对本行政区域的环境质量负责。企业事业单位和其他生产经营者应当防止、减少环境污染和生态破坏，对所造成的损害依法承担责任。公民应当增强环境保护意识，采取低碳、节俭的生活方式，自觉履行环境保护义务。

(6) 依靠群众保护环境的原则

《中华人民共和国环境保护法》第六条规定，一切单位和个人都有保护环境的义务。《中华人民共和国环境保护法》第五十三条规定，公民、法人和其他组织依法享有获取环境信息、参与和监督环境保护的权利。《中华人民共和国环境保护法》第五十七条规定，公民、法人和其他组织发现任何单位和个人有污染环境和破坏生态行为的，有权向环境保护主管部门或者其他负有环境保护监督管理职责的部门举报。公民、法人和其他组织发现地方各级人民政府、县级以上人民政府环境保护主管部门和其他负有环境保护监督管理职责的部门不依法履行职责的，有权向其上级机关或者监察机关举报。接受举报的机关应当对举报人的相关信息予以保密，保护举报人的合法权益。要搞好环境保护工作，光靠政府和政府的环保部门的人力和物力是远远不够的，必须广

泛发动群众,做到信息公开,公众参与,将保护环境变成人民自觉的行动,我们的环境保护工作才大有前途、大有希望。

8.2 建设工程环境保护规定

1.《中华人民共和国环境保护法》的基本内容

《中华人民共和国环境保护法》共分七章,七十条。第一章为总则,第二章为监督管理,第三章为保护和改善环境,第四章为防治污染和其他公害,第五章为信息公开和公众参与,第六章为法律责任,第七章为附则。

相对于旧环保法而言,2015年实施的《中华人民共和国环境保护法》提出了要进行生态文明建设,强化了经济、教育、技术等手段,监管模式更多元化,处罚方式更趋强硬。在现行的《中华人民共和国环境保护法》中专门增加了一章"信息公开和公众参与",专门让老百姓去参与环境保护,监督环境保护工作。明确了各级人民政府环境保护主管部门和其他负有环境保护监督管理职责的部门,应当依法公开环境信息义务。公民、法人和其他组织依法享有获取环境信息、参与和监督、举报和诉讼环境保护的权利。

2.建设项目环境影响评价制度

为了实施可持续发展战略,预防因规划和建设项目实施后对环境造成不良影响,促进经济、社会和环境的协调发展,在国务院《建设项目环境保护管理条例》已有规定的基础上,我国制定了《中华人民共和国环境影响评价法》,进一步以法律的形式确立了环境影响评价制度。

(1)建设项目环境影响评价的分类管理

《中华人民共和国环境影响评价法》第十六条规定,国家根据建设项目对环境的影响程度,对建设项目的环境影响评价实行分类管理,建设单位应当按照下列规定组织编制环境影响报告书、环境影响报告表或者填报环境影响登记表(以下统称环境影响评价文件):

①可能造成重大环境影响的,应当编制环境影响报告书,对产生的环境影响进行全面评价。

②可能造成轻度环境影响的,应当编制环境影响报告表,对产生的环境影响进行分析或者专项评价。

③对环境影响很小,不需要进行环境影响评价的,应当填报环境影响登记表。

建设项目的环境影响评价分类管理名目,由国务院生态环境主管部门制定并公布。

(2)建设项目的环境影响报告书

《中华人民共和国环境影响评价法》第十七条规定,建设项目的环境影响报告书应当包括下列内容:

①建设项目概况。

②建设项目周围环境现状。

③建设项目对环境可能造成影响的分析、预测和评估。

④建设项目环境保护措施及其技术、经济论证。

⑤建设项目对环境影响的经济损益分析。

⑥对建设项目环境监测的建议。

⑦环境影响评价的结论。

涉及水土保持的建设项目,还必须有经过水土行政主管部门审查同意的水土保持方案。

(3)建设项目环境影响报告书的意见征求

除国家规定需要保密的情形外,对环境可能造成重大影响,应当编制环境影响报告书的建设项目,建设单位应当在报批建设项目环境影响报告书前,举行论证会、听证会或者采取其他形式,征求有关单位、专家和公众的意见,并与建设单位报批的环境影响报告书一并上报。

(4)建设项目环境影响报告书的审批

建设项目的环境影响评价文件由建设单位按照国务院的规定报有审批权的环境保护行政主管部门审批;建设项目有行业主管部门的,其环境影响报告书或者环境影响报告表应当经行业主管部门预审后,报有审批权的环境保护行政主管部门审批。建设项目的环境影响评价文件未经法律规定的审批部门审查或者审查后未予批准的,该项目审批部门不得批准其建设,建设单位不得开工建设。

建设项目的环境影响评价文件经批准后,建设项目的性质、规模、地点、采用的生产工艺或者防治污染、防止生态破坏的措施发生重大变动的,建设单位应当重新报批建设项目的环境影响评价文件。

审批部门应当自收到环境影响报告书之日起60日内,收到环境影响报告表之日起30日内,分别做出审批决定并书面通知建设单位。

(5)对建设项目环境影响报告书审批权限的规定

以下建设项目的环境影响评价文件由国务院环境保护行政主管部门负责审批:

①核设施、绝密工程等特殊性质的建设项目。

②跨省、自治区、直辖市行政区域的建设项目。

③由国务院审批的或者由国务院授权有关部门审批的建设项目。

如建设项目可能造成跨行政区域的不良环境影响,有关环境保护行政主管部门对该项目的环境影响评价结论有争议的,其环境影响评价文件由共同的上一级环境保护行政主管部门审批。

(6)环境影响后评价的跟踪管理

环境影响后评价,是指编制环境影响报告书的建设项目在通过环境保护设施竣工验收且稳定运行一定时期后,对其实际产生的环境影响以及污染防治、生态保护和风险防范措施的有效性进行跟踪监测和验证评价,并提出补救方案或者改进措施,提高环境影响评价有效性的方法与制度。

在项目建设、运行过程中产生不符合经审批的环境影响评价文件情形的,建设单位应当组织进行环境影响的后评价,采取改进措施,并报原环境影响评价文件审批部门和建设项目审批部门备案;原环境影响评价文件审批部门也可以责成建设单位进行环境影响的后评价,采取改进措施。

环境保护行政主管部门应当对建设项目投入生产或者使用后所产生的环境影响跟踪检查,对造成严重环境污染或者生态破坏的,应当查清原因、查明责任。对属于为建设项目环境影响评价提供技术服务的机构编制不实的环境影响评价的,或者属于审批部门工作人员失职、渎职,对依法不应批准的建设项目环境影响评价文件予以批准的,依法追究其法律责任。

3.建设工程施工现场环境保护

在建设工程施工现场应采取以下环境保护措施:

①施工现场必须建立环境保护、环境卫生管理和检查制度,并应做好检查记录。对施工现场作业人员的教育培训、考核应包括环境保护、环境卫生等有关法律、法规的内容。

②在城市市区范围内从事建筑工程施工,必须在工程开工15日以前向工程所在地县级以上

地方人民政府环境保护管理部门申报登记。施工期间的噪声排放应当符合国家规定的建筑施工场界噪声排放标准。夜间施工的,需办理夜间施工许可证明,并公告附近社区居民。

③施工现场污水排放在开工前要与所在地县级以上人民政府市政管理部门签署污水排放许可协议,申领临时排水许可证。雨水排入市政管网,污水经沉淀处理后二次使用或排入市政污水管网。施工现场泥浆、污水未经处理不得直接排入城市排水设施和河流、湖泊、池塘。

④施工现场产生的固体废弃物应在所在地县级以上地方人民政府环卫部门申报登记,分类存放。建筑垃圾和生活垃圾应与所在地垃圾消纳中心签署环保协议,及时清运处置。有毒有害废弃物应运送到专门的有毒有害废弃物中心消纳。

《住房和城乡建设部关于推进建筑垃圾减量化的指导意见》(建质〔2020〕46号)规定施工单位应建立建筑垃圾分类收集与存放管理制度,实行分类收集、分类存放、分类处置。鼓励以末端处置为导向对建筑垃圾进行细化分类。严禁将危险废物和生活垃圾混入建筑垃圾。

《中华人民共和国固体废物污染环境防治法》规定,建设产生贮存、利用、处置固体废物的项目,应当依法进行环境影响评价,并遵守国家有关建设项目环境保护管理的规定。

建设项目的环境影响评价文件确定需要配套建设的固体废物污染环境防治设施,应当与主体工程同时设计、同时施工、同时投入使用。

⑤施工现场的主要道路必须进行硬化处理,土方应集中堆放。裸露的场地和集中堆放的土方应采取覆盖、固化或绿化等措施。施工现场土方作业应采取防止扬尘的措施。

⑥拆除建筑物、构筑物时,应采用隔离、洒水等措施,并应在规定期限内将废弃物清理完毕。建筑物内施工垃圾的清运,必须采用相应的容器或管道运输,严禁凌空抛掷。

⑦施工现场使用的水泥和其他易飞扬的细颗粒建筑材料应密闭存放或采取覆盖等措施。混凝土搅拌场所应采取封闭、降尘措施。

⑧除有符合规定的装置外,施工现场内严禁焚烧各类废弃物,禁止将有毒有害废弃物作为土方回填。

⑨在居民和单位密集区域进行爆破、打桩等各项工作,项目经理部除按规定报告申请批准外,还应将作业计划、影响范围、程度及有关措施等情况,向有关居民和单位通报说明,取得协作和配合;对施工机械的噪声与振动扰民,应有相应的措施予以控制。

⑩经过施工现场的地下管线,应由发包人在施工前通知承包人,标出位置,加以保护。

⑪施工时发现文物、古迹、爆炸物、电缆等,应当停止施工,保护好现场,及时向有关部门报告,按照有关规定处理后方可继续施工。

⑫施工中需要停水、停电、封路而影响环境时,必须经有关部门批准,事先告示,并设有标志。

此外,施工企业应加强现场的卫生与防疫工作,改善作业人员的工作环境与生活条件,防止施工过程中各类疾病的发生,保障作业人员的身体健康和生命安全。

4.环境保护"三同时"制度

《中华人民共和国环境影响评价法》第二十六条规定,建设项目建设过程中,建设单位应当同时实施环境影响报告书、环境影响报告表以及环境影响评价文件审批部门审批意见中提出的环境保护对策措施。环境保护"三同时"制度是建设项目环境保护法律制度的重要组成部分,《建设项目环境保护管理条例》第十五条规定,建设项目需要配套建设的环境保护设施,必须与主体工程同时设计、同时施工、同时投产使用。《建设项目环境保护管理条例》对"三同时"制度有明确的规定。

(1)同时设计

《建设项目环境保护管理条例》第十六条规定,建设项目的初步设计,应当按照环境保护设计规范的要求,编制环境保护篇章,落实防治环境污染和生态破坏的措施以及环境保护设施投资概算。建设单位应当将环境保护设施建设纳入施工合同,保证环境保护设施建设进度和资金,并在项目建设过程中同时组织实施环境影响报告书、环境影响报告表及其审批部门审批决定中提出的环境保护对策措施。

(2)同时施工

《建设项目环境保护管理条例》第十七条规定,编制环境影响报告书、环境影响报告表的建设项目竣工后,建设单位应当按照国务院环境保护行政主管部门规定的标准和程序,对配套建设的环境保护设施进行验收,编制验收报告。建设单位在环境保护设施验收过程中,应当如实查验、监测、记载建设项目环境保护设施的建设和调试情况,不得弄虚作假。除按照国家规定需要保密的情形外,建设单位应当依法向社会公开验收报告。

(3)同时投产使用

《建设项目环境保护管理条例》第十九条规定,编制环境影响报告书、环境影响报告表的建设项目,其配套建设的环境保护设施经验收合格,方可投入生产或者使用;未经验收或者验收不合格的,不得投入生产或者使用。

分期建设、分期投入生产或者使用的建设项目,其相应的环境保护设施应当分期验收。建设项目投入生产或者使用后,应当按照国务院环境保护行政主管部门的规定开展环境影响后评价。

环境保护行政主管部门应当对建设项目环境保护设施设计、施工、验收、投入生产或者使用情况,以及有关环境影响评价文件确定的其他环境保护措施的落实情况,进行监督检查。

案例8-1

对违反环境影响评价和"三同时"要求行为的处罚依据。

【案情简介】

2019年,某村办厂征得镇党委和县征地办的同意,在未办理环境影响评价和"三同时"手续的情况下,在所在地建造铸造车间,从事将废旧铝制品熔制成铝锭的生产活动(其污染源主要是燃烧的烟尘和冶炼时的废气)。县环保局以该车间选址不当,手续不全,未经县环保局批准就投产为由,依照《建设项目环境保护管理条例》的有关规定,对该厂做出罚款5 000元和责令停产的行政处罚决定。该厂接到行政处罚决定书后,认为县环保局没有通过监测证明超标,就做出"罚款和停产"的行政处罚决定,违反了行政处罚程序,遂向人民法院起诉。一审法院立案后,为了提取污染程度的科学证据,曾口头通知村办厂保持该车间现状,以便进行监测。原告口头表示照办,但过后对车间的烟囱重建并加高到22米(原高10米左右),炉顶加设防尘盖,致使无法提取证据。一审法院开庭审理后认为:原告开办铸造车间,未经当地政府及有关部门办理审批手续就开始生产,属于违法行为。根据相关环保法律、法规,县环保局做出的行政处罚是合法的。据此一审判决驳回村办厂的请求,维持县环保局做出的行政处罚决定。村办厂对一审判决不服,在法定期限内向上级人民法院提起上诉。二审法院经过审理后认为:村办厂改建铸造车间,有关报批手续不完备,在未经当地环保部门批准的情况下,擅自投产,应当进行行政处罚。同时认为,县环保局在没有调查清楚该厂排出的废气是否超标,以及在没有对废气进行监测、取得可靠的科学数据的情况下,就做出行政处罚决定是不妥的。因此,二审法院撤销一审法院判决,并要求县环保局重新做出处理决定。

> **案例辨析**
>
> 《中华人民共和国环境保护法》及《建设项目环境保护管理条例》都对可能产生环境污染的建设项目必须进行环境影响评价做出了相应规定。该村办厂以镇党委和县征地办同意为由,建设污染项目,已构成违反《中华人民共和国环境保护法》的行为,环保部门有权进行处罚。而且这类处罚只需证明被处罚单位进行了改建、扩建等违法事实,无须以监测数据作为确认其违法行为的依据,而监测数据可作为确定违法行为危害程度的依据之一。一审法院以《中华人民共和国环境保护法》为依据,驳回村办厂请求,维持县环保局做出的行政处罚决定,是完全正确的。二审法院更改一审法院审理村办厂未办理环境影响评价和"三同时"有关手续的缘由,而以县环保局在没弄清楚该车间的废气是否超过规定的标准,以及在没有对废气进行监测,取得可靠科学数据的情况下,就做出结论和处理决定为由,撤销一审法院判决,其可罚又不可罚的前、后理由是自相矛盾的。因为县环保局并没有依据《中华人民共和国大气污染防治法》等有关法律、法规对村办厂的违法排放污染物行为做出任何处罚,而是对其违反环境影响评价和"三同时"要求的行为进行处罚,所以没有必要测定排放废气是否超标。

8.3 建设项目环境保护的专项规定

1. 固体废物污染环境防治法律制度

2020年4月经修正后公布的《中华人民共和国固体废物污染环境防治法》规定,国家推行绿色发展方式,促进清洁生产和循环经济发展。国家倡导简约适度、绿色低碳的生活方式,引导公众积极参与固体废物污染环境防治、施工现场固体废物污染环境的防治。

固体废物是指在生产建设、日常生活和其他活动中产生的污染环境的固态、半固态废弃物质。固体废物污染是指固体废物在产生、收集、贮存、运输、利用、处置的过程中产生的危害环境的现象。

（1）固体废物污染防治的原则性规定

①固体废物污染的环境影响评价。建设产生的工业固体废物的项目以及建设贮存、处置固体废物的项目,必须遵守国家有关建设项目环境保护管理的规定。

建设项目的环境影响报告书必须对建设项目产生的固体废物对环境的污染和影响做出评价,规定防治环境污染所应采取的措施,并按照国家规定的程序报环境保护行政主管部门批准。环境影响报告书经批准后,审批建设项目的主管部门方可批准该建设项目的可行性研究报告或者设计任务书。

②固体废物污染环境防治设施。建设项目的环境影响报告书确定需要配套建设的固体废物污染环境防治设施,必须与主体工程同时设计、同时施工、同时投产使用。固体废物污染环境防治设施必须经原审批环境影响报告书的环境保护行政主管部门验收合格后,该建设项目方可投入生产或者使用。对固体废物污染环境防治设施的验收应当与主体工程的验收同时进行。

（2）固体废物污染环境的防治制度

依据《中华人民共和国固体废物污染环境防治法》，与工程建设有关的防治措施有：

①产生固体废物的单位和个人，应当采取措施，防止或者减少固体废物对环境的污染。

②收集、贮存、运输、利用、处置固体废物的单位和个人，必须采取防扬散、防流失、防渗漏或者其他防止污染环境的措施。不得在运输过程中沿途丢弃、遗撒固体废物。

禁止任何单位或者个人向江河、湖泊、运河、渠道、水库及其最高水位线以下的滩地和岸坡等法律、法规规定禁止倾倒、堆放废弃物的地点倾倒、堆放固体废物。

③产品和包装物的设计、制造，应当遵守国家有关清洁生产的规定，防止过度包装造成环境污染。

④在国务院和国务院有关主管部门及省、自治区、直辖市人民政府划定的自然保护区、风景名胜区、生活饮用水源地和其他需要特别保护的区域内，禁止建设工业固体废物集中贮存、处置设施、场所和生活垃圾填埋场。

⑤转移固体废物出省、自治区、直辖市行政区域贮存、处置的，应当向固体废物移出地的省级人民政府环境保护行政主管部门报告，并经固体废物接受地的省级人民政府环境保护行政主管部门许可。

因发生事故或者其他突发性事件，造成危险废物严重污染环境的单位，应当立即采取有效措施消除或者减轻对环境的污染危害，及时通报可能受到污染危害的单位和居民，并向所在地生态环境主管部门和有关部门报告，接受调查处理。

⑥禁止中国境外的固体废物进境倾倒、堆放、处置。

⑦国家禁止进口不能作为原料的固体废物；限制进口可以作为原料的固体废物。

⑧露天贮存冶炼渣、化工渣、燃煤灰渣、废矿石、尾矿和其他工业固体废物的，应当设置专用的贮存设施、场所。

⑨施工单位应当及时清运、处置建筑施工过程中产生的垃圾，并采取措施，防止污染环境。

（3）危险废物污染环境防治的特别规定

危险废物是指列入国家危险废物名录或者根据国家规定的危险废物鉴别标准和鉴别方法认定的具有危险特性的废物。《中华人民共和国固体废物污染环境防治法》中与工程建设相关的规定如下：

①对危险废物的容器和包装物以及收集、贮存、运输、处置危险废物的设施、场所，必须设置危险废物识别标志。识别标志应当符合国家的有关规定。

②以填埋方式处置危险废物不符合国务院环境保护行政主管部门规定的，应当缴纳危险废物排污费。危险废物排污费征收的具体办法由国务院规定。危险废物排污费用于危险废物污染环境的防治，不得挪作他用。

③从事收集、贮存、处置危险废物经营活动的单位，必须向县级以上人民政府环境保护行政主管部门申请领取经营许可证，具体管理办法由国务院规定。禁止无经营许可证或者不按照经营许可证规定从事收集、贮存、处置的经营活动。禁止将危险废物提供或者委托给无经营许可证的单位从事收集、贮存、处置等经营活动。

④收集、贮存危险废物，必须按照危险废物分类进行。禁止混合收集、贮存、运输、处置性质不相容而未经安全性处置的危险废物。贮存危险废物必须采取符合国家环境保护标准的防护措施，并不得超过一年。禁止将危险废物混入非危险废物中贮存。

⑤转移危险废物的,必须按照国家有关规定填写危险废物转移联单,并向危险废物移出地设区的市级以上地方人民政府环境保护行政主管部门提出申请。移出地设区的市级以上地方人民政府环境保护行政主管部门应当在接受地设区的市级以上地方人民政府环境保护行政主管部门同意后,方可批准转移该危险废物。未经批准的,不得转移。转移危险废物途经移出地、接受地以外行政区域的,危险废物移出地设区的市级以上地方人民政府环境保护行政主管部门应当及时通知沿途经过的设区的市级以上地方人民政府环境保护行政主管部门。

⑥运输危险废物时,必须采取防止污染环境的措施,并遵守国家有关危险货物运输管理的规定。禁止将危险废物与旅客在同一运输工具上载运。

⑦收集、贮存、运输、处置危险废物的场所、设施、设备和容器、包装物及其他物品转作他用时,必须经过消除污染的处理,方可使用。

⑧直接从事收集、贮存、运输、利用、处置危险废物的人员,应当接受专业培训,经考核合格后,方可从事该项工作。

⑨产生、收集、贮存、运输、利用、处置危险废物的单位,应当制定在发生意外事故时采取的应急措施和防范措施,并向所在地县级以上地方人民政府环境保护行政主管部门报告;环境保护行政主管部门应当进行检查。

⑩禁止经中华人民共和国过境转移危险废物。

(4)施工现场固体废物的减量化和回收再利用

施工现场的固体废物主要是建筑垃圾和生活垃圾。建筑垃圾,是指建设单位、施工单位新建、改建、扩建和拆除各类建筑物、构筑物、管网等,以及居民装饰装修房屋过程中产生的弃土、弃料和其他固体废物。生活垃圾,是指在日常生活中或者为日常生活提供服务的活动中产生的固体废物,以及法律、行政法规规定视为生活垃圾的固体废物。

施工单位应实时统计并监控建筑垃圾产生量,及时采取针对性措施降低建筑垃圾排放量。鼓励采用现场泥沙分离、泥浆脱水预处理等工艺,减少工程渣土和工程泥浆排放。

施工单位应充分利用混凝土、钢筋、模板、珍珠岩保温材料等余料,在满足质量要求的前提下,根据实际需求加工制作成各类工程材料,实行循环利用。施工现场不具备就地利用条件的,应按规定及时转运到建筑垃圾处置场所进行资源化处置和再利用。

2.环境噪声污染防治法律制度

环境噪声是指在工业生产、建筑施工、交通运输和社会生活中所产生的干扰周围生活环境的声音。

环境噪声污染是指所产生的环境噪声超过国家规定的环境噪声排放标准,并干扰他人正常生活、工作和学习的现象。

与工程建设有关的噪声是指建筑施工噪声和交通运输噪声。建筑施工噪声是指在建筑施工过程中产生的干扰周围生活环境的声音。交通运输噪声是指机动车辆、铁路机车、机动船舶、航空器等交通运输工具在运行时所产生的干扰周围生活环境的声音。

《中华人民共和国环境噪声污染防治法》中与工程建设相关的主要规定如下:

①城市规划部门在确定建设布局时,应当依据国家噪声环境质量标准和民用建筑隔声设计规范,合理划定建筑物与交通干线的防噪声距离,并提出相应的规划设计要求。

②在城市市区范围内向周围生活环境排放建筑施工噪声的,应当符合国家规定的建筑施工场界环境噪声排放标准。

③在城市市区范围内,建筑施工过程中使用机械设备,可能产生环境噪声污染的,施工单位必须在开工15日以前向工程所在地县级以上地方人民政府环境保护行政主管部门申报该工程的项目名称、施工场所和期限、可能产生的环境噪声值以及所采取的环境噪声污染防治措施的情况。

④在城市市区噪声敏感建筑物集中区域内,禁止夜间进行产生环境噪声污染的建筑施工作业,但抢修、抢险作业和因生产工艺上要求或者特殊需要必须连续作业的除外。因特殊需要必须连续作业的,必须有县级以上人民政府或者其有关部门的证明。前款规定的夜间作业,必须公告附近居民。

⑤建设经过已有噪声敏感建筑物集中区域的高速公路和城市高架、轻轨道路,有可能造成环境噪声污染的,应当设置噪声屏障或者采取其他有效控制环境噪声污染的措施。"噪声敏感建筑物"是指医院、学校、机关、科研单位、住宅等需要保持安静的建筑物。"噪声敏感建筑物集中区域"是指医疗区、文教科研区和以机关或者居民住宅为主的区域。

⑥在已有的城市交通干线两侧建设噪声敏感建筑物的,建设单位应当按照国家规定间隔一定距离,并采取减轻、避免交通噪声影响的措施。

⑦在已竣工交付使用的住宅室内装修活动,应当限制作业时间,并采取其他有效措施,以减轻、避免对周围居民造成环境噪声污染。

3. 大气污染防治法律制度

大气污染是指有害物质进入大气,对人类和生物造成危害的现象。如果对它不加以控制和防治,将严重破坏生态系统和人类生存条件。

《中华人民共和国大气污染防治法》中与工程建设相关的规定如下:

①向大气排放粉尘的排污单位,必须采取除尘措施。

②严格限制向大气排放含有有毒物质的废气和粉尘;确需排放的,必须经过净化处理,不超过规定的排放标准。

③在人口集中地区和其他依法需要特殊保护的区域内,禁止焚烧沥青、油毡、橡胶、塑料、皮革、垃圾以及其他产生有毒有害烟尘和恶臭气体的物质。

④运输、装卸、贮存能够散发有毒有害气体或者粉尘物质的,必须采取密闭措施或者其他防护措施。

⑤在城市市区进行建设施工或者从事其他产生扬尘污染活动的单位,必须按照当地环境保护的规定,采取防治扬尘污染的措施。

4. 水污染防治法律制度

水污染是指水体因某种物质的介入,而导致其化学、物理、生物或者放射性等方面特性的改变,从而影响水的有效利用,危害人体健康或者破坏生态环境,造成水质恶化的现象。

在我国,《中华人民共和国水污染防治法》是规范水污染防治的基本法律,其中对水污染的防治提出了一系列规定:

(1)防治地表水污染的具体规定

《中华人民共和国水污染防治法》对防止地表水污染做出了规定,主要内容有:

①在生活饮用水源地、风景名胜区水体、重要渔业水体和其他有特殊经济文化价值的水体的保护区内,不得新建排污口。在保护区附近新建排污口,必须保证保护区不受污染。本法公布前已有的排污口,排放污染物超过国家或者地方标准的,应当治理;危害饮用水源的排污口,应当搬迁。

②排污单位发生事故或者其他突然性事件,排放污染物超过正常排放量,造成或者可能造成水污染事故的,必须立即采取应急措施,通报可能受到水污染危害和损害的单位,并向当地环境保护部门报告。船舶造成污染事故的,应当向就近的航政机关报告,接受调查处理。造成渔业污染事故的,应当接受渔政监督管理机构的调查处理。

③禁止向水体排放油类、酸类、碱液或者剧毒废液。

④禁止在水体清洗装贮过油类或者有毒污染物的车辆和容器。

⑤禁止将含有汞、铜、砷、铬、铅、氰化物、黄磷等的可溶性剧毒废渣向水体排放、倾倒或者直接埋入地下。存放可溶性剧毒废渣的场所,必须采取防水、防渗漏、防流失的措施。

⑥禁止向水体排放、倾倒工业废渣、城市垃圾和其他废弃物。

⑦禁止在江河、湖泊、运河、渠道、水库最高水位线以下的滩地和岸坡堆放、存贮固体废弃物和其他污染物。

⑧禁止向水体排放或者倾倒放射性固体废弃物或者含有高放射性和中放射性物质的废水。向水体排放含低放射性物质的废水,必须符合国家有关放射防护的规定和标准。

⑨向水体排放含热废水,应当采取措施,保证水体的水温符合水环境质量标准,防止热污染危害。

⑩排放含病原体的污水,必须经过消毒处理;符合国家有关标准后,方准排放。

(2)防止地下水污染的具体规定

《中华人民共和国水污染防治法》对防止地下水污染做出了规定,主要内容有:

①禁止企业事业单位利用渗井、渗坑、裂隙和溶洞排放、倾倒含有毒污染物的废水、含病原体的污水和其他废弃物。

②在无良好隔渗地层,禁止企业事业单位使用无防止渗漏措施的沟渠、坑塘等输送或者存贮含有毒污染物的废水、含病原体的污水和其他废弃物。

③在开采多层地下水时,如果各含水层的水质差异大,应当分层开采;对已受污染的潜水和承压水,不得混合开采。

④兴建地下工程设施或者进行地下勘探、采矿等活动,应当采取防护性措施,防止地下水污染。

⑤人工回灌补给地下水,不得恶化地下水质。

案例 8-2

施工现场应采取一定的环境保护措施。

【案情简介】

某医院住院部和门诊大楼工程位于繁华闹市中心,共 10 层,总高度为 36.4 米,建筑面积为 10 512 平方米,框剪结构,场地基本平坦,场地周围为密集的居民区和医院保留的原有楼房建筑,施工场地较为狭窄,预制构件和半成品材料需要二次搬运。

在这种情况下,工程施工可能对环境造成的影响有哪些?如何加强环境保护?为了避免扬尘现象发生,应该采取哪些措施?

案例辨析

工程施工可能对环境造成的影响有大气污染、室内空气污染、水污染、土壤污染、噪声污染、光污染、垃圾污染等。

加强环境保护应包括以下几个方面的工作：

(1) 根据"环境管理系列标准"建立环境监控体系。

(2) 未经处理的泥浆和污水不得直接外排。

(3) 不得在施工现场焚烧可能产生有毒、有害烟尘和有恶臭气体的废弃物；禁止将有毒、有害废弃物作为土方回填。

(4) 妥善处理垃圾、渣土、废弃物和冲洗水。

(5) 在居民和单位密集区进行爆破、打桩应执行有关规定。

(6) 对施工机械的噪声和振动扰民，应采取措施予以控制。

(7) 保护、处置好施工现场的地下管线、文物、古迹、爆炸物、电缆。

(8) 按要求办理停水、停电、封路手续。

(9) 在行人、车辆通行的地方施工，应当设置沟、井、坎、穴覆盖物和标志。

(10) 温暖季节对施工现场进行绿化布置。

为了避免扬尘现象发生，应该采取以下措施：施工前公布连续施工时间，向工地周围居民、单位做好解释工作；按要求报批工程所在地的建设行政主管部门审核批准，报公安交通管理部门核发制定行车路线的专用通行证；按要求报环保部门，经环保部门检测并出具检测报告书；及时和当地建设行政主管部门、环保部门、环卫部门、城管部门联系沟通，取得以上部门的理解和支持；提高施工单位员工自觉保护环境意识，积极采取措施，如对易产生灰尘的沙、回填土等松散材料表面进行覆盖，对进出车辆做好封闭，对拖带泥水的车辆在离开工地前做好清理工作等，确保减少扬尘现象的发生。

资料链接8-1

《民用建筑节能管理规定》的主要内容如下：

(1) 鼓励民用建筑节能的科学研究和技术开发，推广应用节能型的建筑、结构、材料、用能设备和附属设施及相应的施工工艺、应用技术和管理技术，促进可再生能源的开发利用。

(2) 鼓励发展下列建筑节能技术和产品：新型节能墙体和屋面的保温、隔热技术与材料；节能门窗的保温隔热和密闭技术；集中供热和热、电、冷联产联供技术；供热采暖系统温度调控和分户热量计量技术与装置；太阳能、地热等可再生能源应用技术及设备；建筑照明节能技术与产品；空调制冷节能技术与产品；其他技术成熟、效果显著的节能技术和节能管理技术。

鼓励推广应用和淘汰的建筑节能部品及技术的目录,由国务院建设行政主管部门制定;省、自治区、直辖市建设行政主管部门可以结合该目录,制定适合本区域的鼓励推广应用和淘汰的建筑节能部品及技术的目录。

(3)国家鼓励多元化、多渠道投资既有建筑的节能改造,投资人可以按照协议分享节能改造的收益;鼓励研究制定本地区既有建筑节能改造资金筹措办法和相关激励政策。

(4)建筑工程施工过程中,县级以上地方人民政府建设行政主管部门应当加强对建筑物的围护结构(含墙体、屋面、门窗、玻璃幕墙等)、供热采暖和制冷系统、照明和通风等电器设备是否符合节能要求的监督检查。

(5)新建民用建筑应当严格执行建筑节能标准要求,民用建筑工程扩建和改建时,应当对原建筑进行节能改造。

(6)既有建筑节能改造应当考虑建筑物的寿命周期,对改造的必要性、可行性以及投入收益比进行科学论证。节能改造要符合建筑节能标准要求,确保结构安全,优化建筑物使用功能。

寒冷地区和严寒地区既有建筑节能改造应当与供热系统节能改造同步进行。

采用集中采暖制冷方式的新建民用建筑应当安设建筑物室内温度控制和用能计量设施,逐步实行基本冷热价和计量冷热价共同构成的两部制用能价格制度。

(7)对工程建设有关单位的要求包括:

①建设单位应当按照建筑节能政策要求和建筑节能标准委托工程项目的设计。建设单位不得以任何理由要求设计单位、施工单位擅自修改经审查合格的节能设计文件,降低建筑节能标准。建设单位在竣工验收过程中,有违反建筑节能强制性标准行为的,按照《建设工程质量管理条例》的有关规定,重新组织竣工验收。

②设计单位应当依据建筑节能标准的要求进行设计,保证建筑节能设计质量。

③施工图设计文件审查机构在进行审查时,应当审查节能设计的内容,在审查报告中单列节能审查章节;不符合建筑节能强制性标准的,施工图设计文件审查结论应当定为不合格。

④施工单位应当按照审查合格的设计文件和建筑节能施工标准的要求进行施工,保证工程施工质量。

⑤监理单位应当依照法律、法规以及建筑节能标准、节能设计文件、建设工程承包合同及监理合同对节能工程建设实施监理。

(8)公共建筑的所有权人或者委托的物业管理单位应当建立用能档案,在供热或者制冷间歇期委托相关检测机构对用能设备和系统的性能进行综合检测评价,定期进行维护、维修、保养及更新置换,保证设备和系统的正常运行。

从事建筑节能及相关管理活动的单位,应当对其从业人员进行建筑节能标准与技术等专业知识的培训。

建筑节能标准和节能技术应当作为注册城市规划师、注册建筑师、勘察设计注册工程师、注册监理工程师、注册建造师等继续教育的必修内容。

思考与训练

一、选择题

1.《中华人民共和国水污染防治法》规定，在一些特定水体的保护区内，不得新建排污口，以下选项中，不属于特定水体的是（　　）。
   A.生活饮用水源地　　　　　　　　B.工业生产水源地
   C.风景名胜区水体　　　　　　　　D.重要渔业水体

2.《中华人民共和国大气污染防治法》规定，向大气排放粉尘的排污单位必须采取（　　）。
   A.除尘措施　　B.扬尘措施　　C.密闭措施　　D.防毒措施

3.某建筑公司准备在市区范围内进行建筑施工，其施工过程中使用机械设备可能产生环境噪声污染，根据《中华人民共和国环境噪声污染防治法》，该公司必须在工程开工（　　）以前向工程所在地县级以上地方人民政府环境保护行政主管部门申报该工程的相关情况。
   A.3日　　B.5日　　C.10日　　D.15日

4.我国环境管理的"三同时"制度是指建设项目的环境保护设施必须与主体工程（　　）的制度。
   A.同时立项　　B.同时科研　　C.同时设计　　D.同时施工
   E.同时投产使用

5.《中华人民共和国大气污染防治法》规定，排污单位排放大气污染物的（　　）有重大改变时，应当及时申报。
   A.种类　　B.数量　　C.温度　　D.湿度
   E.浓度

二、问答题

1.什么是建设项目环境影响评价？
2.在建筑施工中如何防止地表水污染、地下水污染、施工噪声污染、固体废物污染？
3.建筑工程施工对环境的常见影响表现在哪些方面？

三、技能训练题

1.先看下面的案例，然后回答问题。

某一集办公、餐饮、娱乐为一体的智能化综合建筑群位于某市三环路以内，其北侧和东侧均为居民住宅小区。该工程建筑面积12.63万平方米，檐高60~70米，工程为全现浇内筒外框结构，裙房为钢结构，地上20层，地下3层。

因混凝土需要量大，故为保证工程施工的顺利进行，施工单位在施工现场设置了混凝土集中搅拌站，实行"三班倒"连续进行混凝土的搅拌生产和浇筑。为抢工期，施工单位经常在夜间组织材料进场，钢筋的金属撞击声、砂石卸货的声音以及混凝土浇捣的轰鸣声都严重影响了附近居民的生活秩序。有关部门接到举报后检查发现，该项目并没有取得夜间施工许可证，不具有夜间施工的合法性。噪声超过了有关法规的标准，于是责令其限期整改，采取措施，处理好噪声污染问题。

请问：

(1)什么是噪声？

(2)项目经理部应如何处理噪声扰民问题?

2.看下面的资料,然后对其进行评析。

某综合商务大厦建筑面积为 26 560 平方米,钢筋混凝土框架结构,地上 8 层,地下 1 层,由市建筑设计院设计,某建筑公司施工。施工单位在余土外运时,没有采取苫盖措施,造成渣土沿途遗撒;建筑垃圾未分类,更没有封闭堆放,定时清运,造成大风天气尘土飞扬;生活区垃圾没有及时清理,未设专人管理,散发出难闻的气味。

模块 8 选择题

模块 8 技能训练题

模块 9　建设工程质量法规

学习导向

推荐学习方法　以工程质量的基本概念为切入点,了解我国有关工程质量管理法律、法规;根据案例分析总结,深刻体会工程建设中质量管理的重要性。

理论知识要求
1. 了解工程质量管理法律、法规和建筑企业质量体系认证制度,了解工程建设质量的奖励规定。
2. 掌握工程质量管理监督制度的有关规定。
3. 理解各单位工程质量管理的责任和义务。

能力素质要求
1. 具有准确区分工程建设各方责任和义务的能力。
2. 具有严格执行工程质量管理的意识和能力。

引例

2020年8月临汾市某村一饭店发生坍塌事故,造成29人死亡、28人受伤,直接经济损失1 164.35万元。

该起事故是一起因违法违规占地建设,且在无专业设计、无资质施工的情形下,多次盲目改造扩建,建筑物工程质量存在严重缺陷,导致在经营活动中部分建筑物坍塌的生产安全责任事故。

事故调查组通过深入调查和综合分析,逐一排除了人为破坏、地震、地基承载力不足及沉降变形等可能导致坍塌的因素,认定事故直接原因是:此饭店建筑结构整体性差,经多次加建后,宴会厅东北角承重砖柱Ⅲ长期处于高应力状态;北楼二层A区屋面预制板长期处于超荷载状态,在其上部高炉水渣保温层的持续压力下,发生脆性断裂,形成对宴会厅顶板的猛烈冲击,导致东北角承重砖柱Ⅲ崩塌,随后造成北楼二层南半部分和宴会厅整体坍塌。同时,不排除当地8月份强降雨的影响。

9.1 概　述

9.1.1 工程质量的概念与特点

1. 工程质量的概念

工程质量有狭义和广义之分。

狭义的工程质量是指建设工程的实体质量,是指在国家现行的有关法律、法规、技术标准、设计文件和合同中,对工程的安全、适用、经济、美观等特征的综合要求,即工程符合业主需要而具备的使用功能。如基础是否坚固,主体结构是否安全以及通风、采光是否合理等。

广义的工程质量不仅包括工程的实体质量,还包括工程建设参与者的工作质量和服务质量。具体反映在他们的工作效率是否很高,管理水平是否先进,服务是否及时、主动,态度是否诚恳、守信等方面。工程实体质量是决策、计划、勘察、设计、施工等单位各方面、各环节工作质量的综合反映。目前国内外都趋向于从广义上来理解建设工程质量,但本书中的建设工程质量主要还是指狭义上的建设工程质量,即建设工程本身的质量。

2. 建设工程质量的特点

建设工程质量的特点是由建设工程本身和建设生产的特点决定的。建设工程(产品)及其生产具有以下特点:一是产品的固定性,生产的流动性;二是产品的多样性,生产的单件性;三是产品形体庞大、投入高、生产周期长,具有风险性;四是产品的社会性,生产的外部约束性。上述建设工程的特点决定了工程质量本身有隐蔽性、终检的局限性、评价方法的特殊性以及影响因素多、质量波动大、对社会环境影响大等特点。

3. 建设工程各阶段对工程质量形成的影响

建设工程项目具有周期长的特点,其质量是在整个过程中逐步形成的。建设工程的不同阶段对工程项目质量的形成起着不同的作用和影响。

①项目的可行性研究直接影响项目的决策质量和设计质量。在此阶段,需要确定工程项目的质量要求,并与投资目标相协调。

②项目决策阶段对工程质量的影响主要是确定工程项目应达到的质量目标和水平。

③勘察设计阶段是影响工程质量的关键环节。工程的地质勘察设计使得质量目标和水平具体化,为施工提供了直接依据。设计的严密性、合理性是建设工程的安全、适用、经济与环境保护等措施得以实现的保证。

④施工阶段是影响工程质量的决定性环节。工程施工活动决定了设计意图能否体现,它直接关系到工程的安全可靠、使用功能的保证,以及外表观感能否体现建筑设计的艺术水平。

⑤工程竣工验收阶段是影响工程质量的重要环节。工程竣工验收对质量的影响是保证最终产品的质量。

9.1.2 工程质量监督制度

为了确保工程质量,确保公共安全,保护人民群众的生命和财产安全,《中华人民共和国建筑法》第六条规定,国务院建设行政主管部门对全国的建筑活动实施统一监督管理。《建设工程质量管理条例》第四十三条规定,国家实行建设工程质量监督管理制度。政府对工程质量的监督管理作为一项制度,以法规的形式加以明确,强调了工程质量必须实行政府监督管理。

1.建设工程主体的监督管理制度

建设工程主体是指建设工程的参与者,它包括建设单位、勘察单位、设计单位、施工单位、监理单位和构配件生产单位等及其相关人员。

政府对建设工程主体的监督管理内容主要有:

①对建设单位的能力进行审查。审查其是否具备与发包工程项目相适应的技术、经济管理能力,编制招标文件及组织开标、评标、定标的能力。如其不具备上述能力,则要求委托招标代理机构代为办理招标事宜。

②对勘察单位、设计单位、施工单位、监理单位和构配件生产单位、房地产开发单位实行资格等级认定、生产许可证和业务范围的监督管理。上述单位必须按规定申请并取得相应资格证书后,方能从事其资质等级允许其范围内的业务活动。各级建设行政主管部门将严格监督各单位在其资质等级允许的业务范围内从事活动。

③实行执业工程师注册制。我国现行法规规定从事建筑设计、工程监理的工程技术人员须经过考试取得资格证书并经注册后方能获得相应执业资格。各级建设行政主管部门负责考试、注册及执业活动的监督管理。

2.建设工程质量监督制度

根据建设部发布的《建设工程质量监督管理规定》,凡新建、扩建、改建的工业、交通和民用、市政公用工程及构配件生产,均应接受建设工程质量监督机构的监督。

9.1.3 工程质量管理部门

1.政府部门及分工

①住房和城乡建设部是我国建设行政主管部门,是建设工程质量监督的总部。它对全国建设工程质量实施统一监督管理,主要负责全国范围内的重大建设项目的质量监督管理。

②国务院铁路、交通、水利等有关部门按照国务院规定的职责分工,负责全国有关专业建设工程质量的监督管理。

③县级以上地方人民政府建设行政主管部门对本行政区内的建设工程质量实施监督管理。县级以上地方人民政府交通、水利等有关部门在各自的职责范围内,负责对本行政区域内的专业建设工程质量的监督管理。

④国务院发展计划部门按照国务院规定的职责,组织稽查特派员,对国家出资的重大建设项目实施监督检查。稽查特派员应具有坚定的政治作风和良好的专业知识,发现问题应及时上报有关部委。

⑤国务院经济贸易主管部门按照国务院规定的职责,对国家重大技术发明项目实施监督检查。

2.工程质量监督机构

(1)建设工程质量监督站

建设工程质量监督站是建设工程质量监督的实施机构。

建设工程质量监督工作的主管部门,在国家为住房和城乡建设部,在地方为各级人民政府的建设主管部门。国务院铁路、交通、水利等有关部门负责有关专业建设工程项目的质量监督管理工作。

省、自治区、直辖市建委(建设厅)和国务院、交通等部门根据各部门实际需要,可设置从事管理工作的工程质量监督总站,市、县建委(建设局)依次建立监督站。市、县建设工程监督站和国务院工业、交通部门所设的专业建设工程质量监督站(以下简称监督站)为建设工程质量监督的实施机构。

(2)监督站的主要职责

检查受监工程的勘察、设计、施工单位和建筑构件厂是否严格执行技术标准,检查其工程(产品)质量;检查工程的质量登记和建筑构件质量,参与评定本地区、本部门的优质工程;参与重大工程质量事故的处理;总结质量监督工作经验,掌握工程质量状况,定期向主管部门汇报。

(3)建设工程质量监督的工作程序

①建设单位在开工前1个月,到监督站办理监督手续,提交勘察设计资料等有关文件。

②监督站在接到文件、资料后2周内,应确定该工程的监督员,并通知建设、勘察、设计、施工单位,同时应提出监督计划。

③工程开工前,监督员应对受监工程的勘察、设计、施工和设计单位资质等级及营业范围进行审核,凡不符规定要求的不许开工,监督员还要对施工图中的建筑结构、安全、防火、卫生等方面进行审查,使之符合相应标准的要求。

④工程施工中,监督员将按监督计划对工程质量进行抽查。房屋建筑和构筑物工程的抽查重点是地基基础、主体结构和决定使用功能、安全性能的重要部位;其他工程的监督重点视工程性质决定。

⑤工程完工后,监督站在施工单位验收的基础上对工程质量等级进行核验。建筑构件质量监督的重点是核查生产单位的生产许可证、检测手段和构件质量。

(4)监督站的权限与责任

①对不按技术标准和有关文件要求进行设计和施工的单位,可给予警告或通报批评。

②对发生严重工程质量问题的单位可令其及时、妥善地处理,对情节严重的,可按有关规定进行罚款,如为在施工程,则令其停工整顿。

③对于核验不合格的工程,可做出返修加固的决定,直至达到合格方准交付使用。

④对造成重大质量事故的单位,可参加有关部门组成的调查组,提出调查处理意见。

⑤对工程质量优良的单位,可提请当地建设主管部门给予奖励。

因监督人员失误、失职、渎职而使建设工程出现重大质量事故或在核验中弄虚作假的,主管部门将视情节严重程度,对其给予批评、警告、记过直至撤职的处分,触犯刑律的将由司法机关追究刑事责任。

3.建设工程质量检测机构

在工程施工过程中,为了控制工程总体或局部施工质量,需要依据有关技术标准和规定的方法,对用于工程的材料和构件抽取一定数量的样品进行检测,并根据检测结果判断其所代表部位的质量。为了加强对建设工程质量检测的管理,根据《中华人民共和国建筑法》和《建设工程质量管理条例》,建设部于2005年9月28日发布了《建设工程质量检测管理办法》(建设部令第141号,2005年11月1日起实施)。

(1)建设工程质量检测机构的性质

建设工程质量检测工作是对建设工程质量进行监督管理的重要手段之一。建设工程质量检测机构是具有独立法人资格的中介机构。需经省级以上人民政府建设行政主管部门等机构考核合格后,方可承担建筑工程质量的检测任务。它是对建设工程和建筑构件、制品及建筑材料和设备的质量进行检测的法定单位,它所出具的检测报告具有法定效力。国家级检测机构出具的检测报告,在国内为最终裁定;在国外具有代表国家的性质。

(2)各级建设工程质量检测机构与任务

建设工程质量检测机构分为国家、省、市(地区)、县四级。建设工程质量国家检测中心是国家级的建设工程质量检测机构。其主要任务有:

①承担重大建设工程质量的检测和试验任务。

②负责建设工程所用的构件制品及有关材料、设备的质量认证和仲裁检测工作等。

③负责对结构安全、建设功能的鉴定,参加重大工程质量事故的处理和仲裁检测工作等;各省、自治区、直辖市的建设工程质量检测中心和市(地区)、县级的建设工程质量检测站则主要承担本地区建设工程和建筑构件、制品以及建筑现场所用材料质量的检测工作和参加本地区工程质量事故的处理和仲裁工作。此外,还可参加本地区建筑新结构、新技术、新产品的科技成果鉴定等工作。

(3)建设工程质量检测机构的权限

①国家级检测机构受国务院建设行政主管部门的委托,有权对指定的国家重点工程进行检测复核,并向国务院建设行政主管部门提出检测复核报告和建议。各地检测机构有权对本地区正在施工的建设工程所用的建筑材料、混凝土、砂浆和建筑构件等进行随机抽样检测,并向本地建设工程质量主管部门和质量监督部门提出抽检报告和建议。

②受国家建设主管部门和国家标准部门委托,国家级检测机构有权对建筑构件、制品及有关的材料、设备等产品进行抽样检测。省、市(地区)、县级检测机构,受同级建设主管部门和标准部门委托,有权对本省、市、县的建筑构件、制品进行抽样检测。对违反技术标准、失去质量控制的产品,检测单位有权提出请主管部门责令停止生产,不合格产品不准出厂,已出厂的产品不得使用的决定。

9.2 建设工程质量管理法规

1. 我国建设工程质量管理法规现状

工程建设质量管理一直是国家工程建设管理的重要内容,有关工程建设质量的立法工作也一直是工程建设法规的立法重点。改革开放以来,我国出台了一系列工程建设的法律、法规和部门规章,使工程质量管理有章可循、有法可依,对规范工程建设活动起到了积极作用,为确保工程建设的质量提供了制度保证。

建设工程质量管理法规不仅包括国家制定颁布的所有有关建设工程质量管理方面的法律、法规,还包括其他法规中涉及建设工程质量管理的规定。

我国现行的工程质量管理法规如下:

(1)法律

《中华人民共和国建筑法》共八章八十五条,其中第六章规范了建筑工程质量管理,包括建筑工程的质量要求、质量义务和质量管理制度;第七章规范了建筑工程质量责任。《中华人民共和国建筑法》是我国社会主义市场经济法律体系中的重要法律,其立法目的在于加强建筑活动的监督管理,维护建筑市场秩序,保证建筑工程的质量和安全,促进建筑业的健康发展。

(2)行政法规

《建设工程质量管理条例》共九章八十二条,分别明确规定了建设单位、勘察单位、设计单位、施工单位、工程监理单位的质量责任和义务,确立了建设工程质量保修制度,工程质量监督管理制度等内容。《建设工程质量管理条例》对违法行为的种类和相应处罚做出了原则性规定;同时,也完善了责任追究制度。《建设工程质量管理条例》的立法目的在于加强对建设工程质量的管理,保证建设工程质量,保护人民生命和财产安全。

(3)部门规章

部门规章是国务院所属部委根据行政法规、决定、命令,在本部门的权限内,所发布的各种行政性的规范性文件。有关工程质量管理的部门规章很多,主要有《建设工程质量管理办法》《建筑工程施工许可管理办法》《建设工程五方责任主体项目负责人质量终身责任追究暂行办法》《建设单位项目负责人质量安全八项规定(试行)》《建筑工程勘察单位项目负责人质量安全责任七项规定(试行)》《建筑工程设计单位项目负责人质量安全责任七项规定(试行)》《建筑工程项目总监理工程师质量安全责任六项规定(试行)》《建筑施工项目经理质量安全责任十项规定(试行)》等。

(4)技术法规

《工程建设标准强制性条文》虽然是技术法规的过渡成果,但《建设工程质量管理条例》确立了其法律地位,它已经成为工程质量管理法律规范体系中重要的一部分。

(5)地方性法规、规章

地方性法规是由省、自治区、直辖市、省级政府所在地的市,以及设区的市的人大及其常委会制定和修改的,效力不超过本行政区域范围,作为地方司法依据之一的规范性文件。如《北京市建设工程质量条例》《天津市建设工程质量管理规定》《广东省建设工程质量管理条例》《辽宁省建设工程质量条例》等。

地方政府规章是有权制定地方性法规的地方的人民政府,根据法律、行政法规及相应的地方性法规,制定的规范性文件。如《四川省政府投资工程建设项目比选办法》《辽宁省交通建设工程质量安全监督管理办法》等。

2.建设工程质量管理法规的调整对象

建设工程质量管理法律、法规是指调整建设工程质量管理活动中发生的各种社会关系的法律、法规的总称。它主要用来调整以下两种社会关系:

(1)纵向监督管理关系

调整国家主管机关与建设单位、勘察单位、设计单位、施工单位、监理单位之间的工程质量监督管理关系。纵向工程质量管理具体由建设行政主管部门及其授权机构实施,这种管理贯穿于工程建设的全过程和各个环节之中。

(2)横向各主体间民事关系

调整建设工程活动中有关主体之间的民事关系包括建设单位与勘察、设计单位之间的勘察设计合同关系,建设单位与施工单位之间的施工合同关系,建设单位与监理单位之间的建设监理委托合同关系等。它可实现横向工程质量管理。

9.3 建设工程质量管理的责任和义务

建设工程质量责任制是涵盖了多方主体的质量责任制,除施工单位外,还有建设单位,勘察、设计单位和工程监理单位。

《建筑工程五方责任主体项目负责人质量终身责任追究暂行办法》明确规定,建筑工程五方责任主体项目负责人是指承担建筑工程项目建设的建设单位项目负责人、勘察单位项目负责人、设计单位项目负责人、施工单位项目经理、监理单位总监理工程师。

《住房和城乡建设部关于落实建设单位工程质量首要责任的通知》[建质规〔2020〕9号]规定建设单位是工程质量第一责任人,依法对工程质量承担全面责任。对因工程质量给工程所有权人、使用人或第三方造成的损失,建设单位依法承担赔偿责任,有其他责任人的,可以向其他责任人追偿。

建设单位要严格履行基本建设程序,不得直接发包预拌混凝土等专业分包工程,不得指定按照合同约定应由施工单位购入用于工程的装配式建筑构配件、建筑材料和设备或者指定生产厂、供应商。

建设单位要科学合理确定工程建设工期和造价,严禁盲目赶工期、抢进度,不得迫使工程其他参建单位简化工序、降低质量标准。调整合同约定的勘察、设计周期和施工工期的,应相应调整相关费用。因极端恶劣天气等不可抗力以及重污染天气、重大活动保障等原因停工的,应给予合理的工期补偿。因材料、工程设备价格变化等原因,需要调整合同价款的,应按照合同约定给予调整。

建设合同应约定施工过程结算周期、工程进度款结算办法等内容。分部工程验收通过时原则上应同步完成工程款结算,不得以设计变更、工程洽商等理由变相拖延结算。

建设单位要健全工程项目质量管理体系,配备专职人员并明确其质量管理职责,不具备条件的可聘用专业机构或人员。加强对按照合同约定自行采购的建筑材料、构配件和设备等的质量管理,并承担相应的质量责任。

建设单位要在收到工程竣工报告后及时组织竣工验收,重大工程或技术复杂工程可邀请有关专家参加,未经验收合格不得交付使用。

1. 建设单位的质量责任和义务

(1) 依法对工程进行发包的责任

《建设工程质量管理条例》第七条规定,建设单位应当将工程发包给具有相应资质等级的单位。建设单位不得将建设工程肢解发包。

建设单位应当依法行使工程发包权,《中华人民共和国建筑法》对此已有明确规定。

(2) 依法对材料设备招标的责任

《建设工程质量管理条例》第八条规定,建设单位应当依法对工程建设项目的勘察、设计、施工、监理以及与工程建设有关的重要设备、材料等的采购进行招标。

建设单位实施的工程建设项目采购行为应当符合《中华人民共和国招标投标法》及其相关规定。

(3)提供原始资料的责任

《建设工程质量管理条例》第九条规定,建设单位必须向有关的勘察、设计、施工、工程监理等单位提供与建设工程有关的原始资料。原始资料必须真实、准确、齐全。《建设工程安全生产管理条例》对此有类似规定。

(4)不得干预投标人的责任

《建设工程质量管理条例》第十条规定,建设工程发包单位不得迫使承包方以低于成本价格竞标。在此,承包方主要指勘察、设计和施工单位。《中华人民共和国招标投标法》从规范投标人竞标行为的角度规定"投标人不得以低于成本的报价竞标"。建设单位迫使施工单位实施违法建设行为自然是法律所不允许的。

建设单位不得任意压缩合理工期,不得明示或者暗示设计单位或者施工单位违反工程建设强制性标准,降低建设工程质量。

2019年4月公布的《政府投资条例》规定,政府投资项目应当按照国家有关规定合理确定并严格执行建设工期,任何单位和个人不得非法干预。

(5)送审施工图的责任

《建设工程质量管理条例》第十一条规定,施工图设计文件审查的具体办法,由国务院建设行政主管部门、国务院其他有关部门制定。施工图设计文件未经审查批准的,不得使用。

根据这一规定,施工图设计文件审查成为基本建设必须进行的一道程序,建设单位应当严格执行。关于施工图设计文件审查的主要内容,《建设工程勘察设计管理条例》第三十三条进一步明确规定,施工图设计文件审查机构应当对房屋建筑工程、市政基础设施工程施工图设计文件中涉及公共利益、公众安全、工程建设强制性标准的内容进行审查。县级以上人民政府交通运输等有关部门应当按照职责对施工图设计文件中涉及公共利益、公众安全、工程建设强制性标准的内容进行审查。施工图设计文件未经审查或者审查不合格,建设单位擅自施工的,《建设工程质量管理条例》第五十六条规定,建设单位除被责令整改外,还应当承担罚款的行政责任。

(6)依法委托监理的责任

《建设工程质量管理条例》第十二条规定,实行监理的建设工程,建设单位应当委托具有相应资质等级的工程监理单位进行监理,也可以委托具有工程监理相应资质等级并与被监理工程的施工承包单位没有隶属关系或者其他利害关系的该工程的设计单位进行监理。

(7)确保提供的物资符合要求的责任

《建设工程质量管理条例》第十四条规定,按照合同约定,由建设单位采购建筑材料、建筑构配件和设备的,建设单位应当保证建筑材料、建筑构配件和设备符合设计文件和合同要求。

如果建设单位提供的建筑材料、建筑构配件和设备不符合设计文件和合同要求,则属于违约行为,应当向施工单位承担违约责任,施工单位有权拒绝接收这些货物。

(8)不得擅自改变主体和承重结构进行装修的责任

《建设工程质量管理条例》第十五条规定,涉及建筑主体和承重结构变动的装修工程,建设单位应当在施工前委托原设计单位或者具有相应资质等级的设计单位提出设计方案;没有设计方案的,不得施工。

(9)依法组织竣工验收的责任

《建设工程质量管理条例》第十六条规定,建设单位收到建设工程竣工报告后,应当组织设计、施工、工程监理等有关单位进行竣工验收。

建设工程竣工验收是施工全过程的最后一道程序,是建设投资成果转入生产或使用的标志,是全面考核投资效益、检验设计质量和施工质量的重要环节。

(10)移交建设项目档案的责任

《建设工程质量管理条例》第十七条规定,建设单位还应当严格按照国家有关档案管理的规定,及时向建设行政主管部门或者其他有关部门移交建设项目档案。

2.勘察设计单位的质量责任和义务

(1)依法承揽工程的责任

《建设工程质量管理条例》第十八条规定,从事建设工程勘察、设计的单位应当依法取得相应等级的资质证书,并在其资质等级许可的范围内承揽工程。

禁止勘察、设计单位超越其资质等级许可的范围或者以其他勘察设计单位的名义承揽工程。禁止勘察、设计单位允许其他单位或者个人以本单位的名义承揽工程。

勘察、设计单位不得转包或者违法分包所承揽的工程。

勘察、设计单位的资质等级许可制度在《中华人民共和国建筑法》《建设工程质量管理条例》中有明确规定。

(2)执行强制性标准的责任

《建设工程质量管理条例》第十九条规定,勘察、设计单位必须按照工程建设强制性标准进行勘察、设计,并对其勘察、设计的质量负责。注册建筑师、注册结构工程师等注册执业人员应当在设计文件上签字,对设计文件负责。

(3)提供真实准确勘察成果的责任

《建设工程质量管理条例》第二十条规定,勘察单位提供的地质、测量、水文等勘察成果必须真实、准确。

(4)科学设计的责任

《建设工程质量管理条例》第二十一条规定,设计单位应当根据勘察成果文件进行建设工程设计。

设计文件应当符合国家规定的设计深度要求,注明工程合理使用年限。

(5)选择材料设备的责任

《建设工程质量管理条例》第二十二条规定,设计单位在设计文件中选用的建筑材料、建筑构配件和设备,应当注明规格、型号、性能等技术指标,其质量要求必须符合国家规定的标准。除有特殊要求的建筑材料、专用设备、工艺生产线等外,设计单位不得指定生产厂、供应商。

(6)解释设计文件的责任

《建设工程质量管理条例》第二十三条规定,设计单位应当就审查合格的施工图设计文件向施工单位做出详细说明。

设计单位因为负责设计施工图,所以对施工图会有更深刻的理解,由其对施工单位做出说明,有助于施工单位理解施工图,保证工程质量。

《建设工程勘察设计管理条例》第三十条规定,建设工程勘察、设计单位应当在建设工程施工前,向施工单位和监理单位说明建设工程勘察、设计意图,解释建设工程勘察、设计文件。建设工程勘察、设计单位应当及时解决施工中出现的勘察、设计问题。

(7)参与质量事故分析的责任

《建设工程质量管理条例》第二十四条规定,设计单位应当参与建设工程质量事故分析,并对因设计造成的质量事故,提出相应的技术处理方案。

3.施工单位的质量责任和义务

(1)依法承揽工程的责任

《建设工程质量管理条例》第二十五条规定,施工单位应当依法取得相应等级的资质证书,并在其资质等级许可的范围内承揽工程。

禁止施工单位超越本单位资质等级许可的业务范围或者以其他施工单位的名义承揽工程。禁止施工单位允许其他单位或者个人以本单位的名义承揽工程。

施工单位不得转包或者违法分包工程。

(2)建立质量保证体系的责任

《建设工程质量管理条例》第二十六条规定,施工单位对建设工程的施工质量负责。施工单位应当建立质量责任制,确定工程项目的项目经理、技术负责人和施工管理负责人。

建设工程实行总承包的,总承包单位应当对全部建设工程质量负责;建设工程勘察、设计、施工、设备采购的一项或者多项实行总承包的,总承包单位应当对其承包的建设工程或者采购的设备的质量负责。

(3)分包单位保证工程质量的责任

《建设工程质量管理条例》第二十七条规定,总承包单位依法将建设工程分包给其他单位的,分包单位应当按照分包合同的约定对其分包工程的质量向总承包单位负责,总承包单位与分包单位对分包工程的质量承担连带责任。

(4)按图施工的责任

《建设工程质量管理条例》第二十八条规定,施工单位必须按照工程设计图纸和施工技术标准施工,不得擅自修改工程设计,不得偷工减料。

施工单位在施工过程中发现设计文件和图纸有差错的,应当及时提出意见和建议。

工程设计图纸和施工技术标准都属于合同文件的一部分,如果施工单位没有按照工程设计图纸施工,首先要对建设单位承担违约责任。同时,由于不按照工程设计图纸和工程技术标准施工存在潜在而巨大的社会危害性,所以法律又将其确定为违法行为。

如果施工单位在施工的过程中发现施工图中确实存在一定的问题,应当提出意见和建议,并按照规定程序提请变更。

(5)对建筑材料、构配件和设备进行检验的责任

《建设工程质量管理条例》第二十九条规定,施工单位必须按照工程设计要求、施工技术标准和合同约定,对建筑材料、建筑构配件、设备和商品混凝土进行检验,检验应当有书面记录和专人签字;未经检验或者检验不合格的,不得使用。

施工单位对建筑材料、建筑构配件、设备和商品混凝土的检验是保证工程质量的重要环节。如果不能把住这道关口,就可能使劣质的建筑材料、构配件和设备用于工程,会留下质量和安全隐患。

(6)对施工质量进行检验的责任

《建设工程质量管理条例》第三十条规定,施工单位必须建立、健全施工质量的检验制度,严格工序管理,做好隐蔽工程的质量检查和记录。隐蔽工程在隐蔽前,施工单位应当通知建设单位和建设工程质量监督机构。

因隐蔽工程具有不可逆性,并将被后一道工序所覆盖,所以要在覆盖之前进行验收。隐蔽工

程验收前,承包人应当通知发包人检查。发包人没有及时检查的,承包人可以顺延工程日期,并有权要求赔偿停工、窝工等损失。

(7)见证取样的责任

《建设工程质量管理条例》第三十一条规定,施工人员对涉及结构安全的试块、试件以及有关材料,应当在建设单位或者工程监理单位监督下现场取样,并送具有相应资质等级的质量检测单位进行检测。

(8)返修保修的责任

《建设工程质量管理条例》第三十二条规定,施工单位对施工中出现质量问题的建设工程或者竣工验收不合格的建设工程,应当负责返修。

《中华人民共和国民法典》对施工单位的返修义务也有相应规定,即因施工人原因致使建设工程质量不符合约定的,发包人有权要求施工人在合理期限内无偿修理或者返工、改建。经过修理或者返工、改建后,造成逾期交付的,施工人应当承担违约责任。返修包括修理和返工。

案例9-1

质量责任的确定。

【案情简介】

某房地产开发公司甲在某市老城区参与旧城改造建设,投资3.5亿元,修建一个星级酒店、2座高档写字楼、6栋宿舍楼,建筑周期为22个月,该项目进行了公开招标,建筑工程总公司乙中标,甲与乙签订工程总承包合同,双方约定:必须保证工程质量优良,保证工期,乙可以将宿舍楼分包给其下属分公司施工。乙为保证工程质量与工期,将6栋宿舍楼分包给施工能力强、施工整体水平高的下属分公司丙与丁,并签订分包协议书。根据总包合同要求,在分包协议中对工程质量与工期进行了约定。工程根据总包合同工期要求按时开工,在实施过程中,乙保质按期完成了酒店与写字楼的施工任务。丙在签订分包合同后因其资金周转困难,随后将工程转交给了一个具有施工资质的施工单位丁,并收取10%的管理费,丁为加快进度,将其中一栋单体宿舍楼分包给没有资质的农民施工队。工程竣工后,甲会同有关质量监督部门对工程进行验收,发现丁施工的宿舍存在质量问题,必须进行整改才能交付使用,给甲带来了损失,丁以与甲没有合同关系为由拒绝承担责任,乙又以自己不是实际施工人为由推卸责任,甲遂以乙为第一被告、丁为第二被告向法院起诉。

问题:

(1)什么是分包?乙公司的分包行为是否合法?

(2)丙、丁的再分包行为如何界定?

(3)这起责任最终应该有哪些主体承担?为什么?

> **案例辨析**
>
> (1)分包指在发包方同意的情况下,总包方将其承包的部分非主体结构工程分包给有资质的其他施工单位的行为。乙公司的分包行为不合法,因其已将宿舍楼的主体工程进行了分包。
> (2)实际施工人(单位)与丙不是同一单位,实际施工人(农民)不是丁的工作人员显然属于再分包。
> (3)应由乙、丁和实际施工人(单位)承担责任,三个主体均对工程质量问题有过错。

4.工程监理单位的质量责任和义务

(1)依法承揽业务的责任

《建设工程质量管理条例》第三十四条规定,工程监理单位应当依法取得相应等级的资质证书,并在其资质等级许可的范围内承担工程监理业务。

禁止工程监理单位超越本单位资质等级许可的范围或者以其他工程监理单位的名义承担工程监理业务。禁止工程监理单位允许其他单位或者个人以本单位的名义承担工程监理业务。工程监理单位不得转让工程监理业务。

(2)独立监理的责任

《建设工程质量管理条例》第三十五条规定,工程监理单位与被监理工程的施工承包单位以及建筑材料、建筑构配件和设备供应单位有隶属关系或者其他利害关系的,不得承担该项建设工程的监理业务。

独立是公正的前提条件,监理单位如果不独立,就不可能保持公正。

(3)依法监理的责任

《建设工程质量管理条例》第三十六条规定,工程监理单位应当依照法律、法规以及有关技术标准、设计文件和建设工程承包合同,代表建设单位对施工质量实施监理,并对施工质量承担监理责任。

监理工程师应当按照工程监理规范的要求,采取旁站、巡视和平行检验等形式,对建设工程实施监理。

监理单位对施工质量承担监理责任,主要包括违法责任和违约责任两个方面。根据《中华人民共和国建筑法》和《建设工程质量管理条例》对监理单位违法责任的规定,工程监理单位与建设单位或者施工单位相互串通、弄虚作假降低工程质量的,或者将不合格的建设工程、建筑材料、建筑构配件和设备按照合格签字的,承担连带赔偿责任。监理单位在责任期内,不按照监理合同约定履行监理职责,给建设单位或者其他单位造成损失的,属于违约责任,应当向建设单位赔偿。

(4)确认质量和应付工程款的责任

《建设工程质量管理条例》第三十七条规定,工程监理单位应当选派具备相应资格的总监理工程师和监理工程师进驻施工现场。

未经监理工程师签字,工程使用的建筑材料、建筑构配件和设备不得在工程上使用或者安装,施工单位不得进行下一道工序的施工。

未经总监理工程师签字,建设单位不拨付工程款,不进行竣工验收。

5. 建筑材料、构配件生产及设备供应单位的质量责任和义务

《建设工程质量管理条例》并没有专门设置"建筑材料、构配件生产及设备供应单位的质量责任和义务"一章,但根据《中华人民共和国产品质量法》(2000年7月8日发布)的有关规定,建筑材料、构配件生产及设备供应单位主要有以下质量责任和义务:

(1)建筑材料、构配件生产及设备供应单位的基本要求

建筑材料、构配件生产及设备供应单位必须具备相应的生产条件、技术装备和质量保证体系,配备必要的检测人员和设备,把好产品看样、订货、储存、运输和核验的质量关。

(2)建筑材料、构配件及设备质量应当符合的要求

①符合国家或行业现行有关技术标准规定的合格标准和设计要求。

②符合在产品或其包装上注明采用的标准,符合以产品说明、实物样品等方式表明的质量状况。

(3)建筑材料、构配件及设备或者其包装上的标志应当符合的要求

①有产品质量检验合格证明。

②有中文标明的产品名称、生产厂名和厂址。

③产品包装和商标样式符合国家有关规定和标准要求。

④设备应有详细的产品使用说明书,电气设备还应附有线路图示。

⑤实施生产许可证或使用产品质量认证标志的产品,应有许可证或质量认证的编号、批准日期和有效期限。

(4)建筑材料、构配件生产及设备供应单位的其他质量责任和义务

建筑材料、构配件生产及设备供应单位不得生产国家明令淘汰的产品,不得伪造产地,不得伪造或冒用他人的厂名、厂址,不得伪造或冒用认证标志等质量标志,不得掺杂、掺假,不得以假充真、以次充好,不得以不合格产品冒充合格产品。

案例9-2

工程建设中的质量控制问题。

【案情简介】

A房地产开发公司开发某住宅楼工程,委托B设计院进行设计,C监理公司进行工程监理,D质量监督站负责质量监督,施工单位为E建设集团公司,F建材公司进行材料供应。住宅楼建筑面积52 000 m^2,框架结构。

> **案例辨析**
>
> （1）建设单位的质量控制的目标是保证竣工项目达到投资决策所确定的质量标准。设计单位在施工阶段的质量控制目标是保证竣工项目的各项施工结果与设计文件所规定的标准相一致。施工单位的质量控制目标是保证交付满足施工合同及设计文件所规定的质量标准的建设工程产品。监理单位在施工阶段的质量控制目标是保证工程质量达到施工合同和设计文件所规定的质量标准。
>
> （2）该工程施工质量控制过程中，施工单位(E建设集团公司)、材料供应方(F建材公司)是自控主体；建设单位(A房地产开发公司)、监理单位(C监理公司)、设计单位(B设计院)、政府工程质量监督部门(D质量监督站)是监控主体。

9.4 建筑企业质量体系认证制度

《中华人民共和国建筑法》第五十三条规定，国家对从事建筑活动的单位推行质量体系认证制度。从事建筑活动的单位根据自愿原则可以向国务院产品质量监督管理部门或者国务院产品质量监督管理部门授权的部门认可的认证机构申请质量体系认证。经认证合格的，由认证机构颁发质量体系认证证书。

1. 质量体系认证概述

质量体系是指企业为保证其产品质量所采取的管理、技术等各项措施所构成的有机整体，即企业的质量保证体系。

质量体系认证是指依据国际通用的质量管理和质量保证系列标准，经过国家认可的质量体系认证机构对企业的质量体系进行审核，对于符合规定条件和要求的，以颁发企业质量体系认证证书的形式，证明企业的质量保证能力符合相应要求的活动。

质量体系认证的对象主要是各类企业；认证的过程是对质量体系的整体水平进行科学的评价，以证明企业的质量保证能力是否符合相应标准的要求；认证的依据是国际通用的质量管理的标准，我国已经对该国际标准等同采用并转化为我国的国家标准；认证的目的是使企业向用户提供可靠的质量信誉和质量担保。

推行企业质量体系认证制度的意义主要在于，通过开展质量体系认证，有利于促进企业在管理和技术等方面采取有效措施，在企业内部建立起可靠的质量保证体系，以保证产品质量，同时提高企业的质量信誉，扩大企业的知名度，增强企业竞争优势。

2. 我国的认证认可相关机构

中国国家认证认可监督管理委员会(CNCA)是国务院决定组建并授权，履行行政管理职能，统一管理、监督和综合协调全国认证认可工作的主管机构。

中国合格评定国家认可委员会(CNAS)是根据《中华人民共和国认证认可条例》的规定，由国家认证认可监督管理委员会批准设立并授权的国家认可机构，统一负责对认证机构、实验室和检查机构等相关机构的认可工作。

中国认证认可协会(CCAA)成立于2005年9月27日,是由认证认可行业的认可机构、认证机构、认证培训机构、认证咨询机构、实验室、检测机构和部分获得认证的组织等单位会员和个人会员组成的非营利性、全国性的行业组织。依法接受业务主管单位(国家质量监督检验检疫总局)、登记管理机关(民政部)的业务指导和监督管理。

3. 质量体系认证的标准

(1) 质量管理体系系列标准

1987年3月,国际标准化组织(ISO)正式发布ISO 9000质量管理体系系列标准。1992年,我国也发布了等同采用ISO 9000的GB/T 19000系列标准。此后ISO/TC 176技术委员会通过调研、试点,对ISO 9000系列标准进行了不断的改进,在原1994年版ISO 9000系列标准的基础上,正式发布了2000年版ISO 9000系列标准,我国随即将其等同转化为国家标准。2008年,ISO又发布了最新修订的ISO 9001:2008《质量管理体系 要求》。我国于2008年12月30日将该国际标准等同采用为GB/T 19001—2008《质量管理体系 要求》。

GB/T 19000/ISO 9000系列标准的核心标准包括:GB/T 19000—2008/ISO 9000:2005《质量管理体系 基础和术语》、GB/T 19001—2008/ISO 9001:2008《质量管理体系 要求》、GB/T 19004—2000/ISO 9004:2000《质量管理体系 业绩改进指南》、GB/T 19011—2003/ISO 19011:2002《质量和(或)环境管理体系审核指南》。

此外,GB/T 19000系列标准中还包括其他标准、技术规范、技术报告等文件。

ISO 9000系列标准因其制定的高度概括性和认证模式的严谨性而得到世界各国的认同,并为各国广泛采用,一度在世界范围内形成席卷工商业的旋风,在我国同样也掀起了ISO 9000认证热潮。就ISO 9000系列标准本身而言,它总结了诸多工业发达国家近百年来的管理经验,融合了当今诸多优秀的管理方法,并用最简洁的方式将企业运行的模式加以概括,指明了企业管理的基本流程;同时,该体系本身又兼具相当的弹性,容许每个企业根据自身特点加以最大限度地发挥运用。运用这套标准,可以帮助组织建立正常运转的基本框架,制定各个层面最基础的管理制度,同时还能结合组织自身管理队伍素质的高低,选择不同的管理流程和模式,以达到质量管理的目的。

(2) 质量管理体系系列标准内容

①《质量管理体系 基础和术语》(GB/T 19000—2008/ISO 9000:2005)

我国于2009年5月1日开始实施GB/T 19001—2008/ISO 9000:2005《质量管理体系 基础和术语》。

该标准表述了构成GB/T 19000系列标准主体内容的质量管理体系的基础,并定义了相关的术语。

该标准适用于:通过实施质量管理体系寻求优势的组织;对供方能满足其产品要求寻求信任的组织;产品的使用者;就质量管理方面所使用的术语需要达成共识的人员和组织(如供方、顾客、监管机构);评价组织的质量管理体系或依据GB/T 19001的要求审核其符合性的内部或外部人员和机构(如审核员、监管机构、认证机构);对组织质量管理体系提出建议或提供培训的内部或外部人员和机构;制定相关标准的人员。

该标准等同采用ISO 9000:2005《质量管理体系 基础和术语》,是GB/T 19000系列的核心标准之一。

该标准经历了以下几个版本：

GB 6583.1—1986、GB/T 6583—1992、GB/T 6583—1994、GB/T 19000—2000（将 GB/T 19000.1—1994 的内容并入，同时，该标准被取消）。

②《质量管理体系　要求》(GB/T 19001—2008/ISO 9001:2008)

我国于 2009 年 3 月 1 日开始实施 GB/T 19001—2008/ISO 9001:2008《质量管理体系　要求》国家标准。

该标准为有下列需求的组织规定了质量管理体系要求：需要证实其具有稳定地提供满足顾客要求和适用的法律、法规要求的产品的能力；通过体系的有效应用，包括体系持续改进过程的有效应用，以及保证符合顾客要求和适用的法律、法规要求，旨在提高顾客满意度。

该标准规定的所有要求是通用的，旨在适用于各种类型、不同规模和提供不同产品的组织。

该标准等同采用 ISO 9001:2008《质量管理体系　要求》，通常用于企业建立质量管理体系并申请认证之用。它主要通过对申请认证组织的质量管理体系提出各项要求来规范组织的质量管理体系，主要分为五大模块：质量管理体系、管理职责、资源管理、产品实现、测量分析和改进。其中每个模块中又分有许多分条款。随着 2008 年版标准的颁布，世界各国的企业纷纷开始采用 ISO 9001:2008 标准申请认证。国际标准化组织鼓励各行各业的组织采用 ISO 9001:2008 标准来规范组织的质量管理，并通过外部认证来达到增强顾客的信心和减少贸易壁垒的作用。

该标准经历了以下几个版本：GB/T 10300.2—1988、GB/T 19001—1992、GB/T 19001—1994、GB/T 19001—2000、GB/T 19001—2008。

③《质量管理体系　业绩改进指南》(GB/T 19004—2000/ISO 9004:2000)

我国于 2001 年 6 月 1 日开始实施 GB/T 19004—2000/ISO 9004:2000《质量管理体系　业绩改进指南》。

该标准提供了超出 GB/T 19001 要求的指南，以便考虑提高质量管理体系的有效性和效率，进而考虑开发改进组织业绩的潜能。与 GB/T 19001 相比，该标准将顾客满意和产品质量的目标扩展为包括相关方满意和组织的业绩。该标准适用于组织的各个过程，因此，该标准所依据的质量管理原则也可在整个组织内应用。该标准强调实现持续改进，这可通过顾客和其他相关方的满意度来测量。该标准包括指南和建议，既不用于认证、法规或合同目的，也不是 GB/T 19001 的实施指南。

该标准等同采用 ISO 9004:2000《质量管理体系　业绩改进指南》。

该标准经历的版本：GB/T 19004.1—1994。

④《质量和(或)环境管理体系审核指南》(GB/T 19011—2003/ISO 19011:2002)

我国于 2003 年 10 月 1 日开始实施 GB/T 19011—2003/ISO 19011:2002《质量和(或)环境管理体系审核指南》。

该标准为审核原则、审核方案管理、质量管理体系审核和环境管理体系审核实施提供了指南。该标准适用于需要实施质量和(或)环境管理体系内部和外部审核，或需要管理审核方案的所有组织。该标准原则上可适用于其他领域的审核，在这种情况下，需要特别注意识别审核组成员所需的能力。

该标准等同采用 ISO 19011:2002《质量和(或)环境管理体系审核指南》。

该标准经历了以下几个版本：GB/T 19021.1—1993、GB/T 19021.2—1993、GB/T 19021.3—1993、GB/T 24010—1996、GB/T 24011—1996、GB/T 24012—1996。

(3)建筑施工企业的认证

凡是通过 ISO 9000 认证的企业,在各项管理系统整合上已达到了国际标准,表明企业能持续、稳定地向顾客提供预期和满意的合格产品。站在消费者的角度,企业以顾客为中心,能满足顾客需求,达到顾客满意,不诱导顾客。

建筑施工领域质量管理工作专业性强,为了进一步提高建筑施工企业质量管理水平,为社会提供优质建筑,国家认证认可监督管理委员会与住房和城乡建设部决定在建筑施工领域质量管理体系认证中认证的内容同时包括《质量管理体系　要求》(GB/T 19001—2008)和《工程建设施工企业质量管理规范》(GB/T 50430—2007)的要求。

认证证书标注的认证依据标准为:GB/T 19001—2008/ISO 9001:2008 和 GB/T 50430—2007。

9.5 建设工程质量奖励制度

为鼓励建筑企业加强管理,搞好工程质量,争创国际先进水平,促进全行业工程质量的提高,我国实行建设工程奖励制度,分别设立了国家优质工程奖、优秀工程设计奖、优秀工程勘察奖,中国建筑协会还设立了建筑工程鲁班奖等。

1.国家优质工程奖

国家优质工程奖是 1981 年经国务院批准设立的我国工程建设领域的国家级质量奖。它是中华人民共和国优质产品奖(简称国家质量奖)的一部分,是工程建设质量方面的最高荣誉奖励。国家优质工程奖设金质奖、银质奖,每年评选一次,由国家工程建设质量奖审定委员会组织审定,颁发国家优质工程金质奖、国家优质工程银质奖奖牌、奖状。

日常工作则由其下设的办公室(设在住房和城乡建设部)负责。国家优质工程奖是国家级工程质量奖,数目控制在 50 项/年左右。

(1)评选范围

凡在中华人民共和国土地上建设具有独立的生产和使用功能的下列工程项目,都可申报参评。

①新建的大中型工业、交通、市政、园林、建筑、通信、农林、水利等建设项目。

②10 万平方米以上设施配套的住宅小区。

③投资在 2 000 万元以上的城市道路、桥梁、给排水、燃气、供热等市政基础设施工程。

④具有显著经济效益和社会效益的大中型改建、扩建和技术改造工程。

⑤对发展国民经济具有重大意义的其他工程。

(2)参评条件

参加评选的工程项目必须同时满足下述条件:

①必须已经获得国家级或省、部级的优秀设计奖和工程(施工)质量奖。

②必须按规定通过竣工验收,达到设计能力并投入使用 1 年以上(住宅小区除外,公路建设项目自竣工至申报时限不超过 4 年),需国家验收的其他建设项目自验收合格至申报时限不超过 3 年。

③在工程建设过程中应贯彻工程质量管理宗旨,制定系统、科学、经济的质量管理目标和创优计划。

④必须履行基本建设程序,即经过立项批准、核准或备案且列入建设计划。

2. 优秀工程设计奖

全国优秀工程设计奖的评选由住房和城乡建设部邀请有关专家组成的评审委员会负责,在各部门、各地区评选出的优秀工程设计项目的基础上进行。

全国优秀工程设计奖分为金质奖、银质奖、铜质奖三种。每两年评选一次,如遇特殊情况则可提前或推后进行。

(1)条件要求

优秀工程设计不仅要符合国家的有关方针、政策,切合实际,安全适用,经济效益、环境效益和社会效益好,而且应该达到经济发达国家同类工程目前已普遍采用的技术水平。

(2)评选范围

凡已竣工投产、验收并经1年以上时间检验的完整的工业与民用工程建设项目或单项工程的设计,均可申报参加评选;单体构筑物、设备、技术、规程、规范、计算机应用程序等,不参加评选。申报评选的项目,原则上是2年内竣工投产的工程建设项目,有特殊原因的,可放宽至5年内。

(3)评选步骤和申报办法

优秀工程设计奖按地区、部门评选和全国评选两步进行。所有参评项目都必须先参加省、部级优秀工程设计奖的评选,再由各省、部从获奖项目中选出名列前茅者排好名次后,向住房和城乡建设部推荐参加全国评选。

3. 优秀工程勘察奖

全国优秀工程勘察奖的评选由全国优秀工程勘察、设计评选委员会负责,在各部门、各地区的优秀工程勘察奖的基础上进行。

有关的具体事务和协调工作,由中国工程勘察协会负责。

全国优秀工程勘察奖设金质奖、银质奖和铜质奖三种。如无特殊原因,每两年评选一次。

(1)评选范围

凡在工程竣工验收后经1年以上时间检验的新建、扩建、改建及技术改造的工业与民用建筑项目的勘察;经1年以上时间检验的工程地质与岩土工程项目;投产后的工程测量与城市测量项目;经过开采性抽水检验,抽水能力大于设计水量的50%,或低于设计水平但有1年以上长期观测资料,或经国家储量委员会认可的水资源评估与钻井工程项目,均可申报参加评选。

(2)评选步骤和申报办法

优秀工程勘察奖按地区、部门评选和全国评选两步进行。所有参评项目都必须先参加省、部级优秀工程勘察奖的评选,再由省、部有关部门从获奖项目中择优选择,按获奖名次推荐上报,参加全国优秀工程勘察奖的评选。

4. 建筑工程鲁班奖

建筑工程鲁班奖简称鲁班奖,1987年由中国建筑业联合会设立,1993年移交中国建筑业协会。设置该奖项的主要目的是鼓励建筑施工企业加强管理,搞好工程质量,争创一流工程,推动我国工程质量水平普遍提高。目前,这项标志着中国建筑业工程质量的最高荣誉,由住房和城乡建设部、中国建筑业协会颁发。

鲁班奖每年评选一次,每次奖励的数额不超过30个。

(1)评选范围与参评条件

凡已列入国家或省、自治区、直辖市、计划单列市及国务院各部门建设计划,达到一定规模,并已形成生产能力和使用功能的新建的大型公共建筑和市政工程,大中型工业交通建设项目中的主要建筑工程或设备安装工程均可申请参加评选;个别工程规模较小达不到规模要求,但建筑风格独特、工程质量特别优良,且具有代表性、各界反映良好的工程,也可申报参评。

(2)评选办法

参评工程应按照建筑企业的隶属关系向各地建筑业协会申报,没有成立建筑业协会的向建设行政主管部门申报;经初审合格后上报中国建筑业协会,中国建筑业协会要组织复查小组,并会同有关地区或部门的相关人员共同进行复查,然后交评审委员会进行审议,并以无记名投票方式确定获奖工程。

思考与训练

一、选择题

1. 下列关于建设单位的质量责任和义务的表述中,错误的是( )。

A. 建设单位不得暗示施工单位违反工程建设强制性标准,降低建设工程质量

B. 建设单位不得任意压缩合同工期

C. 建设单位进行装修时不得变动建筑主体和承重结构

D. 建设工程发包单位不得迫使承包方以低于成本价格竞标

2. 建设单位拟装修其办公楼,其中涉及承重结构变动,则下列表述正确的是( )。

A. 建设单位将装修方案报有关主管部门批准后,方可施工

B. 建设单位在委托原设计单位提出设计方案后,方可施工

C. 建设单位提出装修方案后,即可要求承包单位施工

D. 建设单位可直接将装修任务发包给劳务公司

3. 根据《建设工程质量管理条例》的规定,设计单位应当参与建设工程( )分析,并提出相应的技术处理方案。

A. 工期延误 B. 投资失控 C. 质量事故 D. 施工组织

4. 施工人员对涉及结构安全的试块、试件以及有关材料应当在( )的监督下现场取样并送检。

A. 设计单位 B. 工程质量监督机构

C. 监理单位 D. 施工企业质量管理部门

5. 在施工过程中,施工人员发现设计图纸不符合技术标准,施工单位技术负责人采取的正确做法是( )。

A. 继续按照工程设计图纸施工 B. 按照技术标准修改工程设计

C. 追究设计单位违法责任 D. 及时提出意见和建议

6. 依据《建设工程质量管理条例》的规定,以下工作中应由总监理工程师签字认可的是( )。

A.建设单位拨付工程款　　　　　　B.施工单位实施隐蔽工程
C.商品混凝土用于基础工程　　　　D.大型非标准构件进行吊装

二、问答题

1. 广义的建设工程质量概念与狭义的建设工程质量概念有何区别？
2. 工程质量管理法律规范的调整对象是什么？
3. 建设单位的建设工程质量责任和义务有哪些？
4. 我国现行的质量管理体系系列标准是什么？该系列标准的核心标准包括哪些？
5. 我国实行建筑工程质量奖励制度的目的是什么？设立了哪些奖项？

三、技能训练题

2003年5月，A酒店筹建处与B建筑公司签订建设工程施工合同，双方约定：B建筑公司承包建设A酒店的全部建筑安装工程、室外配套设施及附属工程等。工程如期开工后，发现地质资料与实际不符，需修改设计，于同年6月1日停工，直至10月下旬恢复施工。工程施工过程中，A酒店未能及时按约定拨付工程款，加之多次变更局部设计造成反复施工，工期受到严重影响，2006年1月工程全部完工。

2007年3月，A酒店开始试营业。同年6月，A酒店主楼客房部一楼非承重墙局部开始出现裂缝。A酒店认为B建筑公司应对一楼非承重墙的质量承担全部责任，并从基础予以彻底排除。7月21日，省建设工程质量监督总站针对A酒店工程质量问题，召集各有关部门在现场勘验调查的基础上，形成了"关于A酒店工程质量问题会议纪要"（以下简称"纪要"），认定一楼非承重墙裂缝是由于地基不均匀压缩变形和湿陷下沉引起的，同时认为设计单位、施工单位、勘察单位、建设单位均存在问题，并提出了处理意见。

为了查明A酒店工程一楼非承重墙墙体产生裂缝的原因和有关当事人的责任，A酒店委托C建设工程质量监督总站对A酒店工程质量进行鉴定。该站做出的鉴定意见及各参建单位提出的意见和相关证据表明：A酒店工程在建设单位投入使用15个月就发生一楼非承重墙墙体下沉裂缝，不是施工单位B建筑公司一方造成的。具体责任方包括：

（1）设计单位　D设计院对该工程个别部位的设计违反了国家颁布实施的规范及标准，而且对省建设委员会2003年1月"关于A酒店工程初步设计审查的批复"中曾明确指出设计"应考虑不均匀沉降对建筑物的影响"的批复意见，未给予足够的重视，诸如一楼墙体应设计基础梁而未设计，将砌墙体直接坐落在回填土薄厚不等的垫层土上，一楼地基下直埋管道而不设置检漏地沟等，因而未能有效解决地基的"不均匀沉降对建筑的影响"，为一楼非承重墙墙体下沉裂缝埋下了隐患；回填土夯压不实和地表水的渗漏等，只是加快了问题暴露的速度。因此，D设计院对此质量问题应承担重要的责任。

（2）施工单位　B建筑公司在施工过程中，回填土的压实系数未达到设计要求，加之个别地段管道埋置的设计违反相关规范及标准，自购的排水管个别管壁厚度偏薄，导致使用不久出现破裂、跑水等原因，对造成地基下沉、墙体开裂应负直接责任。

（3）建设单位　A酒店违反国家有关规范标准，在未采取任何防水措施的情况下，在大楼周围6m内种植草坪、花坛，并采用漫灌式浇水，致使大量排水渗入楼体地基下；由于一楼未设计基础地梁，加速了地基下沉，恶化了一楼墙体的裂缝，所以A酒店对此质量问题负有不可推卸的责任。

（4）地质勘察单位　E地质队提供的地质勘探报告虽然存在着几处资料不完善的地方，而使用该勘探资料的 D 设计院并未对勘察报告提出任何异议,因此 E 地质队对 A 酒店工程一楼部分墙体下沉裂缝不应承担责任。

请问:

1. A 酒店认为 B 建筑公司应对一楼非承重墙的质量承担全部责任,是否合理?为什么?试说明有关单位应承担的责任。

2. 建设工程质量有哪些特点?

3. 建设工程质量监督站是什么机构?它的权限和职责有哪些?

4. 勘察单位、设计单位、施工单位、监理单位的质量责任和义务有哪些?

微课19
模块 9 选择题

微课20
模块 9 技能训练题
问题 1、2

微课21
模块 9 技能训练题
问题 3、4

模块 10

工程验收与保修法规

学习导向

推荐学习方法 首先学习狭义和广义工程质量验收的定义;然后了解《建筑工程质量验收统一标准》的各项规定,探讨我国工程质量验收的基本要求、程序和条件,并明确竣工验收的条件、备案要求;最后学习工程质量保修的期限、范围和具体实施规定,并通过评析案例来加深对验收和保修的理解。

理论知识要求
1. 质量验收的基本要求、程序和条件。
2. 竣工验收备案管理的基本要求。
3. 工程竣工验收的条件。
4. 工程质量保修的范围、期限和实施。

能力素质要求
1. 能按照工程质量验收的要求、程序较好地完成工程质量验收工作。
2. 能正确进行工程质量验收的准备工作。
3. 具有准确把握工程竣工验收的条件的能力。
4. 具有准确分辨工程质量保修责任、范围、期限的能力。

引例

原告 A 房地产开发公司与被告 B 建筑公司签订一施工合同,修建某住宅小区。小区建成后,经验收质量合格。验收后 1 个月,A 房地产开发公司发现楼房屋顶漏水,遂要求 B 建筑公司负责无偿修理,并赔偿损失,B 建筑公司则以施工合同中并未规定质量保修期限且工程已经验收合格为由,拒绝无偿修理要求。A 房地产开发公司遂诉至法院。法院判决施工合同有效,认为合同中虽然并没有约定工程质量保修期限,但根据《建设工程质量管理条例》第四十条的规定,屋面防水工程保修期限最低为 5 年,因此工程交工后 2 个月内出现的质量问题,并且经有关部门判定是属于施工原因造成的,应当由施工单位承担无偿修理并赔偿损失的责任。故判令 B 建筑公司应当承担无偿修理的责任。

10.1 工程质量验收

1. 工程质量验收的概念

工程质量验收是工程质量控制的一个重要环节。广义的工程质量验收包括工程质量的中间验收和竣工验收两个方面,狭义的工程质量验收仅仅指工程质量的中间验收。本节介绍的是狭义的工程质量验收。

工程质量的中间验收是指在施工单位自行质量检查、评定的基础上,参与建设活动的有关单位共同对单位工程、分部工程、分项工程、检验批的质量进行抽样复验,根据相关标准以书面形式确认工程质量合格与否。

2. 工程质量验收的层次

在进行工程质量验收时,合理划分验收层次是非常必要的,特别是不同专业工程的验收批如何确定,将直接影响到工程质量验收工作的科学性、经济性、实用性和可操作性。根据《建筑工程施工质量验收统一标准》(GB 50300—2013)的规定,一般将工程划分为单位工程、分部工程、分项工程、检验批等层次进行验收。

(1) 单位工程

单位工程的划分应按下列原则确定:

①具备独立施工条件并能形成独立使用功能的建筑物及构筑物为一个单位工程,如一个单位中的一栋办公楼、一个工厂中的某个厂房等。

②规模较大的单位工程可将其能形成独立作用功能的部分划分为一个子单位工程。

③室外工程可根据专业类别和工程规模划分单位(子单位)工程。

(2) 分部工程

分部工程的划分应按下列原则确定:

①分部工程的划分应按专业性质、建筑部位确定。例如,建筑工程划分为地基与基础、主体结构、建筑装饰装修、建筑屋面、建筑给排水及采暖、建筑电气、智能建筑、通风与空调、电梯等分部工程。

②当分部工程较大或较复杂时,可按施工程序、专业系统及类别等划分为若干子分部工程,例如,智能建筑分部工程中就包含了火灾及报警消防联动系统、安全防范系统、综合布线系统、智能化集成系统、电源与接地系统、环境系统、住宅(小区)智能化系统等子分部工程。

(3) 分项工程

分项工程应按主要工种、材料、施工工艺、设备类型等进行划分。例如,混凝土结构工程中按主要工种分为模板工程、钢筋工程、混凝土工程等分项工程;按施工工艺又分为预应力、现浇结构、装配式结构等分项工程。

(4) 检验批

分项工程可由一个或若干检验批组成,检验批可根据施工及质量控制和专业验收需要按楼层、施工段、变形缝等进行划分。例如,建筑工程的地基与基础分部工程中的分项工程一般作为一个检验批;屋面分部工程中的分项工程按不同楼层屋面划分为不同的检验批;单层建筑工程中的分项工程可按变形缝等划分检验批;多层及高层建筑工程中主体分部的分项工程可按楼层或施工段划分检验批;安装工程一般按设计系统或组别划分检验批;室外工程统一作为一个检验批。

3. 工程质量验收的基本要求

①建筑工程质量应符合建筑工程施工质量验收统一标准和相关专业验收规范的规定。
②建筑工程施工应符合工程勘察设计文件的要求。
③参加工程施工质量验收的各方人员应具备规定的资格。
④工程质量的验收应在施工单位自行检查、评定的基础上进行。
⑤隐蔽工程在隐蔽前应由施工单位通知有关方进行验收,并形成验收文件。
⑥涉及结构安全的试块、试件及有关材料,应按有关规定进行见证取样检测。
⑦检验批的质量应按主控项目和一般项目验收。
⑧对涉及结构安全和使用功能的分部工程应进行抽样检测。
⑨承担见证取样检测及有关结构安全检测的单位应具有相应资质。
⑩工程的观感质量应由验收人员通过现场检查,并应共同确认。

4. 工程施工质量评定与验收

(1)检验批的评定与验收

检验批是施工过程中条件相同并有一定数量的材料、构配件或安装项目,因其质量基本均匀一致,故可以作为检验的基本(基础)单位,并按批进行验收。检验批质量合格应符合两点要求:一是主控项目和一般项目的质量经抽样检验合格;二是具有完整的施工操作依据、质量检查记录。

检验批的合格质量主要取决于主控项目和一般项目的检验结果。主控项目是对检验批的基本质量起决定性影响的检验项目,因此它必须全部符合有关专业工程验收规范的规定。这意味着主控项目不允许有不符合要求的检验结果,即这种项目的检验具有否定权,所以必须从严要求主控项目的质量。

(2)分项工程的评定与验收

①分项工程所含的检验批均应符合合格质量的规定。
②分项工程所含的检验批的质量验收记录应完整。

分项工程的验收在检验批的基础上进行。一般情况下,二者具有相同或相近的性质,只是批量大小不同而已。因此,将有关检验批汇集构成分项工程。分项工程合格质量的条件比较简单,只要构成分项工程的各检验批的验收资料文件完整,并且均已验收合格,则分项工程验收合格。

(3)分部工程的评定与验收

分部(子分部)工程质量验收合格应符合下列规定:
①分部(子分部)工程所含分项工程的质量均应验收合格。
②质量控制资料应完整。
③地基与基础、主体结构和设备安装等分部工程有关安全及功能的检验和抽样检测结果应符合有关规定。
④观感质量验收应符合要求。

分部工程的验收应在其所含各分项工程验收的基础上进行。首先,分部工程的各分项工程必须已验收合格且相应的质量控制资料文件完整,这是验收的基本条件;此外,由于各分项工程的性质不尽相同,因此作为分部工程不能简单地组合而加以验收,尚需增加以下两类检查项目:

涉及安全和使用功能的地基与基础、主体结构、有关安全及重要使用功能的安装分部工程应进行有关见证取样、送样试验或抽样检测；观感质量验收往往难以定量进行，只能以观察、触摸或简单测量等方式进行，并由个人的主观印象判断，检查结果并不给出"合格"或"不合格"的结论，而是综合给出质量评价，对于"差"的检查点应采取返修处理等补救措施。

(4) 单位工程的评定与验收

单位(子单位)工程质量验收合格应符合下列规定：

①单位(子单位)工程所含分部(子分部)工程的质量均应验收合格。

②质量控制资料应完整。

③单位(子单位)工程所含分部工程有关安全和功能的检测资料应完整。

④主要功能项目的抽查结果应符合相关专业质量验收规范的规定。

⑤观感质量验收应符合要求。

单位工程质量验收是工程投入使用前的最后一次验收，也是最重要的一次验收。验收合格的条件包括以上五个方面，除构成单位工程的各分部工程应该合格，并且有关的资料文件应完整以外，还应进行以下三个方面的检查：

①涉及安全和使用功能的分部工程应进行检验资料的复查。不仅要全面检查其完整性（不得有漏检缺项），而且对分部工程验收时补充进行的见证抽样检验报告也要复核。

②对主要使用功能进行抽查。使用功能的检查是对建筑工程和设备安装工程最终质量的综合检验，也是用户最为关心的内容。因此，在分项工程、分部工程验收合格的基础上，竣工验收时应再次全面检查。抽查项目在检查资料文件的基础上由参加验收的各方人员商定，并采用计量、计数的抽样方法确定检查部位。检查要按有关专业工程施工质量验收标准要求进行。

③由参加验收的各方人员共同进行观感质量检查。检查的方法、内容、结论等已在分部工程的相应部分中阐述，最后共同确定是否验收合格。

案例10-1

工程质量如何组织验收。

【案情简介】

某工程位于某市北三环和四环之间，建筑面积 35 000 m²，框架结构，筏板式基础，地下 2 层，基础埋深 9.6 m。混凝土基础工程由某专业基础施工公司组织施工，于 2019 年 8 月开工建设，2019 年 10 月 15 日基础工程完工。混凝土等级 C35，在施工过程中，发现部分试块混凝土达不到设计要求，但经测试论证，实际强度能够达到设计要求。

【案例辨析】

(1) 基础工程应由总监理工程师(建设单位项目负责人)组织施工单位项目负责人和技术、质量负责人，勘察、设计单位工程项目负责人和施工单位技术、质量部门负责人进行工程验收。

(2)基础工程质量合格的标准：基础工程所含分项工程质量均合格；质量控制资料完整；基础中有关安全及功能的检验和抽样检测结果符合有关规定；观感质量符合要求。

　　(3)该质量问题可不予处理。因为混凝土试块强度不够属于检验中发现的质量问题，且经测试论证后能够达到设计要求。

5.工程质量不符合要求时的处理

　　一般情况下，不合格现象在最基层的验收单位（检验批）时就应发现并及时处理，否则将影响后续检验批和相关的分项工程、分部工程的验收。因此，所有质量隐患必须尽快消灭在萌芽状态，这也是该标准以强化验收促进过程控制原则的体现。非正常情况的处理分以下四种情况：

　　①在检验批验收时，其主控项目不能满足验收规范或一般项目超过偏差限值的子项不符合检验规定的要求时，应及时进行处理的检验批。其中，严重的缺陷应推倒重来；一般的缺陷通过翻修或更换器具、设备予以解决，应允许施工单位在采取相应的措施后重新验收。如能够符合相应的专业工程质量验收规范，则应认为该检验批合格。

　　②个别检验批发现试块强度等不满足要求等问题，难以确定是否通过验收时，应请具有相应资质的法定检测单位检测。当鉴定结果能够达到设计要求时，该检验批仍应认为通过验收。

　　③如经检测鉴定达不到设计要求，但经原设计单位核算，仍能满足结构安全和使用功能，则该检验批可以予以验收。一般情况下，规范、标准给出了满足安全和功能的最低限度要求，而设计往往在此基础上留有一些余量。不满足设计要求和符合相应规范标准的要求，两者并不矛盾。

　　④更为严重的缺陷或者超过检验批的更大范围内的缺陷，可能影响结构的安全性和使用功能。若经法定检测单位检测鉴定以后认为达不到规范、标准的相应要求，即不能满足最低限度的完全储备和使用功能，则必须按一定的技术方案进行加固处理，使之能保证其满足安全使用的基本要求。这样会造成一些永久性的缺陷，如改变结构外形尺寸，影响一些次要的使用功能，等等。为了避免社会财富更大的损失，在不影响安全和主要使用功能条件下可按处理技术方案和协商文件进行验收，责任方应承担经济责任，但不能作为轻视质量而回避责任的一种出路，这是应该特别注意的。

　　通过返修或加固处理仍不能满足安全使用要求的分部工程、单位（子单位）工程，严禁验收。

案例10-2

主体结构存在严重的安全隐患，工程验收不能通过。

【案情简介】

　　某乡村修建小学教学楼和教师办公、住宿综合楼，乡政府个别领导不按照有关基本建设程序办事，自行决定由一名农村工匠承揽工程建设。工程无地质勘察报告，无设计图纸（抄袭其他学校的图纸），原材料未经检验，施工无任何质量保证措施，混凝土和砂浆全部人工拌和，钢筋混凝土梁、柱人工浇筑振捣，密实度和强度无法得到保证。工程投入使用后，综合楼和教学楼由于多处大梁和墙面发生较严重的裂缝，致使学校被迫停课。

经检查，该综合楼基础一半置于风化页岩上，一半置于回填土上（未按规定进行夯实），地基已发生严重不均匀沉降，导致墙体出现严重裂缝；教学楼大梁混凝土存在严重的空洞，受力钢筋已严重锈蚀，两栋楼的砌体砂浆强度几乎为零（更严重的是个别地方砂浆中还夹杂黄泥），楼梯横梁搁置长度仅50 mm，梁下砌体已压碎。经鉴定，该工程主体结构存在严重的安全隐患，被有关部门责令强行拆除，有关责任人受到了法律的惩办。

案例辨析

本案例中的工程结构存在严重的缺陷，影响了结构的安全性和使用功能，经返修或加固处理仍不能满足安全使用要求，应严禁验收并强行拆除，同时对有关责任人进行相关的法律制裁，有关部门的做法是正确的。

10.2 工程竣工验收

1.工程竣工验收的概念

工程竣工验收是指在建筑工程已按照设计要求完成全部施工任务，准备交付给建设单位投入使用时，由建设单位或有关主管部门依照国家关于建筑工程竣工验收制度的规定，对该项工程是否合乎设计要求和工程质量标准所进行的检查、考核工作。工程竣工验收是项目建设全过程的最后一道程序，是对工程质量实施控制的最后一个重要环节。认真做好工程竣工验收工作，对保证建筑工程的质量具有重要意义。

《中华人民共和国建筑法》第六十一条规定，交付竣工验收的建筑工程，必须符合规定的建筑工程质量标准，有完整的工程技术经济资料和经签署的工程保修书，并具备国家规定的其他竣工条件。建筑工程竣工经验收合格后，方可交付使用；未经验收或者验收不合格的，不得交付使用。

2.工程竣工验收的条件

《建设工程质量管理条例》第十六条规定了建设工程竣工验收应当具备的条件；《房屋建筑工程和市政基础设施工程竣工验收暂行规定》第五条更加详细规定了建设工程竣工验收应当具备的条件。

①完成工程设计和合同约定的各项内容。

②施工单位在工程完工后对工程质量进行了检查，确认工程质量符合有关法律、法规和工程建设强制性标准，符合设计文件及合同要求，并提出工程竣工报告。工程竣工报告应经项目经理和施工单位有关负责人审核签字。

③对于委托监理的工程项目，监理单位对工程进行了质量评估，具有完整的监理资料，并提出工程质量评估报告。工程质量评估报告应经总监理工程师和监理单位有关负责人审核签字。

④勘察、设计单位对勘察、设计文件及施工过程中由设计单位签署的设计变更通知书进行了

检查,并提出质量检查报告。质量检查报告应经该项目勘察、设计负责人和勘察、设计单位有关负责人审核签字。

⑤有完整的技术档案和施工管理资料。

⑥有工程使用的主要建筑材料、建筑构配件和设备的进场试验报告,以及工程质量检测和功能性试验资料。

⑦建设单位已按合同约定支付工程款。

⑧有施工单位签署的工程质量保修书。

⑨城乡规划行政主管部门对工程是否符合规划设计要求进行检查,并出具认可文件。

⑩有公安消防、环保等部门出具的认可文件或者准许使用文件。

⑪建设行政主管部门及其委托的工程质量监督机构等有关部门责令整改的问题全部整改完毕。建设工程经验收合格后,方可交付使用。

《建设工程文件归档规范》(GB/T 50328－2014)(2019年版)规定,建设工程档案的验收应纳入建设工程竣工联合验收环节。

每项建设工程应编制一套电子档案,随纸质档案一并移交城建档案管理机构。电子档案签署了具有法律效力的电子印章或电子签名的,可不移交相应纸质档案。

案例10-3

工程未经验收,不得交付使用。

【案情简介】

2019年3月3日,甲建筑公司与乙厂就乙厂技术改造工程签订建设工程承包合同。合同约定:甲建筑公司承担乙厂技术改造工程项目65项,负责承包各项目的土建部分;承包方式按预算定额包工包料,竣工后办理工程结算。合同签订后,甲建筑公司按合同的约定完成该工程的各项土建项目,并于2020年11月30日竣工。孰料,乙厂于2020年9月被丙公司兼并,由丙公司承担乙厂的全部债权、债务,承接乙厂的各项工程合同、借款合同及各种协议。甲建筑公司在工程竣工后多次催促丙公司对工程进行验收并支付所欠工程款。丙公司对此一直置之不理,既不验收已竣工工程,也不支付工程款。甲建筑公司无奈将丙公司诉至法院。法院判决丙公司对已完工的土建项目进行验收,验收合格后向甲建筑公司支付所欠工程款。

案例辨析

本案例签订建设工程承包合同的是甲建筑公司与乙厂,但乙厂在被丙公司兼并后,丙公司承担了乙厂的全部债权、债务并承接了乙厂的各项工程合同,当然应当履行原甲建筑公司与乙厂签订的建设工程承包合同,对已完工的工程项目进行验收,验收合格无质量争议的,应当按照合同规定向甲建筑公司支付工程款,接收该工程项目,办理交接手续。《中华人民共和国民法典》第七百九十九条规定,建设工程竣工后,发包人应当根据施工图纸及说明书、国家颁发的施工验收规范和质量检验标准及时进行验收。验收合格的,发包人应当按照约定支付价款,并接收该建设工程。建设工程竣工经验收合格后,方可交付使用;未经验收或者验收不合格的,不得交付使用。

3. 工程竣工验收的程序

(1)施工单位进行竣工预验

竣工预验是指工程项目完工后,要求监理工程师验收前,由施工单位自行组织的内部模拟验收。竣工预验是顺利通过正式验收的可靠保证,一般也邀请监理工程师参加。

(2)施工单位提交验收申请报告

施工单位决定正式提请验收后向监理单位送交验收申请报告,监理工程师收到验收申请报告后参照工程合同要求和验收标准等进行仔细审核。

(3)根据验收申请报告做现场试验

监理工程师审查完验收申请报告后,如认为可以验收,则由监理人员组成验收班子对竣工的工程项目进行初验,在初验中发现的质量问题,应及时以书面或备忘录的形式通知施工单位,并令其整改甚至返工。

(4)正式竣工验收

在监理工程师初验合格的基础上,由建设单位牵头,组织设计、施工、监理单位及质量监督站、消防、环保等行政部门参加,在规定的时间内正式验收,正式竣工验收书必须有建设单位、施工单位、监理单位、设计单位等各方签字方能有效。

4. 工程竣工验收备案管理的要求

根据《房屋建筑和市政基础设施工程竣工验收备案管理办法》《住房和城乡建设部关于取消部分部门规章和规范性文件设定的证明事项(第二批)的决定》(建法规〔2020〕2号)的规定,建设单位办理工程竣工验收备案应当提交下列文件:

①工程竣工验收备案表。

②工程竣工验收报告。

③法律、行政法规规定应当由规划等部门出具的认可文件或者准许使用文件。

④法律规定应当由公安、消防部门出具的对大型的人员密集场所和其他特殊建设工程验收合格的证明文件。

⑤施工单位签署的工程质量保修书。

⑥法规、规章规定必须提供的其他文件。

此外,住宅工程还应当提交住宅质量保证书和住宅使用说明书。

备案机关收到建设单位报送的竣工验收备案文件,验证文件齐全后,应当在工程竣工验收备案表上签署文件收讫。建设单位在工程竣工验收合格之日起15日内未办理工程竣工验收备案的,备案机关责令限期改正,处20万元以上50万元以下罚款。

备案机关发现建设单位在竣工验收过程中有违反国家有关建设工程质量管理规定行为的,应当在收讫竣工验收备案文件15日内,责令停止使用,重新组织竣工验收。建设单位将备案机关决定重新组织竣工验收的工程,在重新组织竣工验收前擅自使用的,备案机关责令停止使用,处工程合同价款2%以上4%以下罚款。

10.3 工程质量保修

1. 工程质量保修的重要性

《中华人民共和国建筑法》第六十二条、《建设工程质量管理条例》第三十九条都明确规定,建筑工程实行质量保修制度。

质量保修制度是指对建筑工程在交付使用后的一定期限内发现的工程质量缺陷,由施工企业承担修复责任的制度。建筑工程作为一种特殊的耐用消费品,一旦建成后将长期使用。而有些质量问题在竣工验收中未被发现,在使用一定时期后才逐渐暴露出来。因此,施工企业应根据质量保修制度的要求予以保修,以维护用户的利益。

2. 工程质量保修范围及期限

《建设工程质量管理条例》和《房屋建筑工程质量保修办法》规定,在正常使用条件下,建设工程的最低保修期限为:

①基础设施工程、房屋建筑的地基基础工程和主体结构工程,为设计文件规定的该工程的合理使用年限。

②屋面防水工程、有防水要求的卫生间、房间和外墙面的防渗漏,为5年。

③供热与供冷系统,为2个采暖期、供冷期。

④电气管线、给排水管道、设备安装和装修工程,为2年。

其他项目的保修期限由发包方与承包方约定。建设工程的保修期限,自竣工验收合格之日起计算。

《建设工程质量管理条例》第四十一条规定,建设工程在保修范围和保修期限内发生质量问题的,施工单位应当履行保修义务,并对造成的损失承担赔偿责任。《房屋建筑工程质量保修办法》第四条规定,房屋建筑工程在保修范围和保修期限内出现质量缺陷,施工单位应当履行保修义务。

缺陷是指建设工程质量不符合工程建设强制性标准、设计文件以及承包合同的约定。建筑工程在保修期限内出现质量缺陷,建设单位或者房屋建筑所有人应当向施工单位发出保修通知。如果发生涉及结构安全的质量缺陷,建设单位或者房屋建筑所有人还应当立即向当地建设行政主管部门报告,并采取安全防范措施。

对于一般质量缺陷,施工单位接到保修通知后,应到现场检查情况,在保修通知书约定的时间内予以保修;对于涉及结构安全或者严重影响使用功能的紧急抢修事故,施工单位接到保修通知书后,应当立即到达现场抢修;对其他涉及结构安全的无须紧急抢修的质量缺陷,应当由原设计单位或者具有相应资质等级的设计单位提出保修方案,施工单位实施保修,原工程质量监督机构负责监督。

保修完成后,由建设单位或者房屋建筑所有人组织验收。涉及结构安全的,应当报告当地建设行政主管部门备案。

施工单位不按工程质量保修书约定保修的,建设单位或房屋建筑所有人可以另行委托其他单位保修,由原施工单位承担相应责任。

3. 工程质量保修费用的承担

建设工程质量保证(保修)金是指发包人与承包人在建设工程承包合同中约定,从应付的工程款中预留,用以保证承包人在缺陷责任期(质量保修期)内对建设工程出现的缺陷进行维修的资金,一般为建设工程款的 3%~5%(具体比例可以在合同中约定)。

建筑工程在保修期限内出现质量缺陷时,施工单位负有保修的义务。但在保修的费用方面,并非一定是由施工单位承担。《房屋建筑工程质量保修办法》第十三条规定,保修费用由质量缺陷的责任方承担。质量缺陷的责任有以下三种情况:

①施工单位未按工程建设强制性标准和设计要求施工,造成质量缺陷的,施工单位为责任方。

②由于设计方面的原因造成质量缺陷的,设计单位为责任方。

③因建筑材料、构配件和设备质量不合格引起质量缺陷的,属于施工单位采购的或者经过施工单位验收同意的,施工单位为责任方;属于建设单位采购的,建设单位为责任方。

因保修不及时造成新的人身、财产损害,由造成拖延的责任方承担赔偿责任。

●案例10-4

拒绝修复工程质量缺陷的行为不当与提前使用风险自担案。

【案情简介】

2019年8月,A制药厂因搬迁需另建厂房,与B建筑公司签订了建设工程承包合同。合同约定,A制药厂的全部厂房总建筑面积5 000 m² 全部由B建筑公司承建,A制药厂提供建筑设计图纸,并对工程的竣工验收和结算进行了约定,合同工期为10个月。

合同签订后,双方都基本上履行了各自的责任。在竣工验收过程中,A制药厂发现工程质量存在一定的问题,并提出了建议,记录在验收记录中,要求B建筑公司在完善质量缺陷后,另行共同验收。工程经过维修和检修,B建筑公司再次提出竣工验收,A制药厂又发现了一些在第一次验收中没有发现的问题,故再次要求B建筑公司进行复修,遭到B建筑公司的拒绝。为此A制药厂明确表示,如果B建筑公司拒绝修复工程质量缺陷,A制药厂将扣除B建筑公司的工程质量保证金,并对B建筑公司的不履行职责的行为可能造成的损失保留索赔的权利。B建筑公司则表示,如果A制药厂拒付工程款,B建筑公司将拒绝交付工程竣工验收的资料,并不向当地质量监督部门申报工程竣工验收手续。双方协商不成,争议一直持续了3个月。为了保证工程的如期投产,在万般无奈的情况下,A制药厂在工程未经质量监督部门验收的情况下,将制药设备搬入新厂房并开始生产。同年12月,B建筑公司以A制药厂拒付工程款为由向人民法院提起诉讼,要求A制药厂支付工程款及其利息。

案例辨析

原告在施工过程中,应当按照双方的约定,在自行验收的过程中,完善工程缺陷和瑕疵,达到竣工验收标准。原告没有履行维修和保修责任,应当承担一定的责任。对于被告自行维修工程所花费的资金,应当从应支付原告的款项中予以扣除。原告没有按照合同的约定和法律的规定办理竣工验收手续,是导致工程未及时结算的主要原因。因此,被告不必支付工程款和利息。

案例10-5

青岛一工地因施工方监管失误,采购了劣质混凝土,导致项目混凝土强度整体低,青岛绿地国科健康科技小镇85地块,18栋住宅楼全部炸毁重建。

2020年12月7日,建筑工程专家解读青岛绿地在建楼混凝土强度抽检报告称,混凝土强度低说明混凝土本身质量存在问题;其次,混凝土强度低还可能对房屋构件产生危害,导致混凝土掉落、钢筋外露等;此外,业主若入住,一系列活动也会加剧安全隐患。

2020年12月9日,青岛城阳区住建局发布关于预拌混凝土质量专项整治的通知,要求对预拌混凝土生产企业和在建项目整治。

案例辨析

1. 责任主体

(1)施工方责任:施工方监管失误是导致采购劣质混凝土的直接原因。这体现了施工方在原材料采购环节质量把控的缺失。在建筑工程中,施工方有责任确保所有使用的材料符合质量标准,此次事件中其明显没有尽到该责任。

(2)相关部门责任:事件发生后,青岛城阳区住建局发布整治通知,这表明监管部门在事件前期的预拌混凝土质量监管可能存在漏洞。虽然事后采取措施值得肯定,但也反映出需要加强与完善日常质量监督体系。

2. 整改措施

(1)建筑结构安全:混凝土强度低是严重的质量问题。建筑结构的稳固很大程度上依赖混凝土的强度,强度不够会对房屋构件产生危害,如混凝土掉落、钢筋外露等。

(2)炸毁重建的必要性:鉴于混凝土强度整体过低这一严重情况,18栋住宅楼全部炸毁重建是较为合理的处理方式,从长远和安全角度考虑,重建可以最大限度保障未来居民的生命财产安全。

思考与训练

一、选择题

1. 对拟验收的单位工程,总监理工程师组织验收合格后对承包单位的工程竣工报验单予以签认,并上报建设单位,同时提出工程质量评估报告,该报告要由(　　)共同签署。

A. 建设单位、设计单位、施工单位、监理单位

B.总监理工程师、监理单位技术负责人
　　C.项目经理、总监理工程师
　　D.建设单位项目负责人、项目经理、总监理工程师
2.隐蔽工程在隐蔽前应由(　　)通知有关单位进行验收并应形成验收文件。
　　A.监理单位　　　B.施工单位　　　C.设计单位　　　D.业主
3.通过返修或加固处理仍不能满足安全使用要求的分部工程、单位(子单位)工程应该(　　)。
　　A.重新返修　　　B.严禁验收　　　C.重新加固　　　D.缓期验收
4.房屋建筑工程在保修范围和保修期限内出现质量缺陷,(　　)应当履行保修义务。
　　A.施工单位　　　B.建设单位　　　C.监理单位　　　D.设计单位
5.《建设工程质量管理条例》规定,建设工程质量保修期限应当由(　　)。
　　A.法律直接规定　　　　　　　　B.发包人与承包人自主决定
　　C.法律规定和发承包人双方约定　　D.发包人规定
6.《建设工程质量管理条例》规定,装修工程和主体结构工程的最低保修期限分别为(　　)。
　　A.2年和3年　　　　　　　　　B.5年和合理使用年限
　　C.2年和5年　　　　　　　　　D.2年和合理使用年限

二、问答题

1.工程质量验收有哪些基本要求?
2.非正常情况下,建筑工程施工质量不符合要求时应如何处理?
3.什么是工程竣工验收?工程竣工验收的条件是什么?如何验收?
4.工程竣工验收备案有什么要求?
5.从国家规定的工程保修期限中可以看出,工程质量保修的范围有哪些?
6.什么是工程质量保证金?保修费用的承担责任如何划分?

三、技能训练题

1.未经验收而提前使用,质量问题谁来负?

　　甲公司与乙公司签订建设施工合同,甲方为建设单位,乙方为施工单位。乙方为甲方建设办公楼,施工完成后,甲方依照约定应该及时验收,而甲方因为费用的问题没有进行验收即投入使用,使用后发现存在质量问题。经质检部门鉴定,确实存在质量问题,遂引发纠纷。相关责任应该由谁承担?

　　(提示:结合《中华人民共和国建筑法》第六十一条、《中华人民共和国民法典》第七百九十九条和《最高人民法院关于审理建设工程施工合同纠纷案件适用法律问题的解释》第十三条来分析)

　　2.请看下面案例,试参照有关法律、法规和学习的内容,分析法院应如何审理判决。

　　A公司与B公司签订了一份标准型厂房建筑安装工程承包合同,依据该合同的约定由A公司为B公司建造两栋标准型厂房,总承包价为8 780万元。此后,双方又就相关的总工程及零星工程分别签订了工业厂房总体工程施工合同,A公司依据上述合同如约进行了施工。该工业厂房通过建设工程质量监督站验收,A公司与B公司均在上述单位工程竣工验收证明表上盖章。此后,A公司要求B公司返还工程质量保证金,B公司则要求A公司履行保修义务,更换铝合金窗及修复发现渗漏的屋顶、支付其代购的报警设备款及围墙费、水电费并承担赔偿责任等,双方未能达成一致,遂致诉讼。

微课22　　　　　　　　　微课23
模块10选择题　　　　　　模块10技能训练题

模块 11

工程建设其他法律、法规

学习导向

推荐学习方法 工程建设涉及的法律、法规很多,应根据前面所学内容,主动研究其他有关法律、法规,了解这些法律、法规在工程建设方面的规定和要求。

理论知识要求 1.了解土地管理、市政建设、房地产管理、建筑装饰装修、建设工程造价、建设纠纷、消防等方面以及劳动法和税法的立法概况。
2.掌握上述法律、法规在工程建设中的相关规定。

能力素质要求 1.具有在工程建设中严格遵守有关工程建设法律、法规的能力。
2.具有依法自我保护的能力。
3.具有防范和解决工程建设纠纷的能力。

11.1 土地管理法规

11.1.1 土地管理法规概述

土地是地球陆地表层,是人类赖以生存和发展的活动场所,它具有固定性、不可替代性和有限性等特征。因此,世界各国都把它视为最为重要的自然资源,尽量合理开发利用,不断提高其经济价值和社会价值。

1.土地管理的立法概况

我国土地制度的基本模式是土地公有,即国家所有和集体所有。城市及其郊区的土地、山脉、矿藏、草原以及河流、交通要道等属于国家所有,农村耕地及宅基地大多属于农村集体所有。改革开放前,土地的使用一般都是无偿的,或分配,或划拨,不体现商品价值规律,而且使用者在使用某块土地时,往往都没有期限的限制。这种土地制度是我国长期高度集中的计划经济体制的产物,在实践中出现了种种弊端,已严重阻碍了社会经济的发展,特别是随着改革开放的深入及社会主义市场经济体制的建立,这些弊端日渐突出。为此,我国先后制定了一系列法律、法规,对土地制度进行改革,如《中华人民共和国土地管理法》《中华人民共和国民法典》。从 1987 年起,国务院先后颁布了多部有关土地管理的条例、办法,主要有《城镇国有土地使用权出让和转让暂行条例》《基本农田保护条例》《土地管理实施条例》等。

2.《中华人民共和国土地管理法》的主要内容

《中华人民共和国土地管理法》(2019 年修正版)共八章:总则、土地的所有权和使用权、土地利用总体规划、耕地保护、建设用地、监督检查、法律责任和附则。其主要内容概括如下：

（1）保护耕地

保护耕地是我国土地管理法的核心内容。主要包括：

①确立了耕地总量动态平衡制度，明确了省级政府保护耕地的责任。省、自治区、直辖市人民政府应当严格执行土地利用总体规划和土地利用年度计划，采取措施确保本行政区内耕地总量不减少。

②确立了耕地占用平衡制度，规定非农业建设经批准占用耕地的，必须按照"占多少，垦多少"的原则，由占用耕地的单位负责开垦与所占用耕地的数量和质量相当的耕地。

③将基本农田保护制度上升为法律，规定国家实行基本农田保护制度，各省、自治区、直辖市划定的基本农田应当占本行政区域内耕地的80%以上，并对基本农田保护区内的耕地实行特殊保护。

④加强了对建设用地总量和城市建设用地规模的控制，规定下级土地利用总体规划中的建设用地总量不得超过上级土地利用总体规划确定的控制指标；城市建设用地规模应当符合国家规定的标准等。

（2）实行土地用途管理制度

现行土地用途管理制度将我国土地资源分为农用地、建设用地和未利用地三类。

实行土地用途管理制度，可以严格控制建设用地总量，促进集约利用，提高资源配置效率，有利于建设用地市场的正常化和规范化；可以严格控制农用地流向建设用地，有利于从根本上保护耕地。同时，通过增设农用地转用审批环节，为土地利用总体规划的有效实施提供保证。

案例11-1

规划行政主管部门依法改变用地性质，核发"一书两证"。

【案情简介】

某单位位于某市中心重点地区，占地面积32 500 m^2，由于效益不好，所以计划利用区位优势，将一部分多余工厂用地出让，建造住宅。经与A房地产开发商洽谈达成协议，由A房地产开发商向该市规划行政主管部门申请建设住宅。该市规划行政主管部门经核实城市总体规划和控制性详细规划，确定该用地使用性质规划为公共设施用地。该市规划行政主管部门经现场调研，并分析了周围建设情况和各种条件，认为可以改变用地性质，向市政府做了请示，经市政府批准核发了"一书两证"。

案例辨析

该市规划行政主管部门根据城市总体规划和控制性详细规划，在现场调研、分析后，认为可以改变用地性质。由于该用地"位于市中心重点区域"，根据《中华人民共和国城乡规划法》的规定，重点地区的详细规划必须由市政府审批才能改变用地性质，所以该市规划行政主管部门的审批程序既合法又合理，即在报经市政府批准情况下核发"一书两证"，这是正确的。

(3)合理划分各级政府的土地管理职权

《中华人民共和国土地管理法》依据《中华人民共和国宪法》第三条确立的划分中央与地方国家机构职权的原则,按照市场经济和用途管制的要求,明确了各级政府的土地管理职责。凡涉及土地管理全局性的决策权,如土地利用总体规划的审批权、农用地转用和土地征用的审批权、耕地开垦的监督权、土地供应总量的控制权由中央与省两级政府行使;凡涉及土地管理执行性的权力,如土地登记权、规划和计划的执行权、在已经批准的建设用地区域内具体项目用地的审批权、土地违法案件的查处权等,由市、县政府行使。

(4)对农民的土地财产权利给予法律保护

土地制度是最基本的财产制度之一,实行严格的用途管制,其根本目的是调动人民群众珍惜土地、保护耕地的积极性,并保护农民的土地财产权。

案例11-2

建设用地符合规划要求,可颁发建设用地规划许可证。

【案情简介】

某市市区西南部有一中外合资的电子企业,因产品销路好,故决定扩建一条生产线。该企业提出在其厂区的西南角占用 13 333 m² 农村村民住宅和部分农村企业用地。该企业提出的用地在城市规划中为工业用地。

案例辨析

本案例是中外合资企业要扩大用地,而且要占用农村集体用地的实例。其扩大的用地范围恰为规划工业用地,符合城市规划的要求,但必须将集体用地转变为国有土地,因此,可颁发建设用地规划许可证。

(5)强化国家土地所有权权益

《中华人民共和国土地管理法》规定,国家管理的土地的所有权由国务院代表国家行使。这为国有土地资产产权代表的确立提供了法律基础。同时,《中华人民共和国土地管理法》还确立了土地收益分配的新机制,本法规定,自本法施行之日起,新增建设用地的有偿使用费,百分之三十上缴中央财政,百分之七十留给有关地方人民政府,专项用于耕地开发。这些规定既维护了国家所有权益,又从机制上改变了地方政府"多卖地,多收益"的做法。

(6)对土地违法行为的处罚

《中华人民共和国土地管理法》赋予土地行政主管部门履行监督检查职责,赋予土地行政主管部门直接行政处分权,对非法转让土地、非法审批土地、非法占用土地以及土地行政主管部门工作人员的违法行为规定了法律责任。

11.1.2 土地所有权和使用权

1.土地所有权

(1)土地所有权的概念

土地所有权是指所有者依法占用、使用、处分土地,从土地上取得收益,并排除他人干涉的权利。土地所有权是土地所有制在法律上的体现,是一定社会形态下的所有制经济制度在法律上的反映。

我国社会主义经济制度的基础是生产资料的社会主义公有制,即全民所有制和劳动群众集体所有制。土地作为一种很重要的国民经济的生产资料,在《中华人民共和国宪法》中明文规定只能属于国家和集体所有,这是我国实行土地公有制的宪法依据。据此,《中华人民共和国土地管理法》第二条规定,中华人民共和国实行土地的社会主义公有制,即全民所有制和劳动群众集体所有制。第九条规定,城市市区的土地属于国家所有。农村和城市郊区的土地,除由法律规定属于国家所有的以外,属于农民集体所有;宅基地和自留地、自留山,属于农民集体所有。我国由此在社会主义土地公有制基础上建立了社会主义的土地所有权制度。

(2)土地所有权的内容

土地所有权是一个概括权利,其具体内容包括占有权、使用权、收益权和处分权四个方面,也称四项权能。土地所有权的权能可以与所有权分离,成为独立的权利,这也使得权能的划分及对各项权能内容的界定成为必要。

(3)土地所有权的种类

①国家土地所有权。国家土地所有权是指国家对属于全民所有的土地享有占有、使用、收益和处分的权利。

国有土地归国家全体人民共同所有,但这种所有只是一种名义上的所有,因为全体人民无法共同行使所有权。因此,国家土地所有权由国家的代表——政府来行使。具体地说,国家土地所有权是由全民或国家授权县级以上人民政府的土地行政主管部门作为国有土地所有人代表代为行使所有权。

国家土地所有权的客体为国有土地,具体包括:城市市区的土地;农村和城市郊区中依法没收、征用、征收、征购收归国有的土地(依法划定或确定为集体所有的除外);国家未确定为集体所有的林地、草地、山岭、荒地、河滩地以及其他土地;国家依法确定由机关、团体、企、事业单位和个人使用的土地;依法规定属于国家所有的其他土地。

②集体土地所有权。集体土地所有权是指农村集体经济组织对属于集体所有的土地享有占有、使用、收益和处分的权利。作为集体土地所有权主体的农村集体经济组织有三个层次:乡(镇)农民集体经济组织、村农民集体经济组织和村内部分农民组成的集体经济组织,各级主体分别对其权属范围内的土地享有所有权。

集体土地所有权的客体为集体所有的土地,其范围包括:农村和城市郊区的土地,除法律规定属于国家所有的之外,属于集体所有;集体所有的耕地;集体所有的森林、山岭、草原、荒地、滩涂等占用的土地;集体所有的建筑物、水库、农田水利设施和教育、科学、文化、卫生、体育设施所占用的土地;集体所有的农、林、牧、渔场以及工业企业使用的土地;农民使用的宅基地和自留地、自留山。

(4)土地所有权的限制

土地所有权的范围一般包括其地上和地下的权利。但是,这一土地权利在我国的法律规定中是不完全的,要受到一定的限制,主要表现在以下两个方面。

①在行使土地所有权时受到限制。如《中华人民共和国宪法》第十条规定,任何组织或者个人不得侵占、买卖或者以其他形式非法转让土地,这是对土地所有人处分权的限制。又如《中华人民共和国土地管理法》中规定,土地所有人应依法使用土地,不得擅自改变土地的用途,土地使用要符合土地规划和经济建设的要求。再如,集体所有的土地不得出让,不得用于经营性房地产

开发,也不得转让、出租用于非农业建设;集体所有的荒地,不得以拍卖、租赁等方式进行非农业建设;集体所有的土地只有被国家依法征用,成为国有土地后,才能进行非农业建设。这是因为国家在土地所有权的行使时,并不仅仅考虑土地所有人的利益和需要,同时也考虑社会的整体利益和需要。

②土地所有权人享有的土地权利有一定的范围规定。土地所有权人超过一定的范围则受到限制,如土地权利的范围有深度和广度的限制。依照《中华人民共和国矿产资源法》的规定,在地下可以铺设石油管道,土地所有人不得妨碍;地下的矿藏归国家所有,任何单位和个人未经国家有关部门批准,不得开采国家的矿藏,包括在矿藏上面享有土地所有权的人。再如《中华人民共和国水法》规定,水资源属于国家所有,国家对直接从地下或江河、湖泊中取水的,实行取水许可制度;单位或个人可以在土地所有范围内使用少量的水,但是,使用大量的水,必须取得许可,并缴纳水资源费。

(5)土地所有权的保护

①国家土地所有权的保护。国家土地所有权因其性质特殊,属于全民所有,故受到特殊保护,主要表现在以下几个方面:

a.国家所有土地被他人非法占有,不论占有是直接占有还是间接占有,是恶意占有还是善意占有,一经发现,国家均有追索的权利。

b.不受诉讼时效的限制,根据我国法律的规定,对国有土地的非法占有不管占有时间经过多久,国家的所有权不因时效的超过而消灭。

c.对土地的所有权有争议或不明确的,均可推定为国家所有。

②集体土地所有权的保护。集体所有的土地由县级以上人民政府登记造册,核发证书,确认所有权后,依法受到保护,任何单位和个人不得侵犯。集体土地所有权遭到侵害时,不能受到法律的特殊保护,只能以一般诉讼主体请求法院依法保护。人民法院通过适用确认产权、排除妨碍、返还占有、恢复原状、赔偿损失等方式保护集体土地所有权。

2.土地使用权

(1)土地使用权的概念

土地使用权是指土地使用者对其所使用的土地,依法享有实际利用和取得收益的权利。土地使用权是我国土地使用制度在法律上的体现。国家所有的土地,可以依法由全民所有制单位使用,也可以依法确定由集体所有制单位使用,国家保护它的使用、收益的权利;使用单位有管理、保护、合理利用的义务。《中华人民共和国土地管理法》第十条规定,国有土地和农民集体所有的土地,可以依法确定给单位或者个人使用。使用土地的单位和个人,有保护、管理和合理利用土地的义务。可见,我国法律确立了土地所有权与土地使用权相分离的土地经营制度。

土地使用权从土地所有权中分离出来成为独立物权,与作为土地所有权权能的使用权不论在内涵上还是在外延上都是不同的,它是由合法的非土地所有人即土地使用权人行使。

(2)土地使用权的种类

根据《中华人民共和国土地管理法》,我国土地使用权有国有土地使用权和集体土地使用权两类。

①国有土地使用权。国有土地使用权是指公民、法人或非法人组织依法对国有土地所享有的使用权。根据使用人的不同,国有土地使用权又可分为以下几种:全民所有制单位的国有土地使用权;集体所有制单位的国有土地使用权;公民个人的国有土地使用权;中外合资企业、中外合作企业、外商独资企业的国有土地使用权;其他主体的国有土地使用权,如有限责任公司、股份有

限公司的国有土地使用权。

②集体土地使用权。目前,农村集体所有的土地主要有以下几种使用权形式:农村宅基地使用权;自留地、自留山的使用权;土地承包经营权;乡镇企业用地的使用权;其他形式的集体土地使用权,如农村集体经济组织以其土地使用权作为出资与全民所有制单位、集体所有制单位、公民个人或者外国企业和个人等成立的企业享有的土地使用权。

(3)土地使用权的设立

土地使用权的设立是指依照法定条件和程序,在特定的国有土地或集体土地上,第一次设立(或取得)土地使用权的法律行为。根据我国有关法律规定,土地使用权的设立有以下几种形式。

①以行政划拨的方式设立。以行政划拨的方式设立即由国家土地行政主管部门无偿将国有土地划拨给用地单位使用,用地单位取得土地使用权。这是长期以来在国有土地上设立土地使用权的主要方式。

②以土地使用权出让合同的方式设立。以土地使用权出让合同的方式设立是指国家土地行政主管部门以土地所有人的身份与土地使用人签订合同,将一定年限内的国有土地使用权让与土地使用人,而土地使用人则向国家支付一定数额的出让金。这是目前广泛采用的一种方式。

③经国家批准使用,再以合同方式设立。经国家批准使用,再以合同方式设立是指土地使用人在国家主管机关批准的基础上与国家签订土地使用合同,从而取得土地使用权。这种方式主要适用于中外合资企业、中外合作企业和外商独资企业。

④以批准农业开发土地的方式设立。《中华人民共和国土地管理法》第四十一条规定,开发未确定使用权的国有荒山、荒地、荒滩从事种植业、林业、畜牧业、渔业生产的,经县级以上人民政府依法批准,可以确定给开发单位或者个人长期使用。这种方式主要适用于农村集体经济组织或个人为开发国有土地而取得土地使用权。

⑤以集体土地所有人同意、政府批准的方式设立。这种设立方式适用于农村居民建住宅用地、乡(镇)村企业建设用地、回原籍乡村落户者建住宅用地等情况。首先,用地者必须向乡(镇)或县级人民政府提出申请,然后根据不同情况分别由乡(镇)或县级人民政府批准后取得土地使用权。

⑥以订立承包经营合同的方式设立。以订立承包经营合同的方式设立即农民集体所有的土地由村或村内集体经济组织与村民签订承包经营合同的方式承包给农民使用,农民因此取得土地使用权,这种土地使用又称为承包经营权。

⑦以承认的方式设立。在《中华人民共和国土地管理法》颁布实施以前,公民拥有合法产权的私房占用的土地、外国组织或个人在中国境内拥有的合法房屋占用的土地,国家承认房屋主人对其房屋基地的使用权。

(4)土地使用权的变更

土地使用权的变更是指土地使用权设立后,由于某种法律事实的发生而使土地使用权的主体发生变更。土地使用权的变更仅指权利主体的变更,权利内容本身并不因此而变化。

引起土地使用权变更的情况有以下几种。

①土地使用权的转让。根据法律规定,以出让方式设立的土地使用权可以依法转让。转让的方式包括出售、交换和赠予。对出让的土地进行转让,必须首先依照法律和合同约定进行一定的投资开发后,方能转让。

②转移地上建筑物引起土地使用权的变更。土地使用权与地上建筑物的所有权相一致,地

上建筑物的所有权发生变更,土地使用权随之发生变更。在这种情况下,变更土地使用权必须遵守土地使用权变更的有关法律、法规,并办理土地使用权变更登记手续。

③继承。公民依法取得的土地使用权,在该公民死亡后,一般可以由其继承人继承,但承包经营的土地需经重新签订承包经营合同,才能确定由原承包人的继承人使用。

④转包。农村村民通过承包方式取得的土地使用权,可以以转包的方式变更经营主体。但是,转包必须征得发包人的同意,并不得违反相关法律的规定。

(4) 土地使用权的终止

土地使用权的终止是指土地使用权人由于某种法律事实的出现而丧失土地使用权,土地使用权重新回到土地所有人手中。引起土地使用权终止的法律事实主要包括以下几个方面:

①土地使用权期限届满。有期限的土地使用权在期限届满时,回到土地所有人手中。如出让合同期满、承包合同期满等,土地使用权人均丧失土地使用权。

②国家征收征用。国家因公共利益需要征用集体所有的土地,使原集体所有土地的使用权人因此丧失土地使用权,同时应依法给予适当的补偿。

③土地使用权的收回。根据《中华人民共和国土地管理法》及相关法律规定,在下列情况下,国家有权收回土地使用权:用地单位已经撤销或者迁移的;土地使用者未经原批准机关同意,连续两年未使用土地的;土地使用者不按批准用途使用土地的;公路、铁路、机场、矿场等经核准报废的;划拨的土地因国家建设需要收回土地使用权的。

④因土地灭失而终止土地使用权。因土地灭失而终止土地使用权主要指由于自然原因(如地震、洪水等)造成原土地性质的彻底改变或者原土地面貌的彻底改变,失去了原土地的使用性质与社会意义,因而国家应据此终止其土地使用权。

除了上述通过一、二级市场以出让方式或转让方式获取土地使用权以外,目前尚有少量建设用地是通过行政划拨方式取得的。

案例11-3

【案情简介】

某地产商与某乡政府协商,签订一份联合公司的协议书,约定由乡里提供乡里集体土地,由开发商开发公司出资,联合搞开发经营。建60幢别墅作为度假村,吸引城市客源,利润可观,双方联营年限50年,开发公司每年定期向乡里支付固定的利润和管理费。

案例辨析

此案中,地产商和乡政府均存在非法行为。

地产商的非法行为包括:

(1) 违法使用土地。法律规定,任何单位和个人进行建设,需要使用土地的,必须依法申请使用国有土地;建设占用土地,涉及农用地转为建设用地的,应当办理农用转用审批手续;建设单位使用国有土地,应当以出让等有偿使用方式取得。显然,地产商没有先由国家将集体土地征为国有土地后,以出让等有偿方式取得土地使用权而直接使用土地。

(2)未交付土地使用权出让金。按规定,以出让等有偿使用方式取得国有土地使用权的建设单位,得缴纳土地使用权出让金等土地有偿使用费用和其他费用后,方可使用土地。

乡政府的非法行为包括:

(1)签约主体不合格。按规定,农民集体所有的土地依法属于村农民集体所有,由村内集体经济组织经营和管理。据此,乡政府无权使用。

(2)非法转让集体所有土地使用权用于非农业建设。按规定,农民集体所有的土地的使用权不得出让转让或者出租用于非农业建设。

(3)越权非法批地。按规定,经批准的建设项目需要使用国有建设用地的,建设单位应依法向有批准权的县级以上人民政府土地行政主管部门提出用地申请,经审查,报本级人民政府批准。

鉴于此,应该进行处罚:

(1)按规定,非法转让土地的,由县级以上人民政府土地行政主管部门没收违法所得;对违反土地利用总体规划擅自将农用土地改为建设用地的,限期拆除,恢复土地原貌。

(2)按规定,无权批准征收使用的单位或个人非法批准占用土地的,越权批准权限非法批准占用土地的,不按土地利用总规划确定的用途批准土地的,对批准文件无效的土地直接负责的主管人员和其他直接责任人员,依法给予行政处分;构成犯罪的,依法追究刑事责任。

11.2 房地产管理法规

11.2.1 概 述

1.房地产与房地产开发

房地产是指土地、建筑物及固着在土地、建筑物上不可分离的部分和附着于其上的各种权益(权利)的总和。

房地产主要有三种存在形态:一是单纯的土地,如一块无建筑物的城市空地;二是单纯的建筑物,建筑物虽然必须建造在土地之上,但在某些特定情况下需把它单独看待;三是土地与建筑物合成一体的"房产"(或称为复合房地产),即把建筑物和其坐落的土地作为一个整体来考虑。在我国,就房地产开发经营来说,附着于土地和建筑物上的房地产权益包括土地使用权和房屋所有权以及在其上设置的他项权利,如抵押权、典权等。

房地产开发是指在依法取得使用权的土地上,通过一定的资本和人力投入,进行土地开发、基础设施和房屋建设的活动。

2.房地产开发立法概况

中华人民共和国成立后,我国的房地产开发大致经历了以下三个阶段:

(1)起步阶段

起步阶段的城市房地产开发以"统建"为主要形式。如1978年3月,国务院发布了《关于加强城市建设工作的意见》,强调"今后应当创造条件、有步骤地推行民用建筑'六统一',即统一规划、统一投资、统一设计、统一施工、统一分配、统一管理"。

(2)转型阶段

转型阶段我国城市房地产开发的主要特征是由"统建"向综合开发过渡。1984年10月,国家计划委员会和城乡建设环境保护部联合印发了《城市建设综合开发公司暂行办法》,明确规定开发公司是具有独立法人资格的企业单位,其主要任务是进行城市土地开发和房地产业务。此后,房地产开发作为一种产业迅速发展起来。我国的房地产业也由此得到复苏和发展。

(3)房地产开发迅速发展和逐步规范阶段

1992年我国经济进入高速发展的阶段,同年6月发布的《中共中央国务院关于加快发展第三产业的决定》将房地产列入重点发展产业。1994年国家颁布了《中华人民共和国城市房地产管理法》,于2007年、2009年、2019年三次修正,对房地产开发企业、房地产开发企业用地以及房地产交易行为做出了明确的规定,为我国房地产开发管理法律制度的建立提供了法律依据。1998年7月20日,国务院又发布了《城市房地产开发经营管理条例》(于2011年、2018年、2019年、2020年四次修订)。2000年3月29日,建设部颁布了《房地产开发企业资质管理规定》(于2015年、2018年两次修订),对房地产开发企业的设立、企业的资质管理、房地产开发建设行为和房地产经营行为做出了更加明确、具体的规定。

11.2.2 房地产开发项目管理

1.房地产开发建设的基本要求

(1)执行城市规划

房地产开发必须严格执行城市规划。按照经济效益、社会效益、环境效益相统一的原则,实行全面规划、合理布局、综合开发、配套建设。

(2)房地产开发的用途与期限

以出让方式取得土地使用权进行房地产开发的,必须按照土地使用权出让合同约定的土地用途、动工开发期限开发土地。超过出让合同约定的动工开发日期1年未动工的,可以征收相当于土地使用权出让金20%以下的土地闲置费;满2年未动工的,可以无偿收回土地使用权。但是,因不可抗力或者政府有关部门的行为或者动工开发必需的前期工作造成动工开发迟延的除外。

(3)房地产开发的安全性要求

房地产开发项目的设计、施工必须符合国家有关标准和规范;房地产开发项目竣工,经过验收合格后,方可交付使用。

2.房地产开发建设的法律责任

(1)房地产开发企业的法律责任

企业有下列行为之一的,由原资质审批部门予以警告,责令限期改正,吊销资质证书,并可处以罚款:

①企业未取得资质证书从事房地产开发经营的,由县级以上地方人民政府房地产开发主管

部门责令限期改正,处 5 万元以上 10 万元以下的罚款;逾期不改正的,由房地产开发主管部门提请工商行政管理部门吊销营业执照。

②企业超越资质等级从事房地产开发经营的,由县级以上地方人民政府房地产开发主管部门责令限期改正,处 5 万元以上 10 万元以下的罚款;逾期不改正的,由原资质审批部门吊销资质证书,并提请工商行政管理部门吊销营业执照。

③如果企业隐瞒真实情况、弄虚作假骗取资质证书或者涂改、出租、出借、转让、出卖资质证书,由原资质审批部门公告资质证书作废,收回证书,并可处以 1 万元以上 3 万元以下的罚款。

④企业开发建设的项目工程质量低劣,发生重大工程质量事故的,由原资质审批部门降低资质等级;情节严重的吊销资质证书,并提请工商行政管理部门吊销营业执照。

⑤企业在商品住宅销售中不按照规定发放住宅质量保证书和住宅使用说明书的,由原资质审批部门予以警告、责令限期改正、降低资质等级,并可处以 1 万元以上 2 万元以下的罚款。

⑥企业不按照规定办理变更手续的,由原资质审批部门予以警告、责令限期改正,并可处以 5 000 元以上 1 万元以下的罚款。

(2)建设行政主管部门工作人员的法律责任

各级建设行政主管部门工作人员在资质审批和管理中玩忽职守、滥用职权、徇私舞弊的,由其所在单位或者上级主管部门给予行政处分;构成犯罪的,由司法机关依法追究刑事责任。

案例11-4

实际建筑面积少于约定开发的面积,应如何分配。

【案情简介】

甲公司系一国有公司,乙公司系一专营房地产开发的公司,甲公司拥有一块划拨土地,欲以该土地作为出资与乙公司合作开发房地产项目。甲公司按照规定办理了该土地的批准和土地使用权出让手续。甲、乙双方约定:开发建筑面积为 50 000 m^2,由乙公司具体开发。项目竣工后,经过实测,该项目的实际建筑面积为 49 000 m^2,对于如何分配实际开发的建筑面积,双方不能协商一致,诉至法院。

案例辨析

本案例合作开发不存在违法性,存在的问题仅仅是如何分配实际开发的建筑面积。根据《土地使用权解释》的规定,合作建房的分配规则是,合同有约定的,按合同约定;合同未明确约定的,按实际投资比例决定房屋分配比例。在本案例中,如果双方没有约定分配比例,就应当对甲公司的土地使用权进行评估,按照评估价格和乙公司的出资额确定比例,按比例分配。至于本案例建筑面积减少的责任问题,则要根据实际情况认定,并给予无过错方以适当补偿或增加其分配面积。

尤其需要注意的是,在房屋初始登记时,按照登记的程序规则,房屋只能登记在建筑许可证载明的被许可人名下。因此,建筑许可证的共同申领非常重要。

11.3 建筑装饰装修法规

11.3.1 概述

建筑是人类通过改造自然以适应自己物质和精神需要所形成的环境。建筑装饰装修是指为保护建筑物的主体结构，完善建筑物的使用功能和美化建筑物，采用装饰装修材料或饰物，对建筑物的内、外表面及空间进行的各种处理过程。建筑装饰装修始终受到社会、经济、文化、制度、民俗、材料和技术等多种因素的影响。建筑装饰装修工程的质量涉及人身安全和健康，并对发挥和完善建筑物的使用功能具有重要作用。

目前，我国建筑装饰装修方面的法规主要由建设部发布的规章和各省、市、自治区装饰装修行业发布的地方性规章组成。现行的主要有：2001年4月18日发布的《建筑业企业资质管理规定》（2015年3月1日再次修订施行）；2001年11月1日发布的《建筑装饰装修工程质量验收规范》；2002年3月5日发布的《住宅室内装饰装修管理办法》（2011年1月26日修改）；2006年3月6日发布的《建筑装饰装修工程设计与施工资质标准》。

11.3.2 建筑装饰装修合同管理

1. 建筑装饰装修合同的特点

建筑装饰附着在建筑物或构筑物上，且根据建筑主体的使用功能和具体要求而变化，这就使得建筑装饰装修合同具有一定的特殊性。

(1) 合同的"标的物"特殊

装饰工程是固定在建筑物或构筑物上进行的，因此，装饰工程具有工程的固定性和施工的流动性。

(2) 合同履行期不同

装饰工程的装饰主体规模、面积大小不同，合同履行期不一。但无论施工期长短，在施工期限内应严格按照施工合同中双方约定的条款履行合同内容。

(3) 合同内容条款多

装饰工程施工涉及材料种类多，构造做法繁杂，其条款应根据不同装饰项目的要求进行约定。因此，合同条款较多。

(4) 合同的类型复杂

装饰工程合同可以根据工程特点，签订总包合同、分包合同和修缮合同等不同种类的合同，而工程条件等因素对项目合同条款也会带来影响。

2. 建筑装饰装修合同的管理

建筑装饰装修合同的管理包括建设行政部门对合同的管理、监理工程师和业主方对合同的管理以及承包商对合同的管理。

(1) 建设行政部门对合同的管理

《建设工程施工合同管理办法》专门规定了建设行政主管部门对合同的管理，其管理职责是：
①宣传贯彻国家有关经济合同方面的法律、法规和方针、政策。

②贯彻国家制定的施工合同示范文本,并组织推广和指导使用。

③组织培训合同管理人员,指导和交流合同管理工作。

④审查施工合同的签订,监督检查合同的履行,依法处理存在的问题和违法行为。

⑤确定合同签订和履行的考核指标,并进行考核。

⑥确定损失赔偿范围。

⑦调解施工合同纠纷。

(2)监理工程师对合同的管理

在施工合同管理工作中,甲方委托总监理工程师按协议条款的规定,可部分或全部行使合同甲方代表的权利,履行甲方代表的职责。根据项目监理合同的规定,应做好以下合同管理工作。

①工期管理。按施工合同规定,对承包方的施工进度计划进行审核、批准,并检查督促实施。

②质量管理。对工程中所使用的装饰材料、成品、半成品质量进行及时检验,做好施工过程中隐蔽工程、中间及全部竣工工程的质量验收。

③结算管理。竣工结算是履行施工合同的重要步骤,也是施工合同管理的最后阶段。在工程办理完竣工结算手续后,发包方应按规定的工程价款结算方法和结算程序,办理工程价款结算拨付手续,终结双方的权利、义务关系。如合同有保修期,则在规定的保修期限内,承包方和发包方仍存在权利、义务关系。

(3)业主方对合同的管理

业主方对合同的管理可分为合同签订过程中的管理和合同履行过程中的管理两个阶段。

①合同签订过程中的管理。主要包括以下三项:

a.招标前期工作:组建招标机构,编制招标文件,发布招标公告,审查投标单位资质,并将结果通知投标单位。

b.招标中期工作:组织召开开标会,开展评标工作,发出中标通知。

c.招标后期工作:与中标单位进行谈判并签订装饰装修合同。

②合同履行过程中的管理。当工程开工后,业主需指定业主代表负责与监理工程师和承包商的联系,处理执行合同中的有关具体事宜。对一些重大问题,如工程的变更、工期的延长、工程款项的支付应由业主负责审批。在合同履行过程中,如承包商违约,业主有权终止合同并授权其他人完成合同。

(4)承包商对合同的管理

承包商对合同的管理也可分为合同签订过程中的管理和合同履行过程中的管理两个阶段。

①合同签订过程中的管理。合同签订过程中的管理主要指项目承揽前期的管理,依据投标顺序,这一阶段的管理工作可分为以下三项:

a.投标前期工作:全面分析招标工程的招标书,结合项目承包条件、工程难度和企业自身情况,对投标做出慎重决策。

b.投标中期工作:认真研究项目招标文件,发现并记录存在的问题并及时求得解答,制订科学合理的施工方案,编制项目施工规划,确定标价,编制项目投标文件,依据要求按时报送招标单位。

c.中标后工作:中标后与业主进行谈判,通过协商签订装饰装修合同。

②合同履行过程中的管理。合同履行过程中的管理主要包括:

a.建立合同管理机构,确定合同管理责任人。

b.建立合同管理档案,做好合同文件及其他资料的保管工作。

c.建立合同管理信息系统,及时核对相关信息。

d.做好工程记录及标书以外的用工记录,并由业主确认。

e.实行项目跟踪管理,积累合同索赔有关数据并及时向建设单位或保险公司索赔。

3.建筑装饰工程施工合同示范文本

为了规范建筑装饰工程市场行为,维护承、发包双方权益,1996年11月12日,建设部和国家工商行政管理局共同制定了建筑装饰工程施工合同示范文本,它将有利于培养和发展建筑装饰装修市场,规范交易行为,促使装饰工程合同走向制度化、规范化、科学化,保证建筑装饰装修市场的健康发展。

建筑装饰工程施工合同示范文本分为甲种本和乙种本两个类型。甲种本适用于大、中型建筑装饰工程,乙种本适用于小型建筑装饰工程。大、中、小型工程的界定,以工程造价为界定依据,由各地区、各部门具体规定。由于甲种本基本上涵盖了乙种本的内容,所以下面仅介绍甲种本。

(1)装饰工程合同包括的主要文件

装饰工程项目承包合同包括的文件主要有:建筑装饰工程施工合同;中标函;投标书;施工与验收规范;装饰施工图纸;标价的工程量表;其他文件。

(2)建筑装饰工程施工合同示范文本(甲种本)的主要内容

建筑装饰工程施工合同(甲种本)分为"合同条件"和"协议条款"两部分。

①第一部分"合同条件"。"合同条件"是对建筑装饰工程承、发包双方权利、义务做出的约定,除双方协商同意对其中的某些条款做出修改、补充或取消外,都必须严格履行。"合同条件"共有43条,由以下内容组成:

a.词语含义及合同文件:词语含义;合同文件及解释顺序;合同文件使用的语言文字、标准和适用法律;图纸。

b.双方一般责任:甲方代表及甲方工作;乙方驻工地代表及乙方工作。

c.施工组织设计和工期:施工组织设计及进度计划;延期开工;暂停施工;工期延误及工期提前。

d.质量与检验:工程样板;检查和返工;工程质量等级;隐蔽工程和中间验收;重新检验。

e.合同价款及支付方式:合同价款与调整;工程款预付;工程量的核实确认;工程款支付。

f.材料供应:材料样品或样本;甲方提供材料;乙方供应材料;材料试验。

g.设计变更:甲方变更设计;乙方变更设计;设计变更对工程的影响;确定变更合同价款及工期。

h.竣工与结算:竣工验收;竣工结算;保修。

i.争议、违约和索赔。

j.其他:安全施工;专利技术和特殊工艺的使用;不可抗力;保险;工程停建或缓建;合同的生效与终止;合同份数。

②第二部分"协议条款"。"协议条款"是按"合同条件"的顺序拟定的,主要是为"合同条件"的修改、补充提供协议的格式。承、发包双方针对工程的实际情况,把对"合同条件"的修改、补充和对某些条款不予采用的一致意见按"协议条款"的格式形成协议。"合同条件"和"协议条款"是双方统一意愿的体现,共同构成合同文件。

"协议条款"共由44条内容组成:工程概况;合同文件及解释顺序;合同文件使用的语言和适用标准及法律;图纸;甲方代表;监理单位及总监理工程师;乙方驻工地代表;甲方工作;乙方工作;进

度计划;延期开工;暂停施工;工期延误;工期提前;工程样板;检查和返工;工程质量等级;隐蔽工程和中间验收;验收和重新检验;合同价款及调整;工程预付款;工程量的核实确认;工程款支付;材料样品或样本;甲方供应材料设备;乙方采购材料设备;材料试验;甲方变更设计;乙方变更设计;设计变更对工程的影响;确定变更价款;竣工验收;竣工结算;保修;争议;违约;索赔;安全施工;专利技术和特殊工艺;不可抗力;保险;工程停建或缓建;合同的生效与终止;合同份数。

对采用招标发包的工程,"合同条件"应是招标文件的组成部分,发包方对其修改、补充或对某些条款不予采用的意见,要在招标文件中说明。承包方是否同意发包方的意见及其对"合同条件"的修改、补充和对某些条款不予采用的意见,也要在标书中一一列出。中标后,双方将协商一致的意见写入"协议条款"。对不采用招标发包的工程,在要约和承诺时都要把对"合同条件"的修改、补充和对某些条款不予采用的意见一一提出,将达成的一致意见写入"协议条款"。

案例11-5

某大厦装饰装修合同无效案例。

【案情简介】

2004年7月,金某以A装饰施工队委托代理人身份与B建筑装饰工程公司签订了C大厦装饰装修施工分包合同,合同约定的价款为69万元。之后,金某组织人员对C大厦进行装饰装修施工。当年年底,该装饰装修工程完工,B建筑装饰工程公司对该工程验收合格,但一直未办理结算。2005年1月,金某诉诸法院,要求工程发包单位B建筑装饰工程公司给付工程款69万元并偿付工程款利息。法院经审理认为,金某以A装饰施工队名义签订的C大厦装饰装修施工分包合同未得到A装饰施工队的追认,金某不具备相应的施工资质,该合同违反了法律规定,属于无效合同。因工程已验收合格,故判令被告B装饰工程公司偿还原告金某工程款69万元,对原告金某追索工程款利息的诉讼请求,法院予以驳回。

原告金某不服一审判决,向上级法院提起上诉。金某上诉称工程款利息属于法律孳息,工程款本金支持,利息也应予以支持,要求法院改判。二审法院经审理后,驳回了金某的上诉,维持原判。

案例辨析

(1)建设工程(含装修工程)因其施工技术的专业性与复杂性事关人民生命财产的安全,故我国法律对施工承包方的资质要求有着严格的规定。本案例中,金某不具备相应的施工资质已是不争的事实。而工程发包单位B建筑装饰工程公司把C大厦装饰装修工程分包给原告金某,违反了《中华人民共和国民法典》第七百九十一条"禁止承包人将工程分包给不具备相应资质条件的单位"的强制性规定,根据《中华人民共和国民法典》第一百五十三条第(一)款"违反法律、行政法规的强制性规定的民事法律行为无效"之规定,双方所签订的C大厦装饰装修施工分包合同因违反行政法规、法律的强制性规定而无效。

(2)对于无效合同,根据《中华人民共和国民法典》第一百五十七条规定,合同无效或者被撤销后,因该合同取得的财产,应当予以返还;不能返还或者没有必要返还的,应当折价补偿;有过错的一方应当赔偿对方因此所受到的损失,双方都有过错的,应当各自承担相应的责任。因此,B建筑装饰工程公司因无效的装饰装修合同取得的财产,应当予以返还,不能返还的应当折价补偿。鉴于装饰装修合同的特殊性,装饰装修款只能折价返还。法院参照原、被告双方对工程价款的约定,判令被告支付69万元工程款本金是正确的。

对于金某所主张的工程款利息,属于金某的经济损失,但因金某明知自己不具备相应的装饰装修施工资质,却以A装施工队的名义签订合同,该合同无效,原告金某也有过错,故对其工程款利息损失,依法应由金某自己承担。

11.3.3 建筑室内装饰装修管理

为加强住宅室内装饰装修管理,保证装饰装修工程质量和安全,维护公共安全和公众利益,根据有关法律、法规,建设部于2002年3月5日发布了《住宅室内装饰装修管理办法》,自2002年5月1日起施行,2011年1月26日进行了修改。

《住宅室内装饰装修管理办法》所称住宅室内装饰装修,是指住宅竣工验收合格后,业主或者住宅使用人(以下简称装修人)对住宅室内进行装饰装修的建筑活动。在城市从事住宅室内装饰装修活动,实施对住宅室内装饰装修活动的监督管理,均应当遵守《住宅室内装饰装修管理办法》。

1.室内装饰装修活动的一般规定

(1)住宅室内装饰装修行为的禁止性规定

进行住宅室内装饰装修活动,禁止下列行为:

①未经原设计单位或者具有相应资质等级的设计单位提出设计方案,变动建筑主体和承重结构。建筑主体是指建筑实体的结构构造,包括屋盖、楼盖、梁、柱、支撑、墙体、连接节点和基础等;承重结构是指直接将本身自重与各种外加作用力系统地传递给基础的主要结构构件及其连接节点,包括承重墙体、立杆、柱、框架柱、支墩、楼板、梁、屋架、悬索等。

②将没有防水要求的房间或者阳台改为卫生间、厨房等。

③扩大承重墙上原有的门窗尺寸,拆除连接阳台的砖、混凝土墙体。

④损坏房屋原有节能设施,降低节能效果。

⑤其他影响建筑结构和使用安全的行为。

(2)装修人从事住宅室内装饰装修活动的行为规范

装修人从事住宅室内装饰装修活动,下列行为必须经有关部门批准;未经批准,严格禁止进行。

①搭建建筑物、构筑物以及改变住宅外立面,在非承重外墙上开门、窗,要报请城市规划行政主管部门批准后方能实施。

②拆改供暖管道和设施,要经过供暖管理部门批准后才能进行。

③拆改燃气管道和设施,要经过燃气管理部门批准后才能进行。

(3)室内装饰装修活动的义务性规定

①住宅室内装饰装修应当保证工程质量和安全,符合工程建设强制性标准的规定。

②住宅室内装饰装修超过设计标准或者规范增加楼面荷载的,应当经原设计单位或者具有相应资质等级的设计单位提出设计方案。

③改动卫生间、厨房防水层的,应当按照防水标准制订施工方案,并做闭水试验。

④装修人经原设计单位或者具有相应资质等级的设计单位提出设计方案变动建筑主体和承重结构的,或者装修活动涉及上述②③条和装修人从事住宅室内装饰装修活动未经批准不得进行的行为(上述②中的内容)的内容的,必须委托具有相应资质的装饰装修企业承担。

⑤装饰装修企业必须按照工程建设强制性标准和其他技术标准施工,不得偷工减料,确保装饰装修工程质量。

⑥装饰装修企业从事住宅室内装饰装修活动,应当遵守施工安全操作规程,按照规定采取必要的安全防护和消防措施,不得擅自动用明火和进行焊接作业,保证作业人员和周围住房及财产的安全。

⑦装修人和装饰装修企业从事住宅室内装饰装修活动,不得侵占公共空间,不得损害公共部位和设施。

2. 室内环境质量控制制度

①装饰装修企业从事住宅室内装饰装修活动,应当严格遵守规定的装饰装修施工时间,降低施工噪声,减少环境污染。

②住宅室内装饰装修过程中所形成的各种固体、可燃液体等废物,应当按照规定的位置、方式和时间堆放和清运。严禁违反规定将各种固体、可燃液体等废物堆放于住宅垃圾道、楼道或者其他地方。

③住宅室内装饰装修工程使用的材料和设备必须符合国家标准的规定,有质量检验合格证明,有中文标志的产品名称、规格、型号、生产厂的厂名和厂址等。禁止使用国家明令淘汰的建筑装饰装修材料和设备。

装修人委托企业对住宅室内进行装饰装修的,装饰装修工程竣工后,空气质量应当符合国家有关标准的规定。装修人可以委托有资格的检测单位对空气质量进行检测。检测不合格的,装饰装修企业应当返工,并由责任人承担相应损失。

3. 室内装饰装修工程竣工验收与保修制度

①住宅室内装饰装修工程竣工后,装修人应当按照工程设计合同的约定和相应的质量标准进行验收。验收合格后,装饰装修企业应当出具住宅室内装饰装修质量保修书。

物业管理单位应当按照装饰装修管理服务协议进行现场检查,对违反法律、法规和装饰装修管理服务协议的,应当要求装修人和装饰装修企业纠正,并将检查记录存档。

②住宅室内装饰装修工程竣工后,装饰装修企业负责采购装饰装修材料及设备的,应当向业主提交说明书、保修单和环保说明书。

③在正常使用条件下,住宅室内装饰装修工程的最低保修期限为两年,有防水要求的卫生间、厨房和外墙面的防漏保修期限为五年。保修期限自住宅室内装饰装修工程竣工验收合格之日起计算。

4.室内装饰装修活动的监督管理

国务院建设行政主管部门负责全国住宅室内装饰装修活动的管理工作。省、自治区人民政府建设行政主管部门负责本行政区域内的住宅室内装饰装修活动的管理工作。直辖市、市、县人民政府房地产行政主管部门负责本行政区域内的住宅室内装饰装修活动的管理工作。任何单位和个人对住宅室内装饰装修中出现的影响公众利益的质量事故、质量缺陷以及其他影响周围住户正常生活的行为,都有权检举、控告、投诉。

案例11-6

房屋装修是否受限?

【案情简介】

某住宅小区内一业主张某购得该小区一套小高层商品住宅后,即进行房屋装饰装修,在房屋装饰装修过程中张某擅自改变该房屋主体结构,并且经常在休息时间进行施工,影响到周围邻居的生活。该小区物业管理公司得知上述情况后,找到张某告知其应当立即停止施工工程,同时告知张某根据该小区制定的管理公约规定张某的行为应当受到罚款的处罚,限张某一周内到该小区物业管理公司交纳罚款。张某认为其已购买了该房屋,怎样装修别人管不着,并且到法院起诉该小区物业管理公司,要求排除妨害。

案例辨析

(1)张某进行房屋装修不可以擅自改变该房屋的主体结构。《城市新建住宅小区管理办法》规定,房地产产权人、使用人不得实施四种禁止性行为,并规定了物业管理公司对发生的违禁行为有权制止、批评教育、责令恢复原状、赔偿损失。这四种行为包括:擅自改变小区内土地用途的;擅自改变房屋、配套设施的用途、结构、外观,毁损设施、设备,危及房屋安全的;私搭乱建,乱停乱放车辆,在公共部位乱堆乱放,随意占用、破坏绿化并污染环境,影响小区景观,噪声扰民的;不照章交纳各种费用的。

同时,建设部发布的《建筑装饰装修管理规定》中明确规定,房屋装修时,凡涉及拆改主体结构和明显加大荷载的,房屋所有人、使用人必须向房屋所在地的房地产行政主管部门提出申请,并由房屋安全鉴定单位对装饰装修方案的使用安全性进行审定,经批准后,申请人还要向建设行政主管部门办理报建手续,并领取施工许可证。

(2)张某的装修行为危及房屋的安全,构成改变房屋主体结构的行为,该小区物业公司有权制止张某继续装修。但是,该小区物业公司提出的根据自己制定的管理公约对张某进行处罚则不符合法律规定。根据《中华人民共和国行政处罚法》的规定,只有法律、行政法规和规章才能设定行政处罚,该小区管理公司这种自律性规章是不能设定行政处罚的。该小区公约中可以规定责令恢复原状、赔偿损失等民事责任方式。这是因为物业管理是基于委托合同而产生的管理权限,且行政处罚的主体只能是法律规定的有执法权的行政主体。

11.4 劳动法

11.4.1 概述

1.《中华人民共和国劳动法》和《中华人民共和国劳动合同法》

《中华人民共和国劳动法》是由中华人民共和国第八届全国人民代表大会常务委员会第八次会议于1994年7月5日通过,自1995年1月1日起施行的;2009年、2018年修改,共十三章一百零七条。《中华人民共和国劳动法》是劳动领域里的基本法。

《中华人民共和国劳动合同法》由中华人民共和国第十届全国人民代表大会常务委员会第二十八次会议于2007年6月29日通过,自2008年1月1日起施行;2012年12月28日通过修订,自2013年7月1日起施行,共八章九十八条。

《中华人民共和国劳动法》是劳动领域的基本法,其调整对象是一定范围的劳动关系和与其有密切联系的其他关系。它不会被《中华人民共和国劳动合同法》所取代。《中华人民共和国劳动合同法》是《中华人民共和国劳动法》的一个子法。

2.《中华人民共和国劳动合同法》调整的关系

《中华人民共和国劳动合同法》调整劳动者与用人单位之间在实际劳动过程中发生的社会关系。《中华人民共和国劳动法》中的规定是比较有原则性的,各个地区相应制定了实施细则。由于没有一部统一的法律,各个地方的规定又不相同,所以很混乱。在这种情况下,国家制定出台了《中华人民共和国劳动合同法》,用来专门调整这一关系,是最为科学的选择。《中华人民共和国劳动合同法》调整的关系主要包括:

①因管理劳动力而发生的社会关系。
②因执行社会保障而发生的社会关系。
③因组织工会和工会活动而发生的社会关系。
④因处理劳动争议而发生的社会关系。
⑤因监督劳动法律、法规的执行而发生的社会关系。

3.《中华人民共和国劳动合同法》的特点

(1)强化书面劳动合同形式

彻底解决不签订书面劳动合同的问题。为了更好地解决不签订书面劳动合同的问题,《中华人民共和国劳动合同法》明确规定,用人单位自用工之日起满一年不与劳动者订立书面劳动合同的,视为用人单位与劳动者已订立无固定期限劳动合同。用人单位违反本法规定不与劳动者订立无固定期限劳动合同的,自应当订立无固定期限劳动合同之日起向劳动者每月支付两倍的工资。

(2)扩大了使用范围

为适应当前劳动用工多样化的现实要求,一是在原有境内企业、个体经济组织的基础上增加了民办非企业单位等组织;二是明确事业单位与实行聘用制的工作人员也应订立劳动合同,以及"国家机关、事业单位、社会团体和与其建立劳动关系的劳动者"都要依照《中华人民共和国劳动合同法》执行。

(3) 规范了试用期的规定

《中华人民共和国劳动合同法》要求试用期时间需要根据合同期限确定，同一用人单位与同一劳动者只能约定一次试用期，并对试用期的工资水平和试用期解除劳动合同做出了限制性规定。

(4) 限制了约定劳动者的违约责任

《中华人民共和国劳动合同法》规定，只有在两种情况下用人单位约定由劳动者承担违约金，即在培训服务约定中约定违约金和在竞争限制约定中约定违约金。

(5) 完善了解除、终止劳动合同的法律、规范

《中华人民共和国劳动合同法》补充了可以立即解除劳动合同的情形；修改了劳动者可以随时通知解除劳动合同的情形；补充规定了用人单位可以随时通知劳动者解除劳动合同的情形；增加了用人单位提前30日以书面形式通知劳动者解除劳动合同的替代方式；修改了用人单位裁减人员的规定；增加了用人单位提前30日以书面形式通知劳动者解除劳动合同及裁减人员的限制情形。

案例11-7

小刘该怎么办？

【案情简介】

小刘是某建筑公司的农民工，与该建筑公司签订了为期10年的合同，合同虽然仅几十条，却规定了10多项违约金条款，有一项是如果小刘跳槽，需一次性支付10万元违约金。工作半年后，小刘发现了另一家建筑公司招人，开出的条件和待遇都比现在的单位好很多。他想跳槽，但面对巨额违约金，又陷入了深深的苦恼之中。

案例辨析

《中华人民共和国劳动法》对于劳动合同违约金的问题基本上没有涉及，而是交给用人单位和劳动者协商解决。为防止劳动者跳槽，不少用人单位都规定了高额违约金。为此，《中华人民共和国劳动合同法》对违约金进行了规范，规定只有在以下两种情况下，用人单位才可与劳动者约定由劳动者承担违约金：第一种情况是用人单位为劳动者提供专项培训费用，对其进行专业技术培训的，与该劳动者订立协议，约定服务期后，如果劳动者违反服务期约定的，应当按照约定向用人单位支付违约金；第二种情况是用人单位与负有保密义务的劳动者在劳动合同或者保密协议中约定了竞业限制条款后，如果劳动者违反竞业限制约定的，应当按照约定向用人单位支付违约金。

由此可见，除上述两种情况外，其余一切情况包括劳动者跳槽都不需要向用人单位支付高额违约金。不过，劳动者跳槽仍需支付一定代价，因为《中华人民共和国劳动合同法》第九十条规定，劳动者违反本法规定解除劳动合同，或者违反劳动合同中约定的保密义务或者竞业限制，给用人单位造成损失的，应当承担赔偿责任。因此，依据《中华人民共和国劳动合同法》的规定，该建筑公司约定的高额跳槽违约金是无效的，小刘只要在赔偿对该公司造成的损失后就可跳槽去另一家建筑公司。

11.4.2 劳动合同

劳动合同又称劳动契约,是劳动者与用人单位之间为确立劳动关系,依法协商达成的双方权利和义务的书面协议。劳动合同分为固定期限劳动合同、无固定期限劳动合同和以完成一定工作任务为期限的劳动合同。

1. 劳动合同的订立

订立劳动合同应当遵循合法、公平、平等自愿、协商一致、诚实信用的原则。用人单位自用工之日起即与劳动者建立劳动关系。建立劳动关系应当订立书面劳动合同。已建立劳动关系、未同时订立书面劳动合同的,应当自用工之日起1个月内订立书面劳动合同。劳动合同应当具备以下条款:

①用人单位的名称、住所和法定代表人或者主要负责人。
②劳动者的姓名、住址和居民身份证或者其他有效身份证件号码。
③劳动合同期限。
④工作内容和工作地点。
⑤工作时间和休息、休假。
⑥劳动报酬。
⑦社会保险。
⑧劳动保护、劳动条件和职业危害防护。
⑨法律、法规规定应当纳入劳动合同的其他事项。

2. 劳动合同的履行

①用人单位与劳动者应当按照劳动合同的约定,全面履行各自的义务。
②用人单位应当按照劳动合同约定和国家规定,向劳动者及时、足额支付劳动报酬。用人单位应当严格执行劳动定额标准,不得强迫或者变相强迫劳动者加班。
③用人单位安排加班的,应当按照国家有关规定向劳动者支付加班费。
④劳动者拒绝用人单位管理人员违章指挥、强令冒险作业的,不视为违反劳动合同。劳动者对危害生命安全和身体健康的劳动条件,有权对用人单位提出批评、检举和控告。

3. 劳动合同的变更

劳动合同的变更是指劳动关系双方当事人就已订立的劳动合同的部分条款达成修改、补充或者废止协定的法律行为。《中华人民共和国劳动合同法》对劳动合同变更有明确的规定。

①用人单位与劳动者协商一致,可以变更劳动合同约定的内容。变更劳动合同应当采用书面形式。变更后的劳动合同文本由用人单位和劳动者各执一份。
②用人单位变更名称、法定代表人、主要负责人或者投资人等事项,不影响劳动合同的履行。
③用人单位发生合并或者分立等情况,原劳动合同继续有效,劳动合同由承继其权利和义务的用人单位继续履行。

4. 劳动合同的解除

劳动合同的解除是指当事人双方提前终止劳动合同的法律效力,解除双方的权利和义务关系。它是在劳动合同订立后、尚未全部履行以前,由于某种原因导致劳动合同一方或双方当事人提前消灭劳动关系的法律行为。

劳动合同的解除分为法定解除和协商解除两种。《中华人民共和国劳动合同法》中关于劳动合同解除的规定主要有：

①用人单位与劳动者协商一致,可以解除劳动合同。

②劳动者提前30日以书面形式通知用人单位,可以解除劳动合同。劳动者在试用期内提前3日通知用人单位,可以解除劳动合同。

③用人单位有下列情形之一的,劳动者可以解除劳动合同：未按照劳动合同约定提供劳动保护或者劳动条件的；未及时、足额支付劳动报酬的；未依法为劳动者缴纳社会保险费的；用人单位的规章制度违反法律、法规的规定,损害劳动者权益的；因《中华人民共和国劳动合同法》第二十六条第一款规定的情形(以欺诈、胁迫的手段或者乘人之危,使对方在违背真实意思的情况下订立或者变更劳动合同的)致使劳动合同无效的；法律、行政法规规定劳动者可以解除劳动合同的其他情形。

用人单位以暴力、威胁或者非法限制人身自由的手段强迫劳动者劳动的,或者用人单位违章指挥、强令冒险作业危及劳动者人身安全的,劳动者可以立即解除劳动合同,无须事先告知用人单位。

④劳动者有下列情形之一的,用人单位可以解除劳动合同：在试用期间被证明不符合录用条件的；严重违反用人单位的规章制度的；严重失职,营私舞弊,给用人单位造成重大损害的；劳动者同时与其他用人单位建立劳动关系,对完成本单位的工作任务造成严重影响,或者经用人单位提出,拒不改正的；因《中华人民共和国劳动合同法》第二十六条第一款第一项规定的情形致使劳动合同无效的；被依法追究刑事责任的。

⑤有下列情形之一的,用人单位提前30日以书面形式通知劳动者本人或者额外支付劳动者1个月工资后,可以解除劳动合同：劳动者患病或者非因工负伤,在规定的医疗期满后不能从事原工作,也不能从事由用人单位另行安排的工作的；劳动者不能胜任工作,经过培训或者调整工作岗位,仍不能胜任工作的；劳动合同订立时所依据的客观情况发生重大变化,致使劳动合同无法履行,经用人单位与劳动者协商,未能就变更劳动合同内容达成协议的。

⑥劳动者有下列情形之一的,用人单位不得解除劳动合同：从事接触职业病危害作业的劳动者未进行离岗前职业健康检查,或者疑似职业病病人在诊断或者医学观察期间的；在本单位患职业病或者因工负伤并被确认丧失或者部分丧失劳动能力的；患病或者非因工负伤,在规定的医疗期内的；女职工在孕期、产期、哺乳期的；在本单位连续工作满15年,且距法定退休年龄不足5年的；法律、行政法规规定的其他情形。

用人单位单方解除劳动合同,应当事先将理由通知工会。用人单位违反法律、行政法规规定或者劳动合同约定的,工会有权要求用人单位纠正。用人单位应当研究工会的意见,并将处理结果书面通知工会。

5.劳动合同的终止

《中华人民共和国劳动合同法》第四十四条规定,有下列情形之一的,劳动合同终止：

①劳动合同期满的。

②劳动者开始依法享受基本养老保险待遇的。

③劳动者死亡,或者被人民法院宣告死亡或者宣告失踪的。

④用人单位被依法宣告破产的。

⑤用人单位被吊销营业执照、责令关闭、撤销或者用人单位决定提前解散的。

⑥法律、行政法规规定的其他情形。

> **案例11-8**
>
> 恶意串通假意签订劳动合同无效。
>
> 【案情简介】
>
> 秦某与A公司签订的劳动合同期满后仍留在A公司工作。2018年2月1日,秦某以迁址南京为由,向A公司申请辞职,次日,A公司做出同意辞职的决定,秦某即离开A公司。11—17日,A公司到劳动部门为其办理了养老、医疗保险停止参保手续。3月15日,秦某与A公司人事部门工作人员串通,取得一份《解除(终止)劳动合同书》,载明"现由双方协商同意,从即日起解除(终止)双方签订的劳动合同",又依据该合同书填写了解除(终止)劳动合同登记表,并报经劳动部门审批。该审批表中解除劳动合同的理由为"双方协商终止合同",是否给付经济补偿金一栏填写"3 500元"。A公司发现后向劳动部门申请变更与秦某解除劳动合同理由,声明"我公司负责人事的同志未经公司同意,私自变更解除劳动合同的理由为双方协商,重新伪造了双方协商解除劳动合同书,办理了骗取经济补偿金的手续,请求更正"。同年5月24日,劳动部门向A公司发函,载明"根据单位书面变更手续,秦某不符合享受经济补偿金的条件,现予纠正"。

> 【案例辨析】
>
> 秦某向A公司申请辞职,经A公司同意后,双方的劳动关系即行终止。按照相关法律规定,秦某不符合享受经济补偿金的条件。秦某与A公司人事部门工作人员恶意串通获得双方协商解除劳动合同的书面材料和享受经济补偿金的审批手续,企图以合法的形式达到违规领取经济补偿金的目的,违反了我国法律禁止性的规定,据此认定该行为无效。

11.4.3 劳动保护

劳动保护是指国家为了劳动者在生产过程中的安全与健康而采取的各项保护措施,是保证职工机体不受伤害,保持和提高劳动者持久的劳动能力的组织和技术措施的总称。《中华人民共和国劳动法》中对生产安全与卫生方面的技术性措施和有关劳动保护的行政性管理措施有明确的规定。

1. 劳动安全卫生制度对用人单位的要求

①用人单位必须建立、健全劳动卫生制度,严格执行国家劳动安全卫生规程和标准,对劳动者进行劳动安全卫生教育,防止劳动过程中的事故发生,减少职业危害。

②劳动安全卫生设施必须符合国家规定的标准。新建、改建、扩建工程的劳动安全卫生设施必须与主体同时设计、同时施工、同时投入生产和使用。

③用人单位必须为劳动者提供符合国家规定的劳动安全卫生条件和必要的劳动防护用品,对从事有职业危害作业的劳动者应当定期进行健康检查。

④用人单位应当会同其他有关部门依法对劳动者在劳动过程中发生的伤亡事故和劳动者的

职业病状况进行统计、报告和处理。

2. 劳动安全卫生制度对劳动者的要求

①从事特种作业的劳动者必须经过专门培训并取得特种作业资格。

②劳动者在劳动过程中必须严格遵守安全操作规程。

③劳动者对用人单位管理人员违章指挥、强令冒险作业，有权拒绝执行；对危害生命安全和身体健康的行为，有权提出批评、检举和控告。

3. 对女职工的特殊保护

女职工的劳动保护是指根据妇女的生理特点对其中的劳动者所采取的各项保护措施，即在劳动过程中对安全和卫生的特殊保护措施。

①禁止安排女职工从事矿山井下、国家规定的第四级体力劳动强度的劳动和其他禁忌从事的劳动。

②不得安排女职工在经期从事高处、低温、冷水作业和国家规定的第三级体力劳动强度的劳动。

③不得安排女职工在怀孕期间从事国家规定的第三级体力劳动强度的劳动和孕期禁忌从事的劳动。对怀孕7个月以上的女职工，不得安排其延长工作时间和夜班劳动。

④女职工生育享受不少于90天的产假。

⑤不得安排女职工在哺乳未满1周岁的婴儿期间从事国家规定的第三级体力劳动强度的劳动和哺乳期禁忌从事的其他劳动，不得安排其延长工作时间和夜班劳动。

4. 对未成年工的特殊保护

未成年工是指年满16周岁未满18周岁的劳动者。《中华人民共和国劳动法》中对未成年工的保护是针对未成年工处于生长发育期的特点以及接受义务教育的需要，采取的特殊劳动保护措施。《中华人民共和国劳动法》第六十四条明确规定，不得安排未成年工从事矿山井下、有毒有害、国家规定的第四级体力劳动强度的劳动和其他禁忌从事的劳动。《中华人民共和国劳动法》第六十五条规定，用人单位应当对未成年工定期进行健康检查。

案例11-9

用人单位不得解除已怀孕的职工。

【案情简介】

2018年年底至2019年年初，被告A公司根据某省电力工业局的有关文件制定了改革方案，对符合条件的公司职工买断工龄解除合同等相关问题做出了具体规定，并将实施方案在公司内部张贴，予以广泛宣传。2019年4月6日，原告张某按文件规定向被告申请解除劳动合同并一次性买断工龄，同年4月20日被告批准了原告的申请，双方签订了解除劳动合同证明书，原告张某按规定领取了30 000元就业扶持金和补发的安置费6 000元。另查，原告张某提供的某妇幼保健站出具的出生医学证明及某市第四人民医院提供的收费票据证明，张某之子李某的出生时间是2019年9月6日，而被告A公司批准与原告张某解除劳动合同的时间是2020年4月20日。申诉人张某在被解除劳动合同时正处在怀孕期间。张某于2019年9月5日入院，在某市第四人民医院生产，2019年9月11日出院，医疗费共计2 363.06元。

> **案例辨析**
>
> 按照《中华人民共和国劳动法》的有关规定,女职工在孕期、产期、哺乳期内的,用人单位不得解除劳动合同。被告 A 公司与原告张某解除劳动合同时,张某正处于怀孕期内,双方所签订的解除劳动合同协议因违反《中华人民共和国劳动法》的禁止性规定而无效。被告 A 公司应恢复其与原告张某的劳动关系,并安排适当的工作岗位,对原告张某怀孕生产期间住院医疗费用给予报销。原告张某在与被告 A 公司办理解除劳动关系手续时,明知自己已怀孕而没告知被告,才造成了现在的状况,对此纠纷也有一定的过错。法院根据《中华人民共和国民事诉讼法》第六十四条、《中华人民共和国劳动法》第二十九条第三款之规定,判决如下:
>
> (1)确认原告张某与被告 A 公司签订的解除劳动关系协议无效。
> (2)被告 A 公司于本判决生效后 30 日内给原告张某安排工作岗位。
> (3)原告张某于判决生效后 30 日内返还被告 A 公司已领取的就业扶持金 30 000 元、安置费 6 000 元。
> (4)原告张某在解除劳动关系之后至恢复工作之前"三金"的补交,由社保部门核定比例标准后,双方各自承担其应承担的部分。
> (5)被告 A 公司对原告张某怀孕生产期间的医疗费 2 363.06 元给予报销。
> (6)案件受理费 100 元,双方各负担 50 元。

11.5 消防法

11.5.1 概述

为了预防火灾和减少火灾危害,保护公民人身、公共财产和公民财产的安全,维护公共安全,保障社会主义现代化建设的顺利进行,制定《中华人民共和国消防法》。

消防工作贯彻预防为主,防消结合的方针,坚持专门机关与群众相结合的原则,实行防火安全责任制。

11.5.2 建设工程消防的规定

①按照《工程建筑消防技术标准》要求进行消防设计的建筑工程,设计单位应当按照《工程建筑消防技术标准》进行设计,建设单位应当将建筑工程的消防设计图纸及有关资料报送公安消防机构审核;未经审核或者审核不合格的,建设行政主管部门不得发给其施工许可证,建设单位不

得施工。

②经公安消防机构审核的建筑工程消防设计需要变更的,应当报经原审核公安消防机构核准;未经核准的,任何单位、个人不得变更。

③按照《工程建筑消防技术标准》进行消防设计的建筑工程竣工时,必须经公安消防机构进行消防验收;未经验收或者经验收不合格的,不得投入使用。

④建筑构件和建筑材料的防火性能必须符合国家标准或行业标准。公共场所室内装修、装饰根据《工程建筑消防技术标准》的规定,应当使用不燃、难燃材料的,必须选用由依照《中华人民共和国产品质量法》的规定确定的检验机构检验合格的材料。

11.5.3　工程建设中的消防安全措施

(1)机关、团体、企业、事业单位应当履行的消防安全职责

①制定消防安全制度与消防安全操作规程。

②实行防火安全责任制,确定本单位和所属各部门、岗位的消防安全责任人。

③针对本单位的特点对职工进行消防宣传教育。

④组织防火检查,及时消除火灾隐患。

⑤按照国家有关规定配置消防设施和器材,设置消防安全标志,并定期组织检验、维修,确保消防设施和器材完好、有效。

⑥保障疏散通道、安全出口畅通,并设置符合国家规定的消防安全疏散标志。

⑦居民住宅区的管理单位应当依照前款有关规定,履行消防安全职责,做好住宅区的消防安全工作。

(2)在设有车间或者仓库的建筑物内,不得设置员工集体宿舍

在设有车间或者仓库的建筑物内,已经设置员工集体宿舍的,应当限期加以解决。对于暂时确有困难的,应当采取必要的消防安全措施,经公安消防机构批准后,可以继续使用。

(3)生产、储存、运输、销售或者使用、销毁易燃易爆危险物品的单位、个人,必须执行国家有关消防安全的规定

①生产易燃易爆危险物品的单位,对产品应当附有燃点、闪点、爆炸极限等数据的说明书,并且注明防火防爆注意事项。对独立包装的易燃易爆危险物品应当附危险品标签。

②进入生产、储存易燃易爆危险物品的场所,必须执行国家有关消防安全的规定,禁止携带火种进入生产、储存易燃易爆危险物品的场所。禁止非法携带易燃易爆危险物品进入公共场所或者乘坐公共交通工具。

③储存可燃物资仓库的管理,必须执行国家有关消防安全的规定。

(4)禁止在具有火灾、爆炸危险的场所使用明火

因特殊情况需要使用明火作业的,应当按照规定事先办理审批手续。作业人员应当遵守消防安全规定,并采取相应的消防安全措施。

进行电焊、气焊等具有火灾危险的作业人员和自动消防系统的操作人员必须持证上岗,并严格遵守消防安全操作规程。

11.6 建设工程纠纷的处理

1. 建设工程纠纷

人们在社会生活中难免会发生各种各样的纠纷。从发生的类型来看,主要有民事纠纷、经济纠纷、劳动纠纷和行政纠纷。其中,民事纠纷是最为复杂和多样的。例如,因借贷引起的纠纷;因卖房、租房引起的纠纷;因离婚引起的财产纠纷等。

建设工程纠纷属于民事纠纷,它是指建设工程中当事人之间对合同是否成立、生效及对合同履行情况和不履行的后果产生的争议,即对建设过程中的权利和义务产生了不同的理解。从根本上说,建设工程纠纷是指建设工程合同当事人之间围绕合同的权利、义务而发生的争议。争议的原因是多方面的,但归纳起来可分为两大类型:一类是主观原因;另一类是客观原因。出现合同纠纷时,合同当事人应当及时、合法地予以解决,以免造成更大的经济损失。

建设工程纠纷的发生和存在不利于工程建设的顺利进行,有损于工程各方当事人的经济利益。同时,建设工程纠纷的解决过程耗时、耗力、耗财,并且有损于当事人各方以后的合作。因此,在工程建设过程中,合理预防纠纷才是最合理、最经济的方式。

行政协议:行政机关为了实现行政管理或者公共服务目标,与公民、法人或者其他组织协商订立的具有行政法上权利义务内容的协议称为行政协议。行政协议既具有行政管理活动"行政性"的一般属性,也具有"协议性"的特别属性。

2. 建设工程纠纷处理的方法

发生合同争议后,当事人处理和解决合同争议的方法有和解、调解、仲裁和诉讼四种方式。这几种方法没有先后顺序,除非合同当事人事先约定,合同当事人可以选择用何种方法解决合同纠纷。当事人之间发生合同纠纷时,可以先通过和解或者调解解决;若当事人不愿意通过和解、调解解决或者和解、调解不成的,可以依据合同中的仲裁条款或者事后达成的书面仲裁协议,向仲裁机构申请仲裁;当事人没有在合同中订立仲裁条款,事后又没有达成书面仲裁协议的,可以向人民法院起诉。

（1）和解

和解是指建设工程纠纷合同当事人发生争议后,在没有第三方介入的情况下,在自愿互谅的基础上,就已经发生的争议进行谈判并达成协议,自行解决争议的一种方式。建设工程发生纠纷时,当事人应首先考虑通过和解解决纠纷。事实上,在工程建设过程中,绝大多数纠纷都可以通过和解解决。和解的特点是:

①简便易行,能经济、及时地解决纠纷。

②纠纷的解决依靠当事人的妥协与让步,没有第三方的介入,有利于维护合同双方的友好合作关系,使合同更好地得到履行。

③和解协议不具备有强制执行效力,和解协议的执行依靠当事人的自觉履行。

当事人应首先考虑通过和解解决纠纷。事实上,在工程建设过程中,绝大多数争议当事人往往愿意首先采用和解的方式解决争议。即互有诚意的双方一般都首先进行协商以求和解,宁愿相互做出一些让步,分担一些损失,使争议得到解决。

但是,和解也存在局限性。和解所达成的协议能否得到切实自觉的遵守,完全取决于争议当事人双方的诚意和信誉。如果在双方达成协议之后,一方反悔或拒绝履行应尽的义务,协议就成为一纸空文;在实践中,当争议标的金额巨大或争议双方分歧严重时,要通过协商达成谅解是比较困难的。由于和解协议缺乏法律强制履行的效力,因而和解解决争议的方法存在自身的局限性。鉴于此,我国法律既重视和解解决争议的积极作用,同时又不把它作为唯一方式,而是允许争议当事人在进行和解解决无效之时,可以通过调解、仲裁或起诉解决。

(2)调解

调解是指建设工程合同当事人对法律规定或者合同约定的权利、义务发生纠纷后,在第三者的主持下,根据事实和法律,经过第三者的说服与劝解,双方互谅互让,自愿达成协议,以求公平、合理地解决建设工程纠纷的一种方式。这里讲的调解是狭义的调解,不包括起诉和仲裁程序中在审判庭和仲裁庭主持下的调解。

建设工程纠纷调解解决具有以下特点:

①有第三者介入作为调解人,看问题可以客观、全面一些,有利于争议的公正解决。调解人的身份没有限制,但以双方都信任者为佳。

②有利于消除纠纷当事人的对立情绪,便于双方较为冷静、理智地考虑问题,维护双方的长期合作关系。

③节省时间和费用,能够较经济、及时地解决纠纷。

④调解协议不具有强制执行的效力,调解协议的执行依靠当事人的自觉履行。

由于调解解决争议具有上述特点,所以我国法律历来重视调解解决合同争议的积极作用。

(3)仲裁

仲裁又称为"公断",是指当发生合同纠纷而协商不成时,仲裁机构根据当事人的申请,对其相互之间的合同争议,按照仲裁法律、规范的要求进行仲裁并做出裁决,从而解决合同纠纷的一种方式。这种纠纷解决方式必须是自愿的,因此必须有仲裁协议。2017年9月经修改后公布的《中华人民共和国仲裁法》规定,其调整范围仅限于民商事仲裁,即"平等主体的公民、法人和其他组织之间发生的合同纠纷和其他财产权纠纷"。《中华人民共和国劳动争议调解仲裁法》规定的劳动争议仲裁、《中华人民共和国农村土地承包经营纠纷调解仲裁法》规定的农业承包合同纠纷仲裁,是由特定行政仲裁机构依法处理的行政仲裁。如果当事人之间有仲裁协议,纠纷发生后又无法通过和解、调解解决,则应及时将纠纷提交仲裁机构仲裁。根据《中华人民共和国仲裁法》的规定,仲裁分为国内仲裁和涉外仲裁。

仲裁具有以下特点:

①仲裁以双方当事人自愿为前提。双方当事人按照合同事先约定的或者事后达成一致的书面协议,在双方当事人自愿的基础上,向仲裁机构提起仲裁申请,这种申请仲裁机构才能受理;否则,仲裁机构不能受理当事人的申请。

②专业性。各仲裁机构的仲裁员都是由各方面的专业人士组成的,当事人完全可以选择熟悉纠纷领域的专业人士担任仲裁员。

③保密性。保密和不公开审理是仲裁制度的重要特点,除当事人、代理人以及需要时的证人和鉴定人外,其他人员不得出席和旁听仲裁开庭审理,仲裁庭和当事人不得向外界透露案件的任何实体及程序问题。

④裁决的终局性。仲裁裁决做出后是终局的,对当事人具有约束力。当事人在得到仲裁裁决后,应当自觉地履行仲裁裁决中规定的义务。若一方当事人不履行自己的义务(不执行裁决),

则另一方当事人可以向法院申请强制执行。受理申请的法院应强制不履行义务的当事人执行裁决的内容。

⑤执行的强制性。仲裁裁决具有强制执行的法律效力,当事人可以向人民法院申请强制执行。由于中国是《承认及执行外国仲裁裁决公约》的缔约国,所以中国的涉外仲裁裁决可以在世界上一百多个公约成员国得到承认和执行。

案例11—10

拖欠工程款的仲裁。

【案情简介】

2012年2月15日至2013年8月8日,A工程公司与北京B饭店(合资企业),先后签订了三个工程承包合同。合同中规定,双方在执行合同过程中所发生的一切争议应通过友好协商解决,如协商不能解决时,应提交在北京的中国国际贸易促进委员会对外经济贸易仲裁委员会进行仲裁。2018年9月15日,A工程公司以B饭店长期拖欠工程款为由,向中国国际经济贸易仲裁委员会(前称中国国际贸易促进委员会对外经济贸易仲裁委员会)提出仲裁申请,要求B饭店支付拖欠的工程款并且支付迟延付款的利息。中国国际经济贸易仲裁委员会组成仲裁庭进行审理后,于2019年2月9日做出裁决:B饭店应于2019年10月1日前将所欠工程款以及其他工程费用和利息254万美元支付给A工程公司,B饭店未在仲裁裁决规定的履行期限内履行该仲裁裁决。2020年2月20日,A工程公司以B饭店未履行仲裁裁决为由,向北京市中级人民法院申请强制执行仲裁裁决。

案例辨析

(1)所谓涉外仲裁,是指当事人一方或双方是外国公司、企业或其他经济组织之间的仲裁。在本案例中,申请仲裁的是A工程公司,是中国法人无疑,而被申诉人B饭店是一家合资公司,亦属于中国法人。双方争议并非产生于国际或涉外经济贸易中,而且承包合同纠纷并不具有涉外因素。因此,双方发生争议应到国内有关仲裁委员会申请仲裁,而不是到管辖涉外经济贸易仲裁案件的中国国际经济贸易仲裁委员会申请仲裁。

根据《中华人民共和国仲裁法》第七十一条和《中华人民共和国民事诉讼法》第二百五十八条的规定,被申请人提出证据涉外仲裁裁决有下列情形之一的,经人民法院组成合议庭审查核实,裁定不予执行:

①当事人在合同中没有订有仲裁条款或事后没有达成书面仲裁协议的。

②被申请人没有得到指定仲裁员或进行仲裁程序的通知,或由于其他不属于被申请人负责的原因未能陈述意见的。

③仲裁庭的组成或仲裁的程序与仲裁规则不符的。

④裁决的事项不属于仲裁协议的范围或仲裁机构无权仲裁的。

显然,本案例属于情形④,即仲裁机构无权仲裁。本案例的双方当事人都是中国法人,其争议并不是产生于国际或涉外经济贸易中,不具有涉外因素,故中国国际经济贸易仲裁委员会对本案例没有仲裁权,其所做出的裁决应被人民法院裁定不予执行。

(2)仲裁协议是双方当事人表示自愿将其争议提交仲裁解决的一种书面意思表示,也是仲裁机构受理仲裁案件的唯一法律依据。《中华人民共和国仲裁法》第十七条规定,仲裁协议有下列情形之一的,即无效:

①约定的仲裁事项超出法律规定的仲裁范围的。

②无民事行为能力人或限制民事行为能力人订立的仲裁协议。

③一方采取胁迫手段迫使对方订立仲裁协议的。

《中华人民共和国仲裁法》第十八条规定,仲裁协议对仲裁委员会或仲裁事项没有约定或约定不明确的,当事人可以补充协议;达不成补充协议的,仲裁协议无效。在本案例中,当事人之间达成的仲裁条款中选择了对该争议没有管辖权的仲裁委员会,事后又没有达成补充协议,因而该仲裁条款实际上是无效的。本案例仲裁裁决被人民法院裁定不予执行后,当事人可以重新向有管辖权的仲裁机构申请仲裁,或向人民法院提起诉讼。

案例11-11

仲裁条款的效力。

【案情简介】

某建设单位(以下称甲方)欲建设某工程项目,遂于2018年4月与自称是B建设公司西安公司的乙方签订了建筑工程承包合同,双方约定:经甲方代表同意,赶工费用按实际发生金额结算。2019年1月,甲、乙双方又签订了终止合同协议,该协议约定:"赶工费及工程返修费另行协商,如不能达成协议,此纠纷交由某仲裁委员会仲裁。"2021年5月,乙方根据终止合同协议中的仲裁条款就赶工费问题向市仲裁委员会申请仲裁。甲方则在仲裁庭首次开庭前向法院申请确认该仲裁条款无效。甲方认为:乙方在签订建筑工程承包合同及终止合同协议时并未依法注册成立,因此根本不具有签订仲裁条款的民事行为能力。乙方则认为:2019年9月,B建设公司申请成立了其西安分公司,2020年3月又申请变更为B建设公司西安公司,且B建设公司出具了授权乙方于2014年至2017年在西安地区承揽工程的委托书,因此,建筑工程承包合同及终止合同协议有效,仲裁条款当然有效。

案例辨析

根据《中华人民共和国仲裁法》第十七条的规定,无民事行为能力人或限制民事行为能力人订立的仲裁协议无效。依法办理工商登记是公司分支机构取得民事主体资格的必要条件,尽管甲方曾为乙方出具授权委托书,但乙方与甲方签订仲裁条款时,尚未取得工商管理部门的工商登记,即乙方无缔约民事行为能力,故乙方与甲方签订的仲裁条款应属无效。

(4)诉讼

诉讼是指建设工程合同纠纷的一方当事人诉诸人民法院对合同纠纷案件行使国家审判权,按照《中华人民共和国民事诉讼法》规定的程序进行审理。查清事实,分清是非,明确责任后,依法认定双方当事人的权利、义务关系,解决其纠纷。合同双方当事人如果未约定仲裁协议,则只能以诉讼作为解决纠纷的最终方式。诉讼是解决合同纠纷最有效的手段和方法。在一般情况下,诉讼的合同案件是一些较为复杂、涉及范围广、对双方当事人而言难以解决的案件;标的金额大,具有较大利害关系且其结果是一些较难以执行的案件,适于选择诉讼方式来解决纠纷。

诉讼具有以下特点:

①民事诉讼是在国家审判机关的主持下进行的。和解由当事人自行协商解决,调解由人民调解委员会或有关机构主持进行,仲裁由来自民间组织的仲裁委员会的仲裁员主持,而只有民事诉讼是由审判员代表国家行使审判权来主持进行的。

②程序和实体判决严格依法进行。与其他解决纠纷的方式相比,诉讼的程序和实体判决都应当严格依法进行。诉讼应当依照严格的诉讼程序和诉讼制度进行,而以其他方式解决民事纠纷,则没有如此严格的程序和制度,即使是在有明确的程序和制度规定的仲裁活动中,仲裁参加者的自主程度要较民事诉讼高得多,行为的选择余地也较民事诉讼大。

③当事人在诉讼中对抗的平等性。诉讼当事人在实体和程序上的地位平等。原告起诉,被告可以反诉;原告提出诉讼请求,被告可以反驳诉讼请求。

④二审终审制。建设工程纠纷当事人如果不服第一审人民法院的判决,可以上诉至第二审人民法院。建设工程纠纷经过两级人民法院审理,即告终结。

⑤执行的强制性。诉讼判决具有强制执行的法律效力,当事人可以向人民法院申请强制执行。这一特点有以下两方面的表现:第一,是否以该种方式来解决纠纷,不以双方合意为前提条件,只要争议一方的起诉符合条件,另一方即使不愿意参加民事诉讼,也得被强制参加,而和解、调解、仲裁等则仅在双方当事人自愿参加的情况下才可进行;第二,诉讼中法院所做出的生效裁判具有法律约束力,当事人不履行义务时,法院可根据法律规定强制执行,而和解、调解的结果则不具强制执行力,仲裁裁决的实现,多数是由当事人自愿履行裁决,少数则有赖于法院通过民事执行程序来提供保障。

《最高人民法院关于审理行政协议案件若干问题的规定》(法释〔2019〕17号)规定,公民、法人或者其他组织就下列行政协议提起行政诉讼的,人民法院应当依法受理:

a.政府特许经营协议。

b.土地、房屋等征收征用补偿协议。

c.矿业权等国有自然资源使用权出让协议。

d.政府投资的保障性住房的租赁、买卖等协议。

e.符合本规定第1条规定的政府与社会资本合作协议。

f.其他行政协议。

《最高人民法院关于审理行政协议案件若干问题的规定》规定,原告主张撤销、解除行政协议的,对撤销、解除行政协议的事由承担举证责任。对行政协议是否履行发生争议的,由负有履行义务的当事人承担举证责任。

案例11-12

建筑安装工程总公司中标纠纷案。

【案情简介】

原告为A建筑安装工程总公司，被告是B房地产开发公司，原、被告系一房地产工程项目招标、投标双方。被告于2019年11月22日经批准进行招标，原告与其他三家公司参加投标。经评议原告中标。被告由S市建设工程招标投标管理办公室见证，于2019年12月14日向原告发出中标通知书。通知书载明工程建筑面积44 781平方米，中标造价7 900万元，并要求原告于12月25日签订工程承包合同，12月28日开工。发出中标通知后，被告指令原告先做开工准备，再签订工程合同。原告按被告要求平整了施工场地，配备了桩架等开工设备，并如期于28日打了2根桩，完成了工程开工仪式。工程开工后，被告借故迟迟不同意签订工程承包合同。直到2020年3月1日，被告书面函告原告，声称"将另行落实施工队伍"。双方多次协商，未果。原告起诉到S市中级人民法院，要求判令被告履行中标通知书，与原告签订工程合同。

【案例辨析】

在审理过程中，原告根据《工程建设项目施工招标投标办法》的有关规定，认为被告发出中标通知书表明招标投标过程中的要约已经承诺，按招标投标文件和施工合同示范文本有关规定签订工程承包合同是被告的法定义务。原告的观点为法庭所接受。被告在认识到自己确已违约的前提下，提出调解要求。在法院主持下，双方达成一致意见，由被告赔偿原告包括律师代理费在内的各项损失共计295万元，诉讼费全部由被告承担，原告撤诉。

案例11-13

发包人停建应赔偿损失。

【案情简介】

B建筑工程公司与A娱乐公司签订一份建设歌舞厅的建设工程承包合同。合同约定：由B建筑公司包工包料建设一座3层高、建筑面积为1 405 m²的歌舞厅，工程造价为230万元，工期为1年。当第1层建设一半时，A娱乐公司不能按期支付工程进度款，B建筑公司被迫停工。在停工期间，A娱乐公司被C公司收购。C公司根据市场行情，决定将正在建设的歌舞厅改建成保龄球城，不仅重新进行设计，而且与D建筑公司重新签订了建设工程承包合同，同时欲解除原建设工程承包合同。在协议解除原建设工程承包合同时，因工程欠款及停工停建等损失问题双方未能达成一致意见。至此，B建筑公司已停工8个月。为追回工程欠款，B建筑公司起诉到法院，要求C公司赔偿损失。法院判决C公司赔偿损失。

> **案例辨析**
>
> 由于A娱乐公司拖欠工程款导致在建工程停工，又因为C公司收购了A娱乐公司，应承担A娱乐公司原签订合同的权利与义务。C公司变更原设计导致工程停建，依法应当承担给B建筑公司造成的损失。根据《中华人民共和国民法典》规定，因发包人的原因致使工程中途停建、缓建的，发包人应当采取措施弥补或者减少损失，赔偿承包人因此造成的停工、窝工、倒运、机械设备调迁、材料和构件积压等损失和实际费用。首先，应当由C公司采取措施弥补或减少B建筑公司的损失，将积压的材料和构件按实际价值买回；其次，应按已完工的工程量结算工程价款；第三，应赔偿B建筑公司停工、中途停建的损失，如支付停工期间的工人工资等；第四，赔偿因中途停建而发生的实际费用，如机械设备调迁的费用等；第五，支付合同约定的一方单方提前解除合同的违约金。

思考与训练

一、选择题

1. 根据《中华人民共和国土地管理法》的有关规定，国家征收土地必须按法定程序进行，并根据被征收土地的（　　），按照法定标准给予征地补偿。

   A. 原用途　　　B. 生产能力　　　C. 经济价值　　　D. 区位

2. 土地使用权出让合同由（　　）与土地使用者签订。

   A. 原土地使用人　　　　　　　　B. 市、县人民政府
   C. 市、县人民政府土地管理部门　　D. 市、县人民政府规划部门

3. 土地使用权出让可以采取（　　）方式。

   A. 招标　　B. 拍卖　　C. 协议　　D. 划拨　　E. 无偿分配

4. 以出让方式取得国有土地使用权的单位和个人，在土地使用期限内，对土地拥有（　　）。

   A. 所有权　　B. 使用权　　C. 占有权　　D. 收益权　　E. 处分权

5. 国有土地使用权出让法定最高年限为50年的有（　　）。

   A. 居住用地　　　　　　　　　　B. 教育、科技、文化卫生、体育用地
   C. 工业用地　　　D. 商业、旅游、娱乐用地　　　E. 综合或其他用地

6. 下列建设用地中，不能以划拨方式取得土地使用权的是（　　）。

   A. 国家机关用地　　　　　　　B. 军事用地
   C. 城市基础设施用地　　　　　D. 商业设施用地

7. 按照《中华人民共和国土地管理法》的规定，超过批准的数量占用土地，多占用的土地（　　）。

   A. 按违反土地利用总体规划对待　　B. 以非法占用土地论处
   C. 要进行罚款　　　　　　　　　　D. 视具体情况而定，具体问题具体分析

8.《中华人民共和国土地管理法》规定,征收耕地时,每一个需要安置的农业人口的安置补助费标准,为该耕地被征收(　　)。

A.前5年平均年产值的6至10倍　　B.前3年平均年产值的6至10倍

C.前5年平均年产值的4至6倍　　D.前3年平均年产值的4至6倍

9.(　　)负责管理和保护城市道路、桥涵。

A.人民政府　　B.城市建设主管部门

C.城市规划部门　　D.城市道桥行政主管部门

10.城市集中供热是城市公用事业,利润甚微,因此国家要给予一定的(　　),热力价格要按照热源生产单位、热力公司和用户三兼顾的原则,根据实际成本和效益合理确定。

A.鼓励　　B.照顾　　C.优惠政策　　D.扶持

11.根据《房地产开发企业资质管理规定》的规定,房地产开发企业分为(　　)个资质等级。

A.1　　B.2　　C.3　　D.4

12.根据《中华人民共和国城市房地产管理法》,基准地价是指各城市按不同的土地级别、不同地段分别评估和测算的(　　)。

A.商业、住宅、工业等各类用地土地使用权的平均价格

B.商业与住宅用地土地使用权的加权平均价格

C.工业与民用建筑用地土地使用权的加权平均价格

D.住宅与公用建筑用地土地使用权的平均价格

13.建筑装饰工程施工合同示范文本分为甲种本和乙种本两个类型。甲种本适用于(　　)建筑装饰工程。

A.大型　　B.中型　　C.大、中型　　D.小型

14.装修人从事住宅室内装饰装修活动时,以下选项中错误的是(　　)。

A.拆改供暖管道和设施,要经过供暖管理部门批准后才能进行

B.拆改燃气管道和设施,要经过燃气管理部门批准后才能进行

C.在非承重外墙上开门、窗,要报请城市规划行政主管部门批准后方能实施

D.改变住宅外立面无须报有关部门批准

15.建设工程最典型的价格形式是(　　)。

A.业主方估算的全部固定资产投资

B.承包与发包双方共同认可的承包与发包价格

C.经政府投资主管部门审批的设计概算

D.建设单位编制的工程竣工决算价格

16.劳动合同可以约定试用期,试用期最长不得超过(　　)。

A.3个月　　B.6个月　　C.12个月　　D.18个月

17.劳动者解除劳动合同,应当提前(　　)以书面形式通知用人单位。

A.7日　　B.10日　　C.30日　　D.60日

18.劳动合同是指劳动者与用人单位确立劳动关系,明确双方权利和义务的( )。

A.书面协议　　B.协议　　C.合同　　D.书面或者口头协议

19.《中华人民共和国消防法》未作持证上岗要求的人员是( )。

A.电焊作业人员　　B.气焊作业人员

C.消防器材经销人员　　D.自动消防系统操作人员

20.《中华人民共和国消防法》未作禁止性规定的是( )。

A.携带火种进入生产、储存易燃易爆危险物品的场所

B.使用明火作业

C.销售未经合法检验机构检验的消防产品

D.使用不符合标准的消防器材

21.纳税人未按照规定期限缴纳税款的,扣缴义务人未按照规定期限解缴税款的,税务机关除责令限期缴纳外,从滞纳税款之日起,按日加收滞纳税款( )的滞纳金。

A.千分之三　　B.千分之五　　C.万分之三　　D.万分之五

22.纳税人因有特殊困难不能按期缴纳税款的,经县以上税务局(分局)批准,可以延期缴纳税款,但是最长不得超过( )。

A.1个月　　B.3个月　　C.6个月　　D.12个月

23.下列情形中,可以视为撤回仲裁申请的是( )。

A.仲裁申请人经书面通知,无正当理由拒不到庭

B.被申请人与申请人达成调解协议

C.仲裁申请人未经仲裁庭许可中途退庭

D.被申请人与申请人自行和解

E.申请人无理取闹,扰乱仲裁秩序的

24.以下选项中,施工合同质量纠纷成因表述错误的是( )。

A.建筑材料没有注册商标

B.监理制度不严格

C.建设单位不顾实际地降低造价,缩短工期

D.施工单位在施工过程中偷工减料

25.仲裁裁决书自( )之日起发生法律效力。

A.做出　　B.送达双方当事人

C.双方当事人签收　　D.双方当事人同意执行

26.仲裁委员会裁决做出后,一方当事人不履行裁决时,( )。

A.仲裁委员会可以强制执行

B.另一方当事人可以向仲裁委员会重新提请仲裁

C.另一方当事人可以向法院提起诉讼

D.另一方当事人可以向法院申请强制执行

27.建设工程纠纷发生后,当事人申请仲裁应当(　　)。
A.有仲裁协议　　　　　　　　B.有和解协议
C.有具体的仲裁请求、事实和理由　　D.属于仲裁委员会的受理范围
E.得到法院的许可

二、问答题

1.《中华人民共和国土地管理法》的主要内容有哪些?
2.什么是土地所有权?我国土地所有权有哪两种?
3.土地使用权取得(或设立)的形式有哪些?
4.城市基础设施按其特性不同可分为哪五类?
5.市政公用设施管理包括哪些内容?
6.建设工程施工现场在市容管理方面有哪些要求?
7.房地产开发中,到质监站办理建设工程质量监督手续需要提供哪些资料?
8.房地产开发企业的法律责任有哪些?
9.《中华人民共和国城市房地产管理法》中对房地产开发建设有哪些基本要求?
10.进行住宅室内装饰装修活动时,禁止哪些行为?
11.住宅室内装饰装修工程的最低保修期限是如何规定的?
12.工程竣工验收合格后,进行竣工结算应符合哪些规定?
13.工程进度款结算有哪两种方式?工程进度款支付有哪些规定?
14.《中华人民共和国劳动合同法》主要调整的关系有哪些?
15.哪些情况下劳动合同可以解除?
16.建设工程的消防规定有哪些?
17.谈谈税务机关依法可以对纳税人处以罚款的情况。
18.建设工程纠纷解决方式有哪些?
19.仲裁与诉讼有何不同?

三、技能训练题

1.案例分析:建设用地不符合要求,拒绝发放选址意见书

某区属企业位于工业区内,占地 8 400 m²。因设施老化、产品落后而最终破产倒闭。区政府想利用原厂区土地开发住宅,并将获得资金安置下岗职工,经向市规划行政主管部门申请,被驳回,理由是该用地在城市总体规划和控制性详细规划中为工业用地,不能改变用地性质。

请问:该市规划行政主管部门的做法合理吗?是否不近人情?

2.案例分析:房地产开发合同案

2008年11月,某市加工厂(以下简称甲方)与某房地产开发企业(以下简称乙方)订立了建筑工程承包工程合同。合同规定:乙方为甲方建一框架厂房,跨度15 m,总造价为285.5万元;承包方式为包工包料;建设工程工期由2008年11月25日至2010年5月25日。到2010年年底,工程仍未能完工,而且已完工工程质量部分不合格,在这一期间甲方付给乙方工程款、材料垫

付款共 300.5 万元。为此,双方发生纠纷。

经查明:乙方在工商行政管理机关登记的经营范围为维修和承建小型非生产性建筑工程,房地产开发企业主管部门核定的资质等级为五级,无资格承包此工程。经有关部门鉴定:该项工程造价为 285.5 万元,未完工程折价为 20.8 万元,已完工程的厂房吊车梁质量不合格,返工费为 10.9 万元。

受诉法院审理认为:工商企业法人应在工商行政管理机关核准的经营范围内进行经营活动,超范围经营的民事行为无效。本案被告乙方承包建设厂房,超越了自己的技术等级范围。根据《中华人民共和国民法典》及《建设工程施工合同管理办法》的规定,判决如下:

(1)原、被告所订立的建筑工程承包合同无效。

(2)被告返还原告多付的工程款 35.8 万元。

(3)被告偿付原告因工程质量不合格所需的返工费 10.9 万元。

请问:

(1)原、被告所订立的建筑工程承包合同为什么无效?

(2)被告对合同无效及工程质量问题应负全部责任吗?谈谈你的看法。

(3)工程质量的返工费为什么要被告承担?

(4)35.8 万元工程款是根据什么计算出来的?

3.案例分析:用人单位不签订劳动合同,干了一年多,难道白干了?

小李托亲戚找朋友好不容易进了一家公司,当时没有签订劳动合同,进去后干的活很杂,工作岗位不固定,每个月领的工资也不一样。一年后,他多次与该公司协商签订劳动合同,想把工作岗位、内容、工资等各方面固定下来,可该公司总是以"我们需要的就是一个能干杂活的人""公司效益不固定工资也不能固定""如果不想干就另谋高就"等各种理由予以推托。结果,他干了一年多,劳动合同也没签成。后来该公司换了个老板,一上任就把他辞退了。

请问:

(1)小李的要求合法吗?

(2)什么是无固定期限合同?什么情况下产生无固定期限合同?

4.案例分析:责任由谁来负?

苏阿姨是 A 家政公司的员工,受公司指派到 B 企业做保洁服务。在擦窗户玻璃时,她一不小心从办公室的窗台上跌倒在地板上,导致手部骨折。B 企业老板及时将她送到医院治疗,但拒绝支付医疗费。苏阿姨找 A 家政公司要医疗费,不料其老板却说:"你是为 B 企业打扫卫生时受的伤,可以找他们索赔。"而 B 企业老板却认为自己已经支付了保洁费,且已及时将苏阿姨送到了医院,"可以说是仁至义尽了"。两单位对于医疗费互相踢皮球,都表示不予支付。

在《中华人民共和国劳动合同法》颁布以前,这种情况是这样处理的,《民法通则》第四十三条规定:"企业法人对其法定代表人或其他工作人员的经营活动承担民事责任。"苏阿姨是受 A 家政公司的指派从事保洁工作的,是为 A 家政公司履行义务。她受伤也是在为 A 家政公司履行义务过程中发生的,因此责任应由 A 家政公司来承担。

请问:《中华人民共和国劳动合同法》中对劳务派遣中给劳动者造成的损害是如何规定赔偿责任的?据此,苏阿姨医疗费可以向谁要?

5.请仔细阅读以下案例,然后查找有关资料回答问题。

案例(1):2003年11月6日17时左右,某校学生宿舍7号楼605房间的女学生使用热得快烧水,外出时未拔掉电源,引起火灾。这次火灾虽未造成大的财产损失,但宿舍内6名同学的被褥因灭火而全部被水浸泡。

案例(2):2004年7月24日,某校学生宿舍3号楼一宿舍内的同学在宿舍内吸烟后,将未熄灭的烟头随手丢到了窗台上,结果烟头又被风吹到了靠近窗台的一把弹簧椅上,进而引发了火灾事故。

请问:

(1)高校校园发生火灾的主要原因有哪些?

(2)在日常生活中,防火方面应注意哪些事项?

(3)火场自救与逃生要注意哪些要点?

6.案例分析:因隐蔽工程验收而产生的纠纷处理

2003年3月,甲、乙双方签订施工总承包合同,由乙方负责职工宿舍楼的施工。双方在合同中约定:隐蔽工程由双方共同检查,检查费用由甲方支付。

地下室防水工程完成后,乙方通知甲方验收,甲方则答复:因为公司内部事务较多,由乙方自己检查,出具检查记录即可。20天后,甲方又聘请了专业技术人员对地下室防水工程进行了质量检查,发现没有达到合同所约定的标准,要求乙方承担检查费用,并且进行工程返工。乙方认为合同约定检查费用由甲方支付,所以拒绝支付检查费用,但同意工程返工。甲方多次要求乙方付款未果,遂诉诸法院。

法院受理案件以后,对地下室防水工程重新进行了鉴定,结论为地下室防水工程质量不符合合同约定的标准。法院判决乙方承担检查费用。

请问:该案件审理得正确吗?

7.案例分析:工程价款结算时发包方拒绝补付工程款引起的纠纷案

2001年8月26日,A建筑工程队以包工包料的方式承包了该市B种鸡厂的种鸡孵化室工程。A建筑工程队在组织施工过程中,发现B种鸡厂为了节约开支,防止该工程超出预算,经C建筑队同意,自行从D物资供应站采购了一批价值36 500元的木材,并从应预付A建筑工程队的工程款中拨出36 500元支付了木材款。2002年9月10日,该工程如期竣工后,双方在结算工程款时,B种鸡厂又从应付A建筑工程队的工程款中扣除了购木材款36 500元。A建筑工程队经核算当即提出其扣除购木材款属于再次扣除,是计算失误,要求立即给付多扣的工程款36 500元。B种鸡厂拒不给付。2002年6月,A建筑工程队起诉至法院,要求B种鸡厂给付欠款36 500元及相应利息。

法院审理认为:双方签订的建筑合同合法有效,双方均应认真履行。B种鸡厂在工程结算时,重复扣除木材款,在A建筑工程队举出正确的工程款数据后仍拒绝补足工程款的行为是违约行为,应承担完全民事责任,故法院对 A 建筑工程队要求 B 种鸡厂给付所欠工程款及赔偿相应的银行贷款利息损失的请求予以支持。据此,依照《民法通则》第一百零六条、第一百一十一条之规定判决,B 种鸡厂给付 A 建筑工程队工程款 36 500 元并赔偿 A 建筑工程队经济损失9 202.5 元。

请对法院的判决加以分析。

参 考 文 献

[1] 陈东佐.建设工程法规(第二版).北京:化学工业出版社,2016.

[2] 朱宏亮.建设法规教程(第二版).北京:中国建筑工业出版社,2019.

[3] 战启芳.工程建设法规与合同管理(第三版).北京:中国建筑工业出版社,2020.

[4] 许雪梅,邹治.建设工程纠纷.北京:中国法制出版社,2004.

[5] 高正文.建设工程法规与合同管理(第二版).北京:机械工业出版社,2024.